João Guimarães Rosa

Manuelzão e Miguilim

(Corpo de baile)

João Guimarães Rosa

Manuelzão e Miguilim

(Corpo de baile)

11ª edição
5ª impressão

EDITORA
NOVA
FRONTEIRA

EDITORA NOVA FRONTEIRA S.A.
Rua Bambina, 25 – Botafogo – 22251-050
Rio de Janeiro – RJ – Brasil
Tel.: (21) 2537-8770 – Fax: (21) 2537-2659
http://www.novafronteira.com.br
e-mail: sac@novafronteira.com.br

Ilustrações de Poty gentilmente cedidas por Editora José Olympio Ltda.

Equipe de produção
LEILA NAME
REGINA MARQUES
IZABEL ALEIXO
ANA CAROLINA MERABET
DANIELE CAJUEIRO
MARCIO ARAUJO
SHAHIRA MAHMUD
VICTORIA RABELLO

Revisão
EDUARDO CARNEIRO MONTEIRO
MARCELO EUFRASIA
NANA VAZ DE CASTRO

Capa e projeto gráfico
VICTOR BURTON

Diagramação
ADRIANA MORENO

CIP – BRASIL. CATALOGAÇÃO-NA-FONTE
SINDICATO NACIONAL DOS EDITORES DE LIVROS, RJ.

R694m Rosa, João Guimarães, 1908-1967
11.ed. Manuelzão e Miguilim: (Corpo de baile) / João Guimarães Rosa. – 11. ed.
Rio de Janeiro: Nova Fronteira, 2001

Conteúdo: Campo Geral – Uma estória de amor
ISBN 85-209-1177-3

1. Novela brasileira. I. Título. II. Título: Corpo de baile

CDD 869.93
CDU 869.0 (81)-3

"Num círculo, o centro é naturalmente imóvel; mas, se a circunferência também o fosse, não seria ela senão um centro imenso."

Plotino

"Vede, eis a pedra brilhante dada ao contemplativo; ela traz um nome novo, que ninguém conhece, a não ser aquele que a recebe."

Ruysbroeck o Admirável

Sumário

Nota do Editor

Com o objetivo de trazer a público uma nova e bem-cuidada edição das obras de João Guimarães Rosa, trabalhamos neste relançamento com duas prioridades: atendendo a uma solicitação já antiga de nossos leitores, foi elaborado um novo projeto gráfico, mais leve e arejado, permitindo uma leitura mais agradável do texto. Além disso — e principalmente —, procuramos também estabelecer um diálogo com antigas edições da obra de Guimarães Rosa, cuja originalidade do texto levou seus editores, algumas e já registradas vezes, a erros involuntários, sem que, infelizmente, contemos ainda com a bem-humorada acolhida desses erros pelo próprio autor, como afirmam alguns de seus críticos e amigos, entre eles Paulo Rónai.

Assim, a presente edição de *Manuelzão e Miguilim* baseou-se no texto da 3ª edição da obra, publicada em 1964, sendo feitas apenas, porque posteriores ao falecimento do escritor, as alterações de grafia decorrentes da reforma ortográfica instituída pela lei de 18 de dezembro de 1971, que aboliu o trema nos hiatos átonos, o acento circunflexo diferencial nas letras *e* e *o* da sílaba tônica de palavras homógrafas e o acento grave com que se assinalava a sílaba subtônica em vocábulos derivados com o sufixo *–mente* e *–zinho*.

Quanto a outras grafias em desacordo com o formulário ortográfico vigente, manteve-se, nesta edição, aquela que o autor deixou registrada na edição-base. Utilizamos ainda outras edições tanto para corrigir variações indevidas como para insistir em outras. Essas grafias em desuso podem parecer simplesmente uma questão de atualização ortográfica, mas, se essa atualização já era exigida pela norma quando da publicação dos livros e de suas várias edições durante a vida do autor, partimos do princípio de que elas são provavelmente intencionais e devem, portanto, ser mantidas. Para justificar essa decisão, lembramos aos leitores que as antigas edições da obra de Guimarães Rosa apresentavam uma nota alertando justamente para a grafia personalíssima do autor e que algumas histórias registram a sua teimosia em acentuar determinadas palavras. Além disso, mais de uma vez em sua correspondência, ele observou que os detalhes aparentemente sem importância são fundamentais para o efeito que se quer obter das palavras.

Esses acentos e grafias "sem importância", em desacordo com a norma ortográfica vigente (mas "a língua e eu somos um casal de amantes que juntos procriam apaixonadamente, mas a quem até hoje foi negada a bênção eclesiástica e científica"), compõem um léxico literário cuja variação fonética é tão rica e irregular quanto à da linguagem viva com que o homem se define diariamente. E ousamos ainda dizer que, ao lado das, pelo menos, treze línguas que o autor conhecia e utilizava em seu processo de voltar à origem da língua, devemos colocar, em igualdade de recursos e contribuições poéticas, aquela em cujos "erros" vemos menos um desconhecimento e mais uma possibilidade de expressão, e por isso também "terá de ser agreste ou inculto o neologista, e ainda melhor se analfabeto for".

Com esse critério, a certeza de que algumas dúvidas não puderam ser resolvidas, e uma boa dose de bom senso, esperamos estar agora apresentando o resultado de um trabalho responsável e consistente, à altura do nome deste autor, por cuja presença em nossa casa nos sentimos imensamente orgulhosos.

2001.

Um chamado João

João era fabulista?
fabuloso?
fábula?
Sertão místico disparando
no exílio da linguagem comum?

Projetava na gravatinha
a quinta face das coisas
inenarrável narrada?
Um estranho chamado João
para disfarçar, para farçar
o que não ousamos compreender?

Tinha pastos, buritis plantados
no apartamento?
no peito?
Vegetal êle era ou passarinho
sob a robusta ossatura com pinta
de boi risonho?

Era um teatro
e todos os artistas
no mesmo papel,
ciranda multivoca?

João era tudo?
tudo escondido, florindo
como flor é flor, mesmo não semeada?
Mapa com acidentes
deslizando para fora, falando?
Guardava rios no bôlso
cada qual em sua côr de água
sem misturar, sem conflitar?
E de cada gôta redigia
nome, curva, fim,
e no destinado geral.
seu fado era saber
para contar sem desnudar
o que não deve ser desnudado
e por isso se veste de véus novos?

Mágico sem apetrechos,
civilmente mágico, apelador
de precípites prodígios acudindo
a chamado geral?
Embaixador do reino
que há por trás dos reinos,
dos podêres, das
supostas fórmulas
do abracadabra, sésamo?
Reino cercado
não de muros, chaves, códigos,
mas o reino-reino?

Por que João sorria
se lhe perguntavam
que mistério é êsse?
E propondo desenhos figurava
menos a resposta que
outra questão ao perguntante?

Tinha parte com... (sei lá
o nome) ou êle mesmo era
a parte de gente
servindo de ponte
entre o sub e o sôbre
que se arcabuzeiam
de antes do princípio,
que se entrelaçam
para melhor guerra,
para maior festa?

Ficamos sem saber o que era João
e se João existiu
de se pegar.

21. XI. 1967

Carlos Drummond de Andrade

Fac-símile do poema de Carlos Drummond de Andrade que foi publicado no *Correio da Manhã* de 22 de novembro de 1967, três dias após a morte de João Guimarães Rosa.

Rondando os segredos de Guimarães Rosa*

Paulo Rónai

Aparece no segundo livro de João Guimarães Rosa uma árvore gigante, o Buriti-Grande, epônimo de uma fazenda e de um dos contos da coletânea, ponto de referência e sinal de demarcação, emblema e símbolo. "O Buriti-Grande ia para o céu — até setenta ou mais metros, roliço a prumo — inventando um abismo."

Assim a personalidade singular do autor há de marcar a nossa paisagem literária. Ao caracterizar a personagem vegetal, está definindo uma das funções, talvez a mais importante, da própria arte.

Inventor de abismos, o autor de *Corpo de baile* localiza-os em broncas almas de sertanejos, inseparavelmente ligadas à natureza ambiente, fechadas ao raciocínio, mas acessíveis a toda espécie

* Este artigo refere-se ao livro *Corpo de baile*, cuja 1ª edição é de 1956 e que, em sua 3ª edição, foi dividido pelo próprio autor, João Guimarães Rosa, em três volumes autônomos: *Manuelzão e Miguilim*, *No Urubuquaquá, no Pinhém* e *Noites do sertão*.

de impulsos vagos, sonhos, premonições, crendices, vivendo a séculos de distância da nossa civilização urbana e niveladora. São almas ainda não estereotipadas pela rotina, com receptividade para o extraordinário e o milagre. O escritor enfrenta-as em geral num momento de crise, quando, acuadas pelo amor, pela doença ou pela morte, procuram desesperadamente tomar consciência de si mesmas e buscam o sentido de sua vida.

Esses abismos inventados dão reais calafrios. No fundo deles se vislumbram os grandes medos atávicos do homem, sua sede de amor e seu horror à solidão, seus vãos esforços de segurar o passado e dirigir o futuro.

Nas obras de Guimarães Rosa, tais sentimentos plasmam a mente de personagens marginais, imperfeitamente absorvidas pelo convívio social ou nada tocadas por ele: crianças, loucos, mendigos, cantadores, prostitutas, capangas, vaqueiros. Eles é que formam o corpo de baile num teatro em que não há separação entre palco e platéia. O autor e as personagens nunca são completamente distintos. Usam a mesma língua, a ponto que volta e meia aquele passa a palavra a estas sem que se note qualquer mudança de plano. Tal praxe não somente não conduz à limitação do registro das notações, mas, por um milagre de arte, confere-lhe amplitude raras vezes atingida em qualquer literatura.

É pela segunda vez que o autor dá um mergulho no mesmo universo. Dez anos depois do memorável êxito de *Sagarana*, espanta-nos com a fecundidade desse intervalo, que poderia ter enchido de publicações periódicas, pois as sete grandes novelas de *Corpo de baile* dariam perfeitamente outros tantos volumes. Mas Guimarães Rosa aceitou o risco de sair do cartaz por um decênio para não sacrificar a unidade do seu livro.

Insensível a conveniências editoriais, o escritor pouco se preocupa em ir ao encontro dos hábitos do público. Arremessa aos leitores, de uma só vez, uma Suma inteira; lança-os, em vez de num caminho reto, num verdadeiro labirinto; e, se lhes dá algumas chaves — epígrafes tiradas de Plotino e Ruysbroeck, tão inesperadas no limiar de uma coleção de novelas regionais —, deixa-os procurar as fechaduras a que elas se aplicam. E mesmo que eles tenham compreendido a unidade essencial do conjunto e a importância igual das diversas partes, mesmo que tenham percebido a razão de ser do título e a presença permanente de símbolos poéticos nessas narrativas telúricas, ainda terão de resolver inúmeros enigmas que se lhes armam a cada passo. Com estes a sagacidade do autor parece querer selecionar o seu público a fim de, depois, compensá-lo regiamente do esforço despendido.

É Ruskin quem fala dessa "reticência cruel no coração de homens sábios que lhes faz sempre esconder o seu pensamento mais profundo. Eles não no-lo comunicam sob forma de ajuda, mas sob forma de recompensa, e querem ficar certos de o merecermos antes de nos permitirem que o alcancemos".

Nos dois índices da obra, as partes desta são ora qualificadas de poemas, ora de contos e romances. Serão poemas, enquanto todas trazem significações subjacentes. A distinção entre conto e romance tampouco obedece ao critério habitual da extensão; antes corresponde a um grau maior ou menor de conteúdo lírico: ao subordinar os primeiros ao título de "parábase"*, o autor,

* *Corpo de baile* em suas duas primeiras edições, de 1956 e de 1960, apresentava dois sumários, um para o começo do livro e outro para o fim. No sumário do fim do livro, as novelas eram dispostas em dois grupos: o primeiro, "Gerais" (Os romances), em que figuravam "Campo Geral", "A estória de Lélio e Lina", "Dão-Lalalão" e "Buriti"; e o segundo, Parábase (Os contos), com "Uma estória de amor", "O recado do morro" e "Cara-de-Bronze". Para a 3ª edição, o autor manteve a estrutura de dois sumários para cada livro.

com esse termo da comédia grega, adverte-nos de que é neles que se deverá procurar a sua mensagem pessoal. Isto posto, ainda será mister decifrar essa mensagem.

Como os grandes poemas clássicos, *Corpo de baile* está cheio de segredos que só gradualmente se revelam ao olhar atento. A própria unidade da obra é um deles. Ela não é apenas geográfica e estilística, como parece à primeira vista. Conexões de temática, correspondências estruturais, efeitos de justaposição e oposição integram-na, mas os leitores têm de os descobrir um a um. Talvez ninguém consiga, nesse pormenor, desemaranhar totalmente o jogo complexo das intenções do autor — mas o que cada um desvendar será o suficiente para intensificar o prazer da peregrinação por esse mundo denso de novidades.

Outra barreira que o leitor tem de romper é a do estilo. Guimarães Rosa joga com toda a riqueza da língua popular de Minas, mas é fácil perceber que não se contenta com a simples reprodução. Aproveitando conscientemente os processos de derivação e as tendências sintáticas do povo, uns e outros freqüentemente ainda nem registrados, cria uma língua pessoal, toda dele, de espantosa força expressiva, e que há de encontrar os seus lexicógrafos. Obedecendo ora à exigência íntima da matização infinita, ora a um sensualismo brincalhão que se compraz em novas sonoridades, submete o idioma a uma atomização radical, da qual só encontraríamos precedentes em Joyce ("O mato — vozinha mansa — aeiouava." "Dava-se do ar um visco, o asmo de uma moemoência, de tudo o que a mata e o brejão exalassem." Nos campos havia "frechechéu e tiroteio"; no alto, "o milmilhar de estrelas do sertão"). A invenção de onomatopéias sem conta, a livre permutação de prefixos verbais, a atribuição de novos regimes, a ousada inversão das categorias gramaticais, a multiplicação das terminações afetivas são algumas dessas fecundas arbitrariedades que se abonam mais de uma vez na prática de outras línguas, cujas reminiscências o poliglota nem sempre soube ou quis reprimir. A falta de separação entre personagens e autor faz que complicados conteúdos intelectuais venham a revestir-se de modismos populares e a cheirar a preciosismo ("Mas, para ele, aproximar-se dali estava sendo talvez trocar o repensado contracurso de uma dúvida, pelo azado desatinozinho que o destino quer"). Como quem vence uma aposta, o autor esconde, aqui e ali, nas meditações de seus sertanejos, um pensamento de Platão ou de Plotino ("Aquele bezerro caruara dava gastura, de se reparar, era um nôjo, um defeito no mundo. Como se um erro tivesse falseado seu ser, contra a forma, que devia de ser o molde para ele, a idéia para um bezerro belo; não podido pois ser realizado."). Mistura personalíssima e inimitável de artifício e espontaneidade, o estilo de Guimarães Rosa pede que se lhe dê um crédito de confiança para restituí-lo com juros.

Feita essa advertência ao leitor, deixemo-lo entrar no primeiro cenário do livro em "Campo Geral", um recanto oculto da roça, com seu emaranhado de conceitos, atos e ritos, costumes rudes e paixões selvagens. Por um achado notável, penetramos nele guiados por um menino de oito anos, nascido no próprio ambiente, e que o aceita com inteira naturalidade. Numa reprodução mágica da visão infantil, episódios insignificantes criam volume e acontecimentos trágicos se reduzem a meras impressões. Sob nossos olhos maravilhados, o menino Miguilim cresce, incorpora as lições das plantas e dos bichos, absorve a sabedoria do irmão menor, e vem-se desenvolvendo dia a dia, no meio dos segredos inquietantes do mundo dos adultos, mas impressionando-se sobretudo com milagres que só para ele existem: o papagaio pronunciando pela primeira vez o nome do irmão meses após a morte deste, um par de óculos dando à vida nova dimensão e sentido.

Esses milagres não são o privilégio das crianças. Adultos que ainda carregam consigo restos da alma infantil chegam a cruzá-los às vezes, e em circunstâncias das mais imprevistas. Daí, em "A estória de Lélio e Lina", a inverossímil aventura do vaqueiro Lélio na fazenda do Pinhém, de onde ele sai raptando uma velha senhora que poderia ser sua mãe, e a quem só o ligam laços de simpatia. No tecido grosso e palpável de uma história toda real — com desfile de vaqueiros de diversos tipos, cenas da vida pastoril, as fases da adaptação de Lélio a seus novos camaradas, as suas experiências sexuais —, o episódio feérico dessa extraordinária amizade entre a velha sábia e folgazã e o jovem pastor de imaginação quimérica se destaca sem nada grotesco ou absurdo, com uma naturalidade serena.

Como num *pendant* à atração espiritual que aproxima Lélio de D. Rosalina, o valentão Soropita, herói de "Dão-Lalalão", arde numa paixão sombria, carnal, inextinguível, praticando desatinos, procurando atingir desvairadamente o cerne do próprio desejo. Apesar de uma porção de crimes na consciência, vive rico e estimado no lugarejo aonde se recolheu, e gozaria de paz perfeita se não houvesse a ameaça constante de ressurgir o passado não dele, mas da mulher, antiga meretriz de Montes Claros, desencadeando ferozes ciúmes retroativos. O encontro de um velho amigo, a quem a seu pesar se sente compelido a exibir a felicidade, envolve-o num conflito dilacerador e o faz resvalar vertiginosamente rumo a um novo drama, evitado no último instante por um acaso. Mas sente-se que a história não acabou.

Tal sensação, temo-la também na última página de "Buriti", a única narrativa em que pessoas de classe superior se envolvem na vida dos Gerais, e acabam subjugadas pelo sortilégio. Quatro personagens de inesquecível relevo — o fazendeiro, a filha, a nora, o vizinho — após os esforços desesperados de uma longa resistência se vêem arrastados por sentimentos elementares e incontroláveis. A história, contada primeiro como reminiscência de um visitante, depois como experiência de uma das protagonistas, ganha extrema plasticidade pela mudança do ponto de vista.

Há em todos esses "romances" uma incontável população de comparsas, figuras excêntricas, esquisitões, perfeitamente individualizados, que lamento não poder nem sequer enumerar aqui, e que dão ao livro o colorido, o movimento e a graça grotesca de quadros de Bruegel e de Cranach.

A linha simbólica é predominante nos "contos", onde o enredo propriamente dito serve antes de acompanhamento. Assim em "Uma estória de amor", em que se conta a festa de Manuelzão, chegado de menino pobre a encarregado de fazenda. Já no fim da vida, impelido pela vontade de se perpetuar, constrói ele uma capela e inaugura-a com um banquete. Em trilhos paralelos correm as duas ações: a exterior, constituída pela seqüência da festa, a chegada dos convidados, o cerimonial do banquete; e a íntima, o embate de inquietações surdas no espírito frusto de Manuelzão, torturado por idéias de vida falha, solidão, morte próxima. As duas ações chegam a remate no eclodir inesperado, na boca de um velho mendigo, de uma epopéia, milagre cuja vaga intuição integra o sentido da festa e apaga os tristes símbolos da vida incompleta de Manuelzão: o riacho que secou, o *cavour* que ele almejou por toda a existência e que estava fora da moda quando, afinal, se achou em condições de adquiri-lo.

Em "O recado do morro", testemunha-se a gênese de uma canção que se cristaliza imperceptível e acessoriamente no decorrer de uma expedição científica. Brotada de um germe caído no perturbado espírito de um louco, alimentada e desenvolvida pela colaboração ocasional de outros lunáticos, acaba nas mãos de um bardo popular que lhe dá forma e sentido. A viagem da comitiva e o nascimento da canção operam-se simultaneamente, e a conclusão desta prefigura o fim trágico daquela. Um recado infralógico da atmosfera e da paisagem transmuda-se em verso através da cooperação de uma seqüela de anormais, de senso embotado mas de sentidos apurados.

Deixei para o fim "Cara-de-Bronze", o menor e o mais difícil dos três "contos", em que se multiplicam as armadilhas e os contornos de uma história são apenas esboçados. Chegado à fazenda do Urubuquaquá, um forasteiro se esforça para compor, com os depoimentos fragmentários dos vaqueiros, o retrato do velho fazendeiro apelidado Cara-de-Bronze, o qual, doente recluso em seu quarto, administra a sua propriedade. Nenhuma das qualidades da personagem invisível — nem sequer o nome — deixa de provocar apreciações contraditórias, fazendo entrever em plano mais geral a impossibilidade de um conhecimento objetivo da realidade humana. Outro mistério que intriga ao enigmático Moimeichêgo (e ao leitor também) é a natureza da missão confiada por Cara-de-Bronze a um vaqueiro escolhido com cuidado, o qual volta à fazenda depois de prolongada ausência. De suas respostas às perguntas dos camaradas se depreende que a sua missão, cujo sentido ele intui sem poder defini-lo, consistiu em trazer ao moribundo paralítico uma multidão de observações aparentemente desconexas e frívolas de seu antigo mundo, elementos que lhe permitissem reconstruir para o seu próprio uso a realidade íntima do passado, uma visão poética do seu universo. O material reunido pelo emissário é de uma riqueza disparatada e barroca, transborda do texto da história e se espalha por uma série de notas.

Essa figura mal esboçada grava-se entre todas na alma do leitor: do mesmo modo que ela, o próprio autor, feiticeiro disfarçado em diplomata, em escritor, em homem de sociedade, encerrado entre as paredes da sua repartição, da sua casa, da sua classe, delega para o cenário de sua adolescência não um emissário, mas cem — a turba multicor das personagens de *Corpo de baile* —, a fim de que lhe tragam os ingredientes indispensáveis à recomposição daquela paisagem. Já sabemos que, graças aos milagres constantes de uma memória excepcionalmente fecunda e criadora, elas se desincumbem a contento de sua difícil tarefa, a busca do tempo perdido, causa e fim de toda poesia verdadeira.

1956.

Campo Geral

Um certo Miguilim morava com sua mãe, seu pai e seus irmãos, longe, longe daqui, muito depois da Vereda-do-Frango-d'Água e de outras veredas sem nome ou pouco conhecidas, em ponto remoto, no Mutúm. No meio dos Campos Gerais, mas num covoão em trecho de matas, terra preta, pé de serra. Miguilim tinha oito anos. Quando completara sete, havia saído dali, pela primeira vez: o tio Terêz levou-o a cavalo, à frente da sela, para ser crismado no Sucurijú, por onde o bispo passava. Da viagem, que durou dias, ele guardara aturdidas lembranças, embaraçadas em sua cabecinha. De uma, nunca pôde se esquecer: alguém, que já estivera no Mutúm, tinha dito: — "É um lugar bonito, entre morro e morro, com muita pedreira e muito mato, distante de qualquer parte; e lá chove sempre..."

Mas sua mãe, que era linda e com cabelos pretos e compridos, se doía de tristeza de ter de viver ali. Queixava-se, principalmente nos demorados meses chuvosos, quando carregava o tempo, tudo tão sozinho, tão escuro, o ar ali era mais escuro; ou, mesmo na estiagem, qualquer dia, de tardinha, na hora do sol entrar. — *"Oê, ah, o triste recanto..."* — ela exclamava. Mesmo assim, enquanto esteve fora, só com o tio Terêz, Miguilim padeceu tanta saudade, de todos e de tudo, que às vezes nem conseguia chorar, e ficava sufocado. E foi descobriu, por si, que, umedecendo as ventas com um tico de cuspe, aquela aflição um pouco aliviava. Daí, pedia ao tio Terêz que molhasse para ele o lenço; e tio Terêz, quando davam com um riacho, um minadouro ou um poço de grota, sem se apear do cavalo abaixava o copo de chifre, na ponta de uma correntinha, e subia um punhado d'água. Mas quase sempre eram secos os caminhos, nas chapadas, então tio Terêz tinha uma cabacinha que vinha cheia, essa dava para quatro sedes; uma cabacinha entrelaçada com cipós, que era tão formosa. — "É para beber, Miguilim..." — tio Terêz dizia, caçoando. Mas Miguilim ria também e preferia não beber a sua parte, deixava-a para empapar o lenço e refrescar o nariz, na hora do arrocho. Gostava do tio Terêz, irmão de seu pai.

Quando voltou para casa, seu maior pensamento era que tinha a boa notícia para dar à mãe: o que o homem tinha falado — *que o Mutúm era lugar bonito...* A mãe, quando ouvisse essa certeza, havia de se alegrar, ficava consolada. Era um presente; e a idéia de poder trazê-lo desse jeito de cór, como uma salvação, deixava-o febril até nas pernas. Tão grave, grande, que nem o quis dizer à mãe na presença dos outros, mas insofria por ter de esperar; e, assim que pôde estar com ela só, abraçou-se a seu pescoço e contou-lhe, estremecido, aquela revelação. A mãe não lhe deu valor nenhum, mas mirou triste e apontou o morro; dizia: — "Estou sempre pensando que lá por detrás dele acontecem outras coisas, que o morro está tapando de mim, e que eu nunca hei de poder ver..." Era a primeira vez que a mãe falava com ele um assunto todo sério. No fundo de seu coração, ele não podia, porém, concordar, por mais que gostasse dela: e achava que o moço que tinha falado aquilo era que estava com a razão. Não porque ele mesmo Miguilim visse beleza no Mutúm — nem ele sabia distinguir o que era um lugar bonito e um lugar feio. Mas só pela maneira como o moço tinha falado: de longe, de leve, sem interesse nenhum; e pelo modo contrário de sua mãe — agravada de calundú e espalhando suspiros, lastimosa. No começo de tudo, tinha um erro — Miguilim conhecia, pouco entendendo. Entretanto, a mata, ali perto, quase preta, verde-escura, punha-lhe medo.

Com a aflição em que estivera, de poder depressa ficar só com a mãe, para lhe dar a notícia, Miguilim devia de ter procedido mal e desgostado o pai, coisa que não queria, de forma nenhuma, e que mesmo agora largava-o num atordoado arrependimento de perdão. De nada, que o pai se crescia, raivava: — "Este menino é um mal-agradecido. Passeou, passeou, todos os dias esteve fora de cá, foi no Sucurijú, e, quando retorna, parece que nem tem estima por mim, não quer saber da gente..." A mãe puniu por ele: — "Deixa de cisma, Béro. O menino está nervoso..." Mas o pai ainda ralhou mais, e, como no outro dia era de domingo, levou o bando dos irmãozinhos para pescaria no córrego; e Miguilim teve de ficar em casa, de castigo. Mas tio Terêz, de bom coração, ensinou-o a armar urupuca para pegar passarinhos. Pegavam muitos sanhaços, aqueles pássaros macios, azulados, que depois soltavam outra vez, porque sanhaço não é pássaro de gaiola. — "Que é que você está pensando, Miguilim?" — tio Terêz perguntava. — "Pensando em Pai..." — respondeu. Tio Terêz não perguntou mais, e Miguilim se entristeceu, porque tinha mentido: ele não estava pensando em nada, estava pensando só no que deviam de sentir os sanhaços, quando viam que já estavam presos, separados dos companheiros, tinha dó deles; e só no instante em que tio Terêz perguntou foi que aquela resposta lhe saiu da boca. Mas os sanhaços prosseguiam de cantar, voavam e pousavam no mamoeiro, sempre caíam presos na urupuca e tornavam a ser soltos, tudo continuava. Relembrável era o Bispo — rei para ser bom, tão rico nas cores daqueles trajes, até as meias dele eram vermelhas, com fivelas nos sapatos, e o anel, milagroso, que a gente não tinha tempo de ver, mas que de joelhos se beijava.

— Tio Terêz, o senhor acha que o Mutúm é lugar bonito ou feioso?

— Muito bonito, Miguilim; uai. Eu gosto de morar aqui...

Entretanto, Miguilim não era do Mutúm. Tinha nascido ainda mais longe, também em buraco de mato, lugar chamado Pau-Rôxo, na beira do Saririnhém. De lá, separadamente, se recordava de sumidas coisas, lembranças que ainda hoje o assustavam. Estava numa beira de cerca, dum quintal, de onde um menino-grande lhe fazia caretas. Naquele quintal estava um perú, que gruziava brabo e abria roda, se passeando, pufo-pufo — o perú era a coisa mais vistosa do mundo, importante de repente, como uma estória — e o meninão grande dizia: — "É meu!..." E: — "É meu..." — Miguilim repetia, só para agradar ao menino-grande. E aí o Menino Grande levantava com as duas mãos uma pedra, fazia uma careta pior: — "Aãã!..." Depois, era só uma confusão, ele carregado, a mãe chorando: — "Acabaram com o meu filho!..." — e Miguilim não podia enxergar, uma coisa quente e peguenta escorria-lhe da testa, tapando-lhe os olhos. Mas a lembrança se misturava com outra, de uma vez em que ele estava nú, dentro da bacia, e seu pai, sua mãe, Vovó Izidra e Vó Benvinda em volta; o pai mandava: — "Traz o trém..." Traziam o tatú, que guinchava, e com a faca matavam o tatú, para o sangue escorrer por cima do corpo dele para dentro da bacia. — "Foi de verdade, Mamãe?" — ele indagara, muito tempo depois; e a mãe confirmava: dizia que ele tinha estado muito fraco, saído de doença, e que o banho no sangue vivo do tatú fora para ele poder vingar. Do Pau-Rôxo conservava outras recordações, tão fugidas, tão afastadas, que até formavam sonho. Umas moças, cheirosas, limpas, os claros risos bonitos, pegavam nele, o levavam para a beira duma mesa, ajudavam-no a provar, de uma xícara grande, goles de um de-beber quente, que cheirava à claridade. Depois, na alegria num jardim, deixavam-no engatinhar no chão, meio àquele fresco das folhas, ele apreciava o cheiro da terra, das folhas, mas o mais lindo era o das frutinhas vermelhas escondidas por entre as folhas — cheiro pingado, respingado, risonho, cheiro de alegriazinha. As frutas que a gente comia. Mas a mãe explicava que aquilo não havia sido no Pau-Rôxo, e bem nas Pindaíbas-de-Baixo-e-de-Cima, a fazenda grande dos Barbóz, aonde tinham ido de passeio.

Da viagem, em que vieram para o Mutúm, muitos quadros cabiam certos na memória. A mãe, ele e os irmãozinhos, num carro-de-bois com toldo de couro e esteira de buriti, cheio de trouxas, sacos, tanta coisa — ali a gente brincava de esconder. Vez em quando, comiam, de sal, ou cocadas de buriti, dôce de leite, queijo descascado. Um dos irmãos, mal lembrava qual, tomava leite de cabra, por isso a cabrita branca vinha, caminhando, presa por um cambão à traseira do carro. Os cabritinhos viajavam dentro, junto com a gente, berravam pela mãe deles, toda a vida. A coitada da cabrita — então ela por fim não ficava cansada? — "A bem, está com os peitos cheios, de derramar..." — alguém falava. Mas, então, pobrezinhos de todos, queriam deixar o leite dela ir judiado derramando no caminho, nas pedras, nas poeiras? O pai estava a cavalo, ladeante. Tio Terêz devia de ter vindo também, mas disso Miguilim não se lembrava. Cruzaram com um rôr de bois, embrabecidos: a boiada! E passaram por muitos lugares.

— Que é que você trouxe para mim, do S'rucuiú? — a Chica perguntou.

— Trouxe este santinho...

Era uma figura de moça, recortada de um jornal.

— É bonito. Foi o Bispo que deu?

— Foi.

— E p'ra mim? E p'ra mim?! — reclamavam o Dito e Tomezinho.

Mas Miguilim não tinha mais nada. Punha a mãozinha na algibeira: só encontrava um pedaço de barbante e as bolinhas de resina de almêcega, que unhara da casca da árvore, beira de um ribeirão.

— Estava tudo num embrulho, muitas coisas... Caíu dentro do corgo, a água fundou... Dentro do corgo tinha um jacaré, grande...

— Mentira. Você mente, você vai para o inferno! — dizia Drelina, a mais velha, que nada pedira e tinha ficado de parte.

— Não vou, eu já fui crismado. Vocês não estão crismados!

— Você foi crismado, então como é que você chama?

— Miguilim...

— Bobo! Eu chamo Maria Andrelina Cessim Caz. Papai é Nhô Bernardo Caz! Maria Francisca Cessim Caz, Expedito José Cessim Caz, Tomé de Jesus Cessim Caz... Você é Miguilim Bobo...

Mas Tomezinho, que só tinha quatro anos, menino neno, pedia que ele contasse mais do jacaré grande de dentro do córrego. E o Dito cuspia para o lado de Drelina:

— Você é ruim, você está judiando com Miguilim!

A Chica, que correra para dentro de casa a mostrar o que tinha ganho, voltava agora, soluçada.

— Mamãe tomou meu santinho e rasgou... Disse que não era santo, só, que era pecado...

Drelina se empertigava para Miguilim:

— Não falei que você ia para o inferno?!

Drelina era bonita: tinha cabelos compridos, louros. O Dito e Tomezinho eram ruivados. Só Miguilim e a Chica é que tinham cabelo preto, igual ao da mãe. O Dito se parecia muito com o pai, Miguilim era o retrato da mãe. Mas havia ainda um irmão, o mais velho de todos, Liovaldo, que não morava no Mutúm. Ninguém se lembrava mais de que ele fosse de que feições.

— "Mamãe está fazendo creme de buriti, a Rosa está limpando tripas de porco, pra se assar..." Tomezinho, que tinha ido à cozinha espiar, agora vinha, olhos desconfiados, escondendo na mão alguma coisa. — "Que é isso que você furtou, Tomezinho?!" Eram os restos do retalho de jornal. "— Tu joga fora! Não ouviu falar que é pecado?" "— E eu não vou ficar com ele... Vou guardar em algum lugar." Tomezinho escondia tudo, fazia igual como os cachorros.

Tantos, os cachorros. Gigão — o maior, maior, todo preto: diziam o capaz que caçava até onça; gostava de brincar com os meninos, defendia-os de tudo. Os três veadeiros brancos: Seu-Nome, Zé-Rocha e Julinho-da-Túlia — José Rocha e Julinho da Túlia sendo nomes de pessôas, ainda do Pau-Rôxo, e de quem o pai de Miguilim tivera ódio; mas, com o tempo, o ódio se exalara, ninguém falava mais o antigo, os dois cachorros eram só Zerró e Julim. Os quatro paqueiros de trela, rajados com diferenças, três machos e uma fêmea, que nunca se separavam, pequenos e reboludos: Caráter, Catita, Soprado e Floresto. E o perdigueiro Rio-Belo, que tresdoidado tinha morrido, de comer algum bicho venenoso.

Mas, para o sentir de Miguilim, mais primeiro havia a Pingo-de-Ouro, uma cachorra bondosa e pertencida de ninguém, mas que gostava mais era dele mesmo. Quando ele se escondia no fundo da horta, para brincar sozinho, ela aparecia, sem atrapalhar, sem latir, ficava perto, parece que compreendia. Estava toda sempre magra, doente da saúde, diziam que ia ficando cega. Mas teve cachorrinhos. Todos morreram, menos um, que era tão lindo. Brincava com a mãe, nunca se tinha visto a Pingo-de-Ouro tão alegre. O cachorrinho era com-cor com a Pingo: os dois em amarelo e nhalvo, chovidinhos. Ele se esticava, rapava, com as patinhas para diante, arrancando terra mole preta e jogando longe, para trás, no pé da roseira, que nem quisesse tirar de dentro do chão aquele cheiro bom de chuva, de fundo. Depois, virava cambalhotas, rolava de costas, sentava-se para se sacudir, seus dentinhos brilhavam para muitas distâncias. Mordia a cara da mãe, e Pingo-de-Ouro se empinava — o filho ficava pendurado no ar. Daí, corria, boquinha aberta, revinha, pulava na mãe, vinte vezes. Pingo-de-Ouro abocava um galho, ele corria, para tomar, latia bravinho, se ela o mordia forte. Alegrinho, e sem vexames, não tinha vergonha de nada, quase nunca fechava a boca, até ria. Logo então, passaram pelo Mutúm uns tropeiros, dias que demoraram, porque os burros quase todos deles estavam mancados. Quando tornaram a seguir, o pai de Miguilim deu para eles a cachorra, que puxaram amarrada numa corda, o cachorrinho foi choramingando dentro dum balaio. Iam para onde iam. Miguilim chorou de bruços, cumpriu tristeza, soluçou muitas vezes. Alguém disse que aconteciam casos, de cachorros dados, que levados para longes léguas, e que voltavam sempre em casa. Então ele tomou esperança: a Pingo-de-Ouro ia voltar. Esperou, esperou, sensato. Até de noite, pensava fosse ela, quando um cão repuxava latidos. Quem ia abrir a porta para ela entrar? Devia de estar cansada, com sede, com fome. — "Essa não sabe retornar, ela já estava quase cega..." Então, se ela já estava quase cega, por que o pai a tinha dado para estranhos? Não iam judiar da Pingo-de-Ouro? Miguilim era tão pequeno, com poucas semanas se consolava. Mas um dia contaram a ele a estória do Menino que achou no mato uma cuca, cuca cuja depois os outros tomaram dele e mataram. O Menino Triste cantava, chorando:

"Minha Cuca, cadê minha Cuca?
Minha Cuca, cadê minha Cuca?!
Ai, minha Cuca
que o mato me deu!..."

Ele nem sabia, ninguém sabia o que era uma cuca. Mas, então, foi que se lembrou mais de Pingo-de-Ouro: e chorou tanto, que de repente pôs na Pingo-de-Ouro esse nome também, de Cuca. E desde então dela nunca mais se esqueceu.

— Pai está brigando com Mãe. Está xingando ofensa, muito, muito. Estou com medo, ele queria dar em Mamãe...

Era o Dito, tirando-o por um braço. O Dito era menor mas sabia o sério, pensava ligeiro as coisas, Deus tinha dado a ele todo juízo. E gostava, muito, de Miguilim. Quando foi a estória da Cuca, o Dito um dia perguntou: — "Quem sabe é pecado a gente ter saudade de cachorro?..." O Dito queria que ele não chorasse mais por Pingo-de-Ouro, porque sempre que ele chorava o Dito também pegava vontade de chorar junto.

— Eu acho, Pai não quer que Mãe converse mais nunca com o tio Terêz... Mãe está soluçando em pranto, demais da conta.

Miguilim entendeu tudo tão depressa, que custou para entender. Arregalava um sofrimento. O Dito se assustou: — "Vamos na beira do rego, ver os patinhos nadando..." — acrescentava. Queria arrastar Miguilim.

— Não, não... Não pode bater em Mamãe, não pode...

Miguilim brotou em chôros. Chorava alto. De repente, rompeu para a casa. Dito não o conseguia segurar.

Diante do pai, que se irava feito um fero, Miguilim não pôde falar nada, tremia e soluçava; e correu para a mãe, que estava ajoelhada encostada na mêsa, as mãos tapando o rosto. Com ela se abraçou. Mas dali já o arrancava o pai, batendo nele, bramando. Miguilim nem gritava, só procurava proteger a cara e as orêlhas; o pai tirara o cinto e com ele golpeava-lhe as pernas, que ardiam, doíam como queimaduras quantas, Miguilim sapateando. Quando pôde respirar, estava posto sentado no tamborete, de castigo. E tremia, inteirinho o corpo. O pai pegara o chapéu e saíra.

A mãe, no quarto, chorava mais forte, ela adoecia assim nessas ocasiões, pedia todo consolo. Ninguém tinha querido defender Miguilim. Nem Vovó Izidra. E tanto, até o pai parecia ter medo de Vovó Izidra. Ela era riscada magra, e seca, não parava nunca de zangar com todos, por conta de tudo. Com o calor que fizesse, não tirava o fichú preto. — "Em vez de bater, o que deviam era de olhar para a saúde deste menino! Ele está cada dia mais magrinho..." Sempre que batiam em algum, Vovó Izidra vinha ralhar em favor daquele. Vovó Izidra pegava a almofada, ia fazer crivo, rezava e resmungava, no quarto dela, que era o pior, sempre escuro, lá tinha tanta coisa, que a gente não pensava; Vovó Izidra quase vez nenhuma abria a janela, ela enxergava no escuro.

Os irmãos já estavam acostumados com aquilo, nem esbarravam mais dos brinquedos para vir ver Miguilim sentado alto no tamborete, à paz. Só o Dito, de longe distante, pela porta, espiava leal. Mas o Dito não vinha, não queria que Miguilim penasse vergonha.

Aonde o pai teria ido? De ficar botado de castigo, Miguilim não se queixava. Deixavam-no, o ruim se acabara, as pernas iam terminando de doer, podia brincar de pensar, ali, no quieto, pegando nas verônicas que tinha passadas por um fio, no pescoço, e que de vez em quando devia de beijar, salgando a boca com o fim de suas lágrimas. O cachorro Gigão caminhava para a cozinha, devagaroso, cabeçudo, ele tinha sempre a cara fechada, era todo grosso. Ninguém não tocava o Gigão para fora de dentro de casa, porque o pai dizia: — "Ele salvou a vida de todos!" —; dormia no pé da porta do quarto, uma noite latiu acordando o mundo, uma cobra enorme tinha entrado, uma urutú, o pai matou. O dia estava bruto de quente, Miguilim com sede, mas não queria pedir água para beber. Sempre que a gente estava de castigo, e carecia de pedir qualquer coisa, mesmo água, os outros davam, mas, quem dava, ainda que fosse a mãe, achavam sempre de falar alguma palavra de ralho, que avexava a gente mais. Miguilim estava sujo de suor. Mais um pouco, reparou que na hora devia de ter começado a fazer pipi, na calça; mas agora nem estava com vontade forte de verter. A mãe suspirava soluçosa, era um chorinho sem verdade, aborrecido, se ele pudesse estava voltando para a horta, não ouvia aquilo sempre assim, via as formiguinhas entrando e saindo e trançando, os caramujinhos rodeando as folhas, no sol e na sombra, por onde rojavam sobrava aquele rastrío branco, que brilhava. Miguilim esfregava um pé no outro, estava comichando: outro bicho-de-pé; quando crescia e embugalhava, ficava olhoso, a mãe tirava, com alfinete. Vovó Izidra clamava: "— Já foram brincar perto do chiqueiro! Menino devia de andar de pé calçado..." Só tinha um par de sapatos, se crismara com ele; tinha também um par de alpercatinhas de couro-crú, o par de sapatos devia de ficar guardado. O Bispo era tão grande, nos rôxos, na hora de se beijar o anel dava um medo. Quem ficava mais vezes de castigo era ele, Miguilim; mas quem apanhava mais era a Chica. A Chica tinha malgênio — todos diziam. Ela aprontava birra, encapelava no chão, capeteava; mordia as pessoas, não tinha respeito nem do pai. Mas o pai não devia de dizer que um dia punha ele Miguilim de castigo pior, amarrado em árvore, na beirada do mato. Fizessem isso, ele morria da estrangulação do medo? Do mato de cima do morro, vinha onça. Como o pai podia imaginar judiação, querer amarrar um menino no escuro do mato? Só o pai de Joãozinho mais Maria, na estória, o pai e a mãe levaram eles dois, para desnortear no meio da mata, em distantes, porque não tinham de comer para dar a eles. Miguilim sofria tanta pena, por Joãozinho mais Maria, que voltava a vontade de chorar.

O Dito vinha, desfazendo de conta. Quando um estava de castigo, os outros não podiam falar com esse. Mas o Dito dizia tudo baixinho, e virado para outro lado, se alguém visse não podiam exemplar por isso, conversando com Miguilim até que ele não estava.

—Vai chover. O vaqueiro Jé está dizendo que já vai dechover chuva brava, porque o tesoureiro, no curral, está dando cada avanço, em cima das mariposas!... O vaqueiro Jé veio buscar creolina, para sarar o bezerro da Adivinha. Disse que o pai subiu da banda da grota da Guapira, ou que deu volta para ir no Nhangã — que pai estava muito jerizado. Disse que é por conta do calorão que vai vir chuva, que todos estão com o corpo azangado, no pé de poeira...

Miguilim não respondia. De castigo, não tinha ordem de dar resposta, só aos mais velhos. Sim sorria para o Dito, quando ele olhava — só o rabo-do-olho. O tesoureiro era um pássaro imponente de bonito, pedrês cor-de-cinza, bem as duas penas compridas da cauda, pássaro com mais rompante do que os outros. Gostava de estar vendo aquilo no curral.

O Dito vigiava que não tinha ninguém por ali, tretava coragem de chegar pertim, o Dito era levado de esperto. Dizia, no ouvido dele:

— Miguilim, eu acho que a gente não deve de perguntar nada ao tio Terêz, nem contar a ele que Pai ralhou com Mamãe, ouviu? Mãitina disse que tudo que há que acontece é feitiço... Miguilim, eu vou perguntar a Vovó Izidra se você já pode sair. Você está aí muito tempo...

O Dito era a pessoa melhor. Só que não devia de conversar naquelas coisas com Mãitina. Mãitina tomava cachaça, quando podia, falava bobagens. Era tão velha, nem sabia que idade. Diziam que ela era negra fugida, debaixo de cativeiro, que acharam caída na enxurrada, num tempo em que Mamãe nem não era nascida. A Chica vinha passando, com a boneca — nem era boneca, era uma mandioquinha enrolada nos trapos, dizia que era filhinha dela, punha até nome, abraçava, beijava, dava de mamar. A Chica, dessa vez, nem sei porque, não fez careta, até adivinhou que ele estivesse com sede — ele nem se lembrava mais que estava com sede — a Chica falava: — "Miguilim, você é meu irmão, você deve de estar com sede, eu vou buscar caneco d'água..." Um dia Pai tinha zangado com a Chica, puxou orêlha; depois Pai precisou de beber água, a Chica foi trazer. Ei que, no meio do corredor, a Chica de raiva cuspiu dentro, e mexeu com o dedinho, para Pai não saber que ela tinha cuspido. A Chica era tão engraçadinha, clara, mariolinha, muito menor do que Drelina, mas era a que sabia mais brinquedos, botava todos para rodar de roda, ela cantava tirando completas cantigas, dansava mocinha. O Dito não voltava.

Agora voltava, mas ouviam a voz do tio Terêz entrando, voroço dos cachorros. Tio Terêz contava que tinham esbarrado o eito na roça, porque uma chuva toda vinha, ia ser temporal: — "Na araçariguama do mato de baixo, os tucanos estão reunidos lá, gritando conversado, cantoria de gente..." Tio Terêz trazia um coelho morto ensanguentado, de cabeça para baixo. A cachorrada pulava, embolatidos, tio Terêz bateu na boca do Caráter, que ganiu, saíam correndo embora aqueles todos quatro: Caráter, Catita, Soprado e Floresto. Seu-Nome ficava em pé quase, para lamber o sangue da cara do coelho. — "Ei, Miguilim, você hoje é que está alçado em assento, de pelourim?" — tio Terêz gracejava. Daí, para ver e mexer, iam com o coelho morto para a cozinha. Miguilim não queria. Também não aceitava a licença de sair, dada por tio Terêz; com vez disso pensava: será que, o tio Terêz, os outros ainda determinavam d'ele poder mandar palavra alguma em casa? Em desde que, então, a gente obedecer de largar o lugar de castigo não fosse pior.

Em todo dia, também, arrastavam os bichos matados, por caça. O coelhinho tinha toca na borda-da-mata, saía só no escurecer, queria comer, queria brincar, sessépe, serelé, coelhinho da silva, remexendo com a boquinha de muitos jeitos, esticava pinotes e sentava a bundinha no chão, cismado, as orêlhas dele estremeciam constantemente. Devia de ter o companheiro, marido ou mulher, ou irmão, que agora esperava lá na beira do mato, onde eles moravam, sozim. "— Qu'é-de sua mãe, Miguilim?..." — tio Terêz querenciava. A mãe com certo estava fechada no quarto, estendida na cama, no escuro, como era, passado quando chorava. Mais que matavam eram os tatús, tanto tatú lá, por tudo. Tatú-de-morada era o que assistia num buraco exato, a gente podia abrir com ferramenta, então-se via: o caminho comprido debaixo do chão, todo formando voltas de ziguezague. Aí tinha outros buracos, deixados, não eram mais moradia de tatú, ou eram só de acaso, ou prontos de lado, para eles temperarem de escapulir. Tão gordotes, tão espertos — e estavam assim só para morrer, o povo ia acabar com todos? O tatú correndo sopressado dos cachorros, fazia aquele barulhinho com o casculho dele, as chapas arrepiadas, pobrezinho — quase um assovio. *Ecô!* — os cachorros mascaravam de um demônio. Tatú corria com o rabozinho levantado — abre que abria, cavouca o buraco e empruma suas escamas de uma só vez, entrando lá, tão depressa, tão depressa — e Miguilim ansiava para ver quando o tatú conseguia fugir a salvo.

Mas Vovó Izidra vinha saindo de seu quarto escuro, carregava a almofada de crivo na mão, caçando tio Terêz. — "Menino, você ainda está aí?!" —; ela queria que Miguilim fosse para longe, não ouvir o que ela ia dizer a tio Terêz. Miguilim parava perto da porta, escutava. O que ela estava dizendo: estava mandando tio Terêz ir embora. Mais falava, com uma curta brabeza diferente, palavras raspadas. Forcejava que tio Terêz fosse embora, por nunca mais, na mesma da hora. Falava que por umas coisas assim é que há questão de brigas e mortes, desmanchando com as famílias. Tio Terêz nem não respondia nada. Como é que ela podia mandar tio Terêz embora, quando vinha aquela chuvada forte, a gente já pressentia até o derradeiro ameaço dela entrando no cheiro do ar?! Tio Terêz só perguntou: — "Posso nem dar adeus à Nhanina?..." Não, não podia, não. Vovó Izidra se endurecia de magreza, aquelas verrugas pretas na cara, com os compridos fios de pêlo desenroscados, ela destoava na voz, no pescoço espichava parecendo uma porção de cordas, um pavor avermelhado. Miguilim mesmo começava medo, trás do que ouvia, que nem pragas. Ah, tio Terêz devia de ir embora, de ligeiro, ligeiro, se não o Pai já devia estar voltando por causa da chuva, podia sair homem morto daquela casa, Vovó Izidra xingava tio Terêz de "Caim" que matou Abel, Miguilim tremia receando os desatinos das pessôas grandes, tio Terêz podia correr, sair escondido, pela porta da cozinha... Que fosse como se já tivesse ido há muito tempo... Levava um punhado de comida, pegava a carossa de palha-de-buriti, para se agasalhar de tanta chuva, mas devia de ir, tudo era aquele perigo enorme...

— Sai daí, Miguilim! Quê que está atrás de porta, escutando conversa de 's mais velhos?!

Era Drelina, segurando-o estouvada, por detrás, à traição, mas podia mais; Miguilim tinha de ir com ela para a cozinha.

A Rosa e Maria Pretinha estavam acabando de fazer o jantar, a Rosa não gostava de menino na cozinha. Mas Tomezinho estava dormindo, no monte de sabucos. Mesmo de propósito, que o gato tinha achado igual de dormir lá, quase encostado em Tomezinho. — "Mamãe também vai jantar?..." — Miguilim perguntava à Rosa. — "E o Dito...?!" "— Menino, deixa de ser especúla. Tu que vai ver agorinha é o pé-d'água, por aí, que evém, vem..." Miguilim se sentava no pilão emborcado. Gostava de se deitar nos sabucos também, que nem Tomezinho, mas aí era que a Rosa então mandava ele embora. Maria Pretinha picava couve na gamela. Tinha os dentes engraçados tão brancos, de repente eles ocupavam assim muito lugar, branqueza que se perpassava. O gato Qùóquo. Por conta que, Tomezinho, quando era mais pequenino, a gente ensinava para ele falar: g'a-to — mas a linguinha dele só dava capaz era para aquilo mesmo: *qùó*! O gato somente vivia na cozinha, na ruma de sabucos ou no borralho, outra hora andava no quintal e na horta. Lá os cachorros deixavam. Mas quando ele queria sair para o pátio, na frente da casa, aí a cachorrama se ajuntava, o esperto do gato repulava em qualquer parte, subia escarreirado no esteio, mas braviado também, gadanhava se arredobrando e repufando, a raiva dele punha um atraso nos cachorros. Por que não botavam nele nome vero de gato nas estórias: Papa-Rato, Sigurim, Romão, Alecrim-Rosmanim ou Melhores-Agrados? Se chamasse *Rei-Belo*... Não podia? Também, por *Qùóquo*, mesmo, ninguém não chamava mais — gato não tinha nome, gato era o que quase ninguém prezava. Mas ele mesmo se dava respeito, com os olhos em cima do duro bigode, dono-senhor de si. Dormia o oco do tempo. Achava que o que vale vida é dormir adiante. Rei-Belo... Tomezinho acordava chorando, tinha sonhado com o esquecido.

— Ei, ela! Corre, gente, pôr tudo p'ra dentro... Olh'as portas, as janelas...

Estavam acabando de jantar, e todos corriam para o quintal, apanhar um resto de roupa dependurada. Tinha dado o vento, caíam uns pingos grossos, chuva quente. Os cachorros latiam, com as pessôas. O vento zunia, queria carregar a gente. Miguilim ajudava a recolher a roupa — não podiam esquecer nenhuma peçazinha ali fora... — ele tinha pena daquelas roupinhas pobres, as calças do Dito, vestidinho de Drelina... — "P'ra dentro, menino! Vento te leva..." — "Vem ver lá na frente, feio que chega vai derrubar o mato..." — era o Dito, chamando. Os coqueiros, para cima do curral, os coqueiros vergavam, se entortavam, as fieiras de coqueiros velhos, que dobravam. O vento vuvo: *viív..., viív*... Assoviava nas folhas dos coqueiros. A Rosa passava, com um balde, que tinham deixado na beira do curral. Três homens no alpendre, enxadeiros, que tinham vindo receber alguma paga em toicinho, estavam querendo dizer que ia ser como nunca ninguém não tinha avistado; estavam sem saber como voltar para suas casinhas deles, dizendo como ia se passar tudo por lá; aqueles estavam meio-tristes, fingiam que estavam meio-alegres. De repente deu estrondo. Que o vento quebrou galho do jenipapeiro do curral, e jogou perto da casa. Todo o mundo levou susto. Quando foi o trovão! Trovejou enorme, uma porção de vezes, a gente tapava os ouvidos, fechava os olhos. Aí o Dito se abraçou com Miguilim. O Dito não tremia, malmente estava mais sério. — "Por causa de Mamãe, Papai e tio Terêz, Papai-do-Céu está com raiva de nós de surpresa..." — ele foi falou.

— Miguilim, você tem medo de morrer?

— Demais... Dito, eu tenho um medo, mas só se fosse sozinho. Queria a gente todos morresse juntos...

— Eu tenho. Não queria ir para o Céu menino pequeno.

Faziam uma pausa, só do tamanho dum respirar.

— Dito, você combina comigo para o gato se chamar Reibél?

— Mas não pode. Nome dele é Sossonho.

— Também é. Uai... Quem é que falou?

— Acho que foi Mãitina, o vaqueiro Jé. Não me importo.

Daí deu trovão maior, que assustava. O trovão da Serra do Mutúm-Mutúm, o pior do mundo todo, — que fosse como podia estatelar os paus da casa.

Corda-de-vento entrava pelas gretas das janelas, empurrava água. Molhava o chão. Miguilim e Dito a curto tinham olho no teto, onde o barulho remoía. A casa era muito envelhecida, uma vez o chuvão tinha desabado no meio do corredor, com um tapume do telhado. Trovoeira. Que os trovões a mau retumbavam. — "Tá nas tosses..." — um daqueles enxadeiros falou. Pobre dos passarinhos do campo, desassisados. O gaturamo, tão podido miúdo, azulzinho no sol, tirintintim, com brilhamentos, mel de melhor — maquinazinha de ser de bem-cantar... — "O gaturaminho das frutas, ele merece castigo, Dito?" "— Dito, que Pai disse: o ano em que chove sucedido é ano formoso... —?" — "Mas não fala essas coisas, Miguilim, nestas horas."

— "P'ra rezar, todos!" — Drelina chamava. Chica e Tomezinho estavam escondidos, debaixo de cama. Agora não faltava nenhum, acerto de reunidos, de joelhos, diante do oratório. Até a mãe. Vovó Izidra acendia a vela benta, queimava ramos bentos, agora ali dentro era mais forte. Santa Bárbara e São Jerônimo salvavam de qualquer perigo de desordem, o *Magníficat* era que se rezava! Miguilim soprava um cisco da roupa de Rosa. Era carrapicho? Os vaqueiros, quando voltavam de vaquejar boiadas por ruins matos, rente que esses tinham espinhos e carrapichos até nos ombros do gibão. O Dito sabia ajoelhar melhor? De dentro, para enfeitar os santos do oratório, tinha um colarzinho de ovos de nhambú e pássaro-preto, enfiados com linha, era entremeado, doutro e dum — um de nhambú, um de pássaro-preto, depois outro de nhambú, outro de pássaro-preto...; o de pássaro-preto era azul-claro se descorando para verde, o de nhambú era uma cor-de-chocolate clareado... Se o povo todo se ajuntasse, rezando com essa força, desse medo, então a tempestade num átimo não esbarrava? Miguilim soprava seus dedos, doce estava, num azado de consolo, grande, grande.

Ele tinha fé. Ele mesmo sabia? Só que o movido do mais-e-mais desce tudo, e desluz e desdesenha, nas memórias; é feito lá em fundo de água dum pôço de cisterna. Uma vez ele tinha puxado o paletó de Deus.

Esse dia — foi em hora de almoço —: ele Miguilim ia morrer! — de repente estava engasgado com ôssinho de galinha na goela, foi tudo tão: ...*malamém... morte...* — nem deu tempo para idéia nenhuma, era só um errado total, morrer e tudo, ai! —; e mais de repente ele já estava em pé em cima do banco, como se levantou, não pediu ajuda a Pai e Mãe, só num relance ainda tinha rodado o prato na mêsa — por *simpatia* em que alguma vez tinha ouvido falar — e, em pé, no banco, sem saber de seus olhos para ver — só o acima! — se benzia, bramado: — *Em nome do Padre, do Filho e do Espírito Santo!...* — (ele mesmo estava escutando a voz, aquela voz — ele se despedindo de si — aquela voz, demais: todo choro na voz, a força; e uma coragem de fim, varando tudo, feito relâmpagos...) Des-derepente — ele parecia que tinha alto voado, tinha voado por uma altura enorme? — era o pai batendo em suas costas, a mãe dando água para beber, e ele se abraçava com eles todos, chorando livre, do ossinho na goela estava todo salvo. — "Que fé!" — Vovó Izidra colava nele o peixe daqueles olhos bravos dela, que a gente não gostava de encarar — "Que fé, que este menino tem!..." — Vovó Izidra se ajoelhava. Depois desse dia, Miguilim não queria comer nunca mais asa de galinha, pedia que não facilitassem de nenhum dos irmãozinhos comer, não deixassem. Mas até o Dito comia, calado, escondido. Tomezinho e Chica comiam de propósito, só para contestar Miguilim, pegavam os ôssinhos na mão, a ele mostravam: — "Miguilim bobo!... Miguilim dôido..." — debicavam.

Vovó Izidra quizilava com Mãitina:

— Traste de negra pagã, encostada na cozinha, mascando fumo e rogando para os demônios dela, africanos! Vem ajoelhar gente, Mãitina!

Mãitina não se importava, com nenhuns, vinha, ajoelhava igual aos outros, rezava. Não se entendia bem a reza que ela produzia, tudo resmungo; mesmo para falar, direito, direito não se compreendia. A Rosa dizendo que Mãitina rezava porqueado: "*Véva Maria zela de graça, pega ne Zesú põe no saco de mombassa...*" Mãitina era preta de um preto estúrdio, encalcado, trasmanchada de mais grosso preto, um preto de boi. Quando estava pinguda de muita cachaça, soflagrava umas palavras que a gente não tinha licença de ouvir, a Rosa dizia que eram nomes de menino não saber, coisas pra mais tarde. E daí Mãitina caía no chão, deixava a saia descomposta de qualquer jeito, as pernas pretas aparecendo. Ou à vez gritava: — *"Cena, Corinta!..."* — batendo palmas-de-mão. Isso a mãe explicava: uma vez, fazia muitos, muitos anos, noutro lugar onde moraram, ela tinha ido no teatro, no teatro tinha uma moça que aparecia por dansar, Mãitina na vida dela toda nunca tinha visto nada tão reluzente de bonito, como aquela moça dansando, que se chamava Corina, por isso aprovava como o povo no teatro, quando estava chumbada. — "Que é que é teatro, Mãe?" — Miguilim perguntara. — "Teatro é assim como no circo-de-cavalinhos, quase..." Mas Miguilim não sabia o que o circo era.

— Dito, você vai imaginar como é que é o circo?

— É uma moça galopando em pé em riba do cavalo, e homens revestidos, com farinha branca na cara... tio Terêz disse. É numa casa grande de pano.

— Dito, e Pai? E tio Terêz? Chuva está chovendo tanto...

— "Vigia esses meninos, cochichando, cruz!, aí em vez de rezar..." — Vovó Izidra ralhava. E reprovava Mãitina, discutindo que Mãitina estava grolando feias palavras despautadas, mandava Mãitina voltar para a cozinha, lugar de feiticeiro era debaixo dos olhos do fôgo, em remexendo no borralho! Mãitina ia lá, para esperar de cócoras, tudo o que os outros mandavam ela obedecia, quando não estava com raiva. Se estivesse com raiva, ninguém não tinha coragem de mandar. Vovó Izidra tirava o terço, todos tinham de acompanhar. E ela ensinava alto que o demônio estava despassando nossa casa, rodeando, os homens já sabiam o sangue um do outro, a gente carecia de rezar sem esbarrar. Mãe ponteava, com muita cordura, que Vovó Izidra devia de não exaltar coisas assim, perto dos meninos. — "Os meninos necessitam de saber, valença de rezar junto. Inocência deles é que pode livrar a gente de brabos castigos, o pecado já firmou aqui no meio, braseado, você mesma é quem sabe, minha filha!..." Mãe abaixava a cabeça, ela era tão bonita, nada não respondia. Parecia que Vovó Izidra tinha ódio de Mãe? Vovó Izidra não era mãe dela, mas só irmã da mãe dela. Mãe de Mãe tinha sido Vó Benvinda. Vó Benvinda, antes de morrer, toda a vida ela rezava, dia e noite, caprichava muito com Deus, só queria era rezar e comer, e ralhava mole com os meninos. Um vaqueiro contou ao Dito, de segredo, Vó Benvinda quando moça tinha sido mulher-atôa. Mulher-atôa é que os homens vão em casa dela e ela quando morre vai para o inferno. O que Vovó Izidra estava falando — ... "Só pôr sua casa porta a fora"... — A nossa casa? E que o demônio diligenciava de entrar em mulher, virava cadela de satanaz... Vovó Izidra não tinha de gostar de Mãe? Então, por que era que judiava, judiava? Miguilim gostava pudesse abraçar e beijar a Mãezinha, muito, demais muito, aquela hora mesma. Ah, mas Vovó Izidra era velha, Mãe era moça, Vovó Izidra tinha de morrer mais primeiro. Ali no oratório, embrulhados e recosidos num saquinho de pano, eles guardavam os umbiguinhos secos de todos os meninos, os dos irmãozinhos, das irmãs, o de Miguilim também — rato nenhum não pudesse roer, caso roendo o menino então crescia para ser só ladrão. Agora, ele ia gostar sempre de Mãe, tenção de ser menino comportado, obediente, conforme o de Deus, essas orações todas. Bom era ser filho do Bispo, e o mundo solto para os passarinhos... Os joelhos de Miguilim descansavam e cansavam, doía era o corpo, um poucadinho só, quase não doía. Mas Tomezinho brincava de estralar as juntas dos dedos; depois, de puxar o nariz para diante. A Chica rezava alto, era a voz mais bonita de todas. Drelina parecia uma santa. Todos diziam que ela parecia uma santa. E os cachorros lá fora, desertados com tanta chuva? De certo iam para a coberta do carro. — "Sem os cachorros, como é que a gente ia conseguir viver aqui?" — o pai sempre falava. Eles tomavam conta das criações. Se não, vinham de noite as raposas, gambá, a irarinha muito raivosa, até onça de se tremer, até lobos, lobo guará dos Gerais, que vinham, de manhã deixavam fios de pêlo e catinga deles que os cachorros reconheciam nos esteios da cerca, nas porteiras, uns deles até mijavam sangue. E o teiú, brabeado, espancando com o rabo — rabo como tesoura tonsando. Lobo uivava feio, mais horroroso mais triste do que cachorro. E jibóia! Jibóia vinha mesmo de dia, pegava galinha no galinheiro. Os cachorros tinham medo dela? Jibóia, cobra, mais medonha de se pensar, uma sojigou o cachorrinho Floresto, mordeu uma orêlha dele por se firmar, queria se enrolar nele todo, mor de sufocar sem partir os ossos, já tinha conseguido de se enlaçar duas dessas voltas; Pai acudiu, tiro não podia ter cautela de dar, lapeava só com o facão, disse que ela endurecia o corpo de propósito, para resistir no gume do facão, o facão bambeava. Contavam que no Terentém, em antigos anos, uma jibóia velha entrou numa casa, já estava engulindo por metade um meninozinho pequeno, na rede, no meio daquela baba...

Miguilim e Dito dormiam no mesmo catre, perto da caminha de Tomezinho. Drelina e Chica dormiam no quarto de Pai e Mãe.

— "Dito, eu fiz promessa, para Pai e Tio Terêz voltarem quando passar a chuva, e não brigarem, nunca mais..." "— Pai volta. Tio Terêz volta não." "— Como é que você sabe, Dito?" "— Sei não. Eu sei. Miguilim, você gosta de tio Terêz, mas eu não gosto. É pecado?" "— É, mas eu não sei. Eu também não gosto de Vovó Izidra. Dela, faz tempo que eu não gosto. Você acha que a gente devia de fazer promessa aos santos, para ficar gostando dos parentes?" "— Quando a gente crescer, a gente gosta de todos." "— Mas, Dito, quando eu crescer, vai ter algum menino pequeno, assim como eu, que não vai gostar de mim, e eu não vou poder saber?" "— Eu gosto de Mãitina! Ela vai para o inferno?" "— Vai, Dito. Ela é feiticeira pagã... Dito, se de repente um dia todos ficassem com raiva de nós — Pai, Mãe, Vovó Izidra — eles podiam mandar a gente embora, no escuro, debaixo da chuva, a gente pequenos, sem saber onde ir?" "— Dorme, Miguilim. Se você ficar imaginando assim, você sonha de pesadelo..." "— Dito, vamos ficar nós dois, sempre um junto com o outro, mesmo quando a gente crescer, toda a vida?" "— Pois vamos." "— Dito, amanhã eu te ensino a armar urupuca, eu já sei..."

Dito começava a dormir de repente, era a mesma coisa que Tomezinho. Miguilim não gostava de pôr os olhos no escuro. Não queria deitar de costas, porque vem uma mulher assombrada, senta na barriga da gente. Se os pés restassem para fora da coberta, vinha mão de alma, friosa, pegava o pé. O travesseirinho cheirava bom, cheio de macela-do-campo. Amanhã, ia aparar água de chuva, tinha outro gosto. Repartia com o Dito. O barulho da chuva agora era até bonito, livre do moame do vento. Tio Terêz não tinha se despedido dele. Onde estava agora o Tio Terêz? Um dia, tempos, Tio Terêz o levara à beira da mata, ia tirar taquaras. A gente fazia um feixe e carregava. "— Miguilim, este feixinho está muito pesado para você?" "— Tio Terêz, está não. Se a gente puder ir devagarinho como precisa, e ninguém não gritar com a gente para ir depressa demais, então eu acho que nunca que é pesado..." "— Miguilim, você é meu amigo." "— Amigo grande, feito gente grande, Tio Terêz?"

"— É sim, Miguilim. Nós somos amigos. Você tem mais juízo do que eu..." Agora parecia que naquela ocasião era que o Tio Terêz estava se despedindo dele. Tio Terêz não parecia com Caim, jeito nenhum. Tio Terêz parecia com Abel... A chuva de certo vinha de toda parte, de em desde por lá, de todos os lugares que tinha. Os lugares eram o Pau-Rôxo, a fazenda grande dos Barboz, Paracatú, o lugar que não sabia para onde tinham levado a Cuca Pinguinho-de-Ouro, o Quartel-Geral-do-Abaeté, terra da mãe dele, o Buritis-do-Urucúia, terra do pai, e outros lugares mais que tinha: o Sucurijú, as fazendas e veredas por onde tinham passado... E aí Miguilim se encolhia, sufocado debaixo de seu coração; uma pessôa, uma alma, estava ali à beira da cama, sem mexer rumor, aparecia de repente, para ele se debruçava. Miguilim se estarrecia de olhos fechados, guardado de respirar, um tempo que nem não tinha fim. Era Vovó Izidra. Quando via que pensava que ele estava bem dormindo, ela beijava a testa dele, dizia bem baixinho: — "Meu filhinho, meu filho, Deus hoje te abençoou..."

Chovera pela noite a fora, o vento arrancou telhas da casa. Ainda chovia, nem se podia pôr para secar o colchão de Tomezinho, que tinha urinado na cama. Na hora do angú dos cachorros, Pai tinha voltado. Ele almoçou com a gente, não estava zangado, não dizia. Só que, quando Pai, Mãe e Vovó Izidra estavam desaliviados assim como hoje, não conversavam assuntos de gente grande, uns com os outros, mas cada um por sua vez falava era com os meninos, alegando algum malfeito deles. Pai dizia que Miguilim já estava no ponto de aprender a ler, de ajudar em qualquer serviço fosse. Mas que ali no Mutúm não tinha quem ensinasse pautas, bôa sorte tinha competido era para o Liovaldo, se criando em casa do tio Osmundo Cessim, um irmão de Mãe, na Vila-Risonha-de-São-Romão. Miguilim dobrecia, assumido com aquelas conversas, logo que podia ia se esconder na tulha, onde as goteiras sempre pingavam. Ao quando dava qualquer estiada, saía um solzinho arrependido, então vinham aparecendo abêlhas e marimbondos, de muitas qualidades e cores, pousavam quietinhos, chupando no caixão de açúcar, muito tempo, o açúcar melméla, pareciam que estavam morridos.

Dito não fazia companhia, falava que carecia de ir ouvir as conversas todas das pessôas grandes. Miguilim não tinha vontade de crescer, de ser pessôa grande, a conversa das pessôas grandes era sempre as mesmas coisas secas, com aquela necessidade de ser brutas, coisas assustadas. O gato Sossõe, certa hora, entrava. Ele vinha sutil para o paiol, para a tulha, censeando os ratos, entrava com o jeito de que já estivesse se despedindo, sem bulir com o ar. Mas, daí, rodeando como quem não quer, o gato Sossõe principiava a se esfregar em Miguilim, depois deitava perto, se prazia de ser, com aquela ronqueirinha que era a alegria dele, e olhava, olhava, engrossava o ronco, os olhos de um verde tão menos vazio — era uma luz dentro de outra, dentro doutra, dentro outra, até não ter fim.

A gente podia ficar tempo, era bom, junto com o gato Sossõe. Ele só fugiu quando escutou barulho de vir chegando na tulha aquele menino dentuço, o Majéla, filho de seo Deográcias, mas que todos chamavam de o Patorí.

Seo Deográcias falava tão engraçado: — "O senhor, seo Nhô Berno, podia ter a cortesia de me agenciar para mim um dinheirozinhozinhozinho, pouco, por ajuda?" "— Quem dera eu tanto tivesse como o senhor, seo Deográcias!" — o Pai respondia. "— Ara, qual, qual, seo Nhô Berno Cássio, eu estou pobre como agüinha em fundo de canôa... Achasse um empréstimo, comprava adquirido um bom cavalo de sela... Podia até vir mais amiúde, por uma prosa, servo do senhor, sem grave pecado de incomodar..." "— Pois, aqui, seo Deográcias, o senhor é sempre bem aparecido..."

Contavam que esse seo Deográcias estava excomungado, porque um dia ele tinha ficado agachado dentro de igreja. Mas seo Deográcias entendia de remédios, quando alguém estava doente ele vinha ver. Era viúvo. Morava dali a diversas léguas, na Vereda-do-Côcho. Agora tinha viajado de vir para pedir uma pouca de sal e de café, por emprestados, e um pedaço de carne-de-vento — quando matassem boi, lá, pagava de volta. O Patorí, ele trouxe junto. "— Vem, Miguilim, ajudar a tacar pedra: os meninos acharam um sapo enorme!" — o Patorí gritando já vinha.

Miguilim não queria ir, não gostava de sapos. Não era como a Chica, que puxava a rã verde por uma perna, amarrava num fio de embira, prendia-a no pau da cerca. Por paz, não estava querendo também brincar junto com o Patorí, esse era um menino maldoso, diabrava. "— Ele tem olho ruim", — a Rosa dizia — "quando a gente está comendo, e ele espia, a gente pega dôr-de-cabeça..."

— "Então, vem cá, Miguilim. Olha aqui..." — o Patorí mostrava bala dôce, embrulhada em papelim, tirava da algibeira. Miguilim aceitava. Mas era uma pedra, de dentro do papel. O Patorí ria dele, da logradela: — "Enganei meu burrinho, com uma pedrinha de sal!..." Aqueles dentes dentuços! "— A bala eu chupei, estava azedinha gostosa..." — ainda dizia, depois, mais malino. "— Mas, agora, Miguilim, vou te ensinar uma coisa, você vai gostar. Sabe como é que menino nasce?" Miguilim avermelhava. Tinha nôjo daquelas conversas do Patorí, coisas porcas, desgovernadas. O Patorí escaramuçava o Dito e Tomezinho: — "Foge daí! Não quero brincar com menino-pequeno!" —

proseava. E tornava a falar. Inventava que ia casar com Drelina, quando crescesse, que com ela ia se deitar em cama. Ensinava que, em antes de se chupar a bala dôce, a gente devia de passar ela no tamborete onde moça bonita tivesse sentado, meio de arte. Contava como era feita a mãe de Miguilim, que tinha pernas formosas... "— Isso tu não fala, Patorí!"— Miguilim dava passo. "— A já! E eu brigo com menino menorzinho do que eu?! Tu bobêia?" O Patorí debochava. Saía para o pátio. Daí, quando Miguilim estava descuidado, o Patorí pegava um punhado de lama, jogava nele, sujando. Miguilim sabia que não adiantava acusar: — "Não foi por querer..." — o Patorí sempre explicava aos mais velhos — "Eu até gosto tanto de Miguilim..." Mas o Dito chegava, tendo visto, o Dito era muito esperto: — "Sabe, Patorí, o vaqueiro Salúz está caçando você, pra bater, disse que você furtou dele uma argola de laço!" Aí o Patorí pegava medo, corria para dentro de casa, não saía mais de perto do pai.

— Miguilim, você sabe o que o vaqueiro Salúz disse? Tio Terêz foi morar no Tabuleiro Branco. O vaqueiro Salúz vai levar lá o cavalo dele e o resto das coisas que ainda ficaram. Tio Terêz decerto que quer trabalhar p'r' a Sa Cefisa, no Tabuleiro Branco...

— Por que, Dito? P'ra sempre?

— Acho que ele tomou medo de Pai, não quer ser mais parente de nossa casa. O Tabuleiro Branco é longe, mais de dez léguas daqui, p'r' a outra banda de lá. Vaqueiro Salúz disse que até assim é bom, tio Terêz acaba se casando com a Sa Cefisa, que ela é mulher enviuvada...

— Miguiliiim!...

A Chica gritava dessa forma, feito ela fosse dona dele.

— ... Miguilim, vem depressa, Mamãe, Papai tá te chamando! Seo Deográcias vai te olhar...

Seo Deográcias ria com os dentes desarranjados de fechados, parecia careta cã, e sujo amarelal brotava por toda a cara dele, um espim de uma barba. "— A-há, seu Miguilim, hum... Chega aqui." Tirava a camisinha. "— Ahã... Ahã... Está se vendo, o estado deste menino não é p'ra nada-não-senhor, a gente pode se guiar quantas costelinhas Deus deu a ele... Rumo que meu, eu digo: cautelas! Ignorância de curandeiro é que mata, seo Nhô Berno. Um que desvê, descuidou, há-de-o! — entrou nele a febre. E, é o que digo: p'ra passar a héctico é só facilitar de beirinha, o caso aí maleja... Muito menino se desacude é assim. Mas, tem susto não: com as ervas que sei, vai ser em pé um pau, garantia que dou, boto bom!..."

— "Meu filhinho, Miguilim..." — a mãe desnorteava, puxando-o para si. — "De remédio é que ele carece, momo não cura ninguém!" — o pai desdenhava grosso.

— "Isto mesmo, seo Nhô Berno, bem deduzido!" — seo Deográcias pronunciava. Bebia café. — "Remédio: e — o senhor agradeça, eu esteja vindo viver aqui nestas más brenhas, donde só se vê falta tudo, muita míngua, ninguém não olha p'ra este sertão dos pobres..."

Seo Deográcias ficava brabo: agora estava falando da falta de providências para se pegar criminosos tão brutos, feito esse Brasilino Boca-de-Bagre, que cercava as pessôas nas estradas, roubava de tudo, até tinha aparecido na Vereda do Terentém, fazedor de medo, deram em mão o que ele quis, conduziu a mulher do Zé Ijim, emprestada por três dias, devolveu só dali a quase mês! Seo Deográcias cuspia longe, em tris, asseava a boca com as costas da mão, e rexingava: "— Assim mais do que assim, as coisas não podem demasiar. Por causa de umas e dessas, eu vou no papel! — vou na tinta!" Dizia que estava escrevendo carta para o Presidente, já tinha escrito outra vez, por conta de tropeiros do

Urucúia-a-fora não terem auxiliado de abrir a tuta-méia de um saquinho de sal, nem de vender para os dali, quando sal nenhum para se pôr em comida da gente não se achava. Ao já estava com a carta quase pronta, só faltando era ter um positivo que a fosse levar na barra, na Vila Risonha.

— "Bem, eu agora vou-me-vou, estou de passar na cafúa do Frieza, pastos abaixo. Viajar é penoso! Olha, o corguinho já está alargado, com suas águas amarelas..." — Seo Deográcias só gostava de ir visitar os outros era no intervalinho de chuvas, aí ele sabia certo que achava todos em casas. Ele tinha também ofício de cobrar dinheiro, de uns para os outros. Levantou, foi na janela, espiar o céu do tempo. — "Eh, água vai tornar a revirar água? No melhor, estia: vigiem o olho-de-boi!" Todos discorriam para ir ver, até Vovó Izidra concordava de apreciar o olho-de-boi, que era só um reduzidinho retalho de arco-da-velha, leviano airoso. Miguilim, não, hoje não podia. Esperava abraçado no colo da mãe, enquanto que ela quisesse assim. "— Que é que você está soletrando, Miguilim?" Nada, não, estava falando nada. Estava rezando, endereçado baixinho, para Deus dificultar d'ele morrer.

Mas Pai tinha tirado por tino, conversava: — "Seo Deográcias, o senhor que sabe escola, podia querer ensinar o Miguilim e o Dito algum começo, assim vez por vez, domingo ou outro, para eles não seguirem atraso de ignorância?"

Mal de Miguilim, que de todo temor se ameaçava. O arújo daquilo. Então, o que seo Deográcias ensinasse — ele e o Dito iam crescer ficando parecidos com seo Deográcias?... Cruzou os olhos com o Dito. O Dito, que era o irmãozinho corajosozinho destemido, ele ia arrenegar? Daí, não, o Dito deixava, estava adiando de falar alto. Mas ele, Miguilim, ia mesmo morrer de uma doença, então ele agora não somava com ralho nenhum:

— Quero tudo não, meu Pai. Mãe sabe, ela me ensina...

Ah o pai não ralhava — ele tinha demudado, de repente, soável risonho; mesmo tudo ali no instante, às asas: o ar, essas pessôas, as coisas — leve, leve, tudo demudava simples, sem desordem: o pai gostava de mamãe. Com o ser, com os olhos como que ele olhava, tanto querendo-bem; e o pai estava remoçado. Mãe, tão bonita, só para se gostar dela, todo o mundo. Então Miguilim era Miguilim, acertava no sentir, e em redor amoleciam muitas alegrias. O pai gostava de mamãe, muito, demais. Até, para agradar mamãe, ele afagava de alisar o cabelo de Miguilim, em quando falava gracejado: — "A Nhanina sabe as letras, mas ela não tem nenhuma paciência... Eh, Nhanina não decora os números, de conta de se fazer..." Se seo Deográcias então queria ser mestre?

Mas seo Deográcias coçava a cara pela barba, ajuizava sério. "— Bom, seo Nhô Berno, o que o senhor está é adivinhando uma tenção que já está residida aqui nesta minha cabeça há muito, mas mesmo muito tempo... Mas o que não pode é ser assim de horas pra hora. Careço de mandar vir papéis, cartilha, régua, os aviamentos... Ter um lugarim, reunir certa quantidade de meninos de por aqui por em volta, tão precisados, assim é que vale. O bom real é o legal de todos... Por o benefício de muitos." Todo tão feio, seo Deográcias, aquele tempo se tinha medo ele envelhecesse em dôido.

E era bom quando seo Deográcias e o Patorí iam embora. — "Mais antes um que mal procede, mas que ensina pelo direito a regra dos usos!" — Vovó Izidra dava valor a seo Deográcias. "— Seja bom-homem, só que truqueado com tantos remiolamentos..." — o pai inventava de dizer. Miguilim pensava que ele tinha vindo pedir esmola; mas o Dito sabia, de escutação: — "Ih, não, Miguilim. Mais veio buscar o dinheiro, para um homem da cidade. Mas Pai falou que ainda não estava em ponto de poder pagar..." Então o Dito estava mentindo! Mas Vovó Izidra tinha ojeriza de seo Aristeu, que morava na Veredinha do Tipã, ele também assisava de aconselhar remédios, e que para ver o Miguilim a mãe queria que chamassem. — "Aquele mal entende do que é, catrumano labutante como nós..." — dizia o pai. Dizia que seu Aristeu servia só para adjutorar, em idas de caçadas, ele dispunha notícia do regulamento dos bichos, por onde passavam acostumados — carreiro de anta, sumetume de paca, trauta de veado — marcava lugar para se pôr espera. Outras vezes também dava rumo aos vaqueiros do movimento do gado fugido, e condizia de benzer bicheira dos bois, recitava para sujeitar pestes. Seu Aristeu criava em roda de casa a abelha-do-reino e aquelas abelhinhas bravas do mato, ele era a única pessôa capaz dessa inteligência. — "Ele é um homem bonito e alto..." — dizia Mãe. — "Ele toca uma viola..." "— Mas do demo que a ele ensina, o curvo, de formar profecia das coisas..." — Vovó Izidra reprovava.

Mas então Miguilim estava mesmo de saúde muito mal, quem sabe ia morrer, com aquela tristeza tão pesada, depois da chuva as folhas de árvores desbaixavam pesadas. Ele nem queria comer, nem passear, queria abrir os olhos escondido. Que bom, para os outros — Tomezinho, o Dito, a Chica, Drelina, Maria Pretinha — nenhum não estava doente. Só ele, Miguilim, só. Antes tinha ido com o Tio Terêz, de viagem grande, crismado no Sucurijú, tanta coisa podendo ver, agora não sabia mais. Sempre cismava medo assim de adoecer, mesmo era verdade. Todo o mundo conhecia que ele estava muito doente, de certo conversavam. Tivesse outras qualidades de remédios — que fossem muito feios, amargosos, ruins, remédio que doesse, a gente padecia no tomar! — então ele tomava, tantas vezes, não se importando, esperança que sarava. Ele mesmo queria melhor ir para a casa de seo Deográcias, daquele menino Majéla, tão arlequim, o Patorí — mas seo Deográcias tinha esses poderes, lá ele tomava remédio, toda hora, podiam judiar, não fazia mal que judiassem, cada dia ele melhorava mais um pouco, quando acabasse bom voltava para casa. Mas seo Deográcias tinha mandado só aqueles, que a gente não pressentia com respeito, que eram só jatobá e óleo de capivara. Assim mesmo, tomava, a certas. Só ele. Agora pensava uma raiva dos irmãos, dos parentes — não era raiva bem, era um desconhecer deles, um desgosto. Não calava raiva do Dito, nem do Tomezinho, nem da Chica e de Drelina, quando vinham perto, quando estava vendo, estimava sempre uns e outros. Mas, quando ficava imaginando sozinho assim, aquele dissabor deles todos ele pensava. Ah, então, quem devia de adoecer, e morrer, em vez, por que é que não era, não ele, Miguilim, nem nenhum dos irmãozinhos, mas aquele mano Liovaldo, que estava distante dali, nem se sabia dele quase notícia, nem nele não se pensava?

Choveu muitos dias juntos. Chuva, chuvisco, faísca — *raio* não se podia falar, porque chamava para riba da gente a má coisa. Assim que trovoava mais cão, Miguilim já andava esperando para vir perto de Vovó Izidra: —"Vovó Izidra, agora a gente vai rezar, muito?" Ah, porque Vovó Izidra, que era dura e braba desconforme, então ela devia de ter competência enorme para o lucro de rezarem reunidos — para o favor dele, Miguilim, para o que ele carecia. Nem não estava com receio do trovão de chuva, a reza era só para ele conseguir de não morrer, e sarar. Mas fingia, por versúcia — não queria conversar a verdade com as pessôas. Falasse, os outros podiam responder que era mesmo; falasse, os outros então aí era que acreditavam a mortezinha dele certa, acostumada. — "Vovó Izidra, agora a gente vai rezar de oratório, de acender velas?!" — ele mais quase suplicava. — "Não, menino..." — que não, Vovó Izidra respondia — "Me deixe!" — respondia que aquela chuva não regulava de se acender vela, não estava em quantidades. Ser menino, a gente não valia para querer mandar coisa nenhuma. Mas, então, ele mesmo, Miguilim, era quem tinha de encalcar de rezar, sozinho por si, sem os outros, sem demão de ajuda. Ele ia. Carecia. Suprido de sua fé — que se dizia —: para auxiliar Nosso Senhor a poder obrar milagre. Miguilim queria. Mas, como é que, se ele sendo assim pequeno, agora quem é que sabia se o baguinho-de-fé nele ainda era que estava, não gastada? Descorçoava. — "Vovó Izidra, a senhora falou aquilo, aquela vez: eu tenho muita fé em Deus?" "— Tu tem é severgonhice, falta de couro! Menino atentado!..."

A gente — essas tristezas. Mesmo, daí, Vovó Izidra ralhava, aconselhava para ele não ir caminhar molhando os pés no chão chovido. Que era que adiantava? Para um assim com má-sina — que é que adiantava? Entre chuva e outra, o arco-da-velha aparecia bonito, bebedor; quem atravessasse debaixo dele — fú! — menino virava menina, menina virava menino: será que depois desvirava? Estiadas, as agüinhas brincavam nas árvores e no chão, cada um de um jeito os passarinhos desciam para beber nos lagoeiros. O sanhaço, que oleava suas penas com o biquinho, antes de se debruçar. O sabiá-peito-vermelho, que pinoteava com tantos requebros, para trás e para a frente, ali ele mesmo não sabia o que temia. E o casal de tico-ticos, o viajadinho repulado que ele vai, nas léguas em três palmos de chão. E o gaturamo, que era de todos o mais menorzim, e que escolhia o espaço de água mais clara: a figurinha dele, reproduzida no argume, como que ele muito namorava. Tudo tão caprichado lindo! Ele Miguilim havia de achar um jeito de sarar com

Deus. Perguntava a Mãitina, mesmo, como não devia, quem sabe?

Mãitina gostava dele, por certo, tinha gostado, muito, uma vez, fazia tempo, tempo. Miguilim agora tirava isso, da deslembra, como as memórias se desentendem. Ocasião, Mãitina sempre ficava cozinhando coisas, tantas horas, no tacho grande, aquele tacho preto, assentado na trempe de pedras soltas, lá no cômodo pegado com a casa, o puxado, onde que era a moradia dela — uma rebaixa, em que depois tinham levantado paredes: o *acrescente*, como se chamava. Lá era sem luz, mesmo de dia quase que só as labaredas mal alumiavam. Miguilim era mais pequeno, tinha medo de tudo, chegou lá sozinho para espiar, não tinha outra pessôa ninguém lá, só Mãitina mesmo, sentada no chão, todo o mundo dizia ela feiticeira, assim preta encoberta, como que deve de ser a Morte. Miguilim esbarrou, já estava com um começo de dúvida, daí viu, os olhos dele vendo: viu nada, só conheceu que o escuro estava sendo mais maldoso, em redor — e o treslinguar do fôgo — era uma mata-escura, mato em que o verde vira preto, e o fôgo pelejava para não deixar aquilo tomar conta do mundo, estremeciam mole todos os sombreados. Ele se assustou forte, deu grito. E, se agarrando nas costas dela, se abraçou com Mãitina. Ah, se lembrava. Pois porque tudo tinha tornado a se desvirar do avesso, de repente, Mãitina estava pondo ele no colo, macio manso, e fazendo carinhos, falando carinhos, ele nem esperava por isso, isso nem antes nem depois nunca não tinha acontecido. O que Mãitina falava: era no atrapalho da linguagem dela, mas tudo de ninar, de querer-bem, Miguilim pegava um sussú de consolo, fechou os olhos para não facear com os dela, mas, quisesse, podia adormecer inteiro, não tinha mais medo nenhum, ela falava a zúo, a zumbo, a linguagem dela era até bonita, ele entendia que era só de algum amor. Tanto mesmo Mãitina tinha gostado dele, nesse dia, que, depois, ela segurou na mãozinha dele, e vieram, até na porta-da-cozinha, aí ela gritou, exclamando os da casa, e garrou a esbravecer, danisca, xingando todos, um cada um, e apontava para ele, Miguilim, dizendo que ele só é que era bonzinho, mas que todos, que ela mais xingava, todos não prestavam. Pensaram que ela tivesse doidado furiosa.

Mas, depois, aquilo tinha sido mesmo uma vez só, os outros dias que vinham eram no igual a todos, a gente de tudo não aguenta também de se lembrar, não consegue. Mãitina bebia cachaça, surtia todas as venetas, sumia o senso na velhice. A ver, os meninos todos queriam ir lá, no acrescente, Mãitina agachada, remexendo o tacho; num canto Mãitina dormia, ainda era mais trevoso. Com a colher-de-pau ela mexia a goiabada, horas completas, resmungava, o resmungo passava da linguagem de gente para aquela linguagem dela, que pouco fazia. A fumaça estipava nos olhos de Miguilim, ele tossia e apertava lágrimas de rir azedo. — "Fumaça pra lá, dinheiro p'ra cá..." — cada um dizia, quando o enfio da fumaça se espalhava. Só Drelina era quem queria gostar: —*"Fumaça percura é formosura..."* Vovó Izidra sobrevinha, à tanta, às roucas, esgraviava escramuçando as crianças embora, eta escrapeteava com a criançada toda do mundo! Vovó Izidra, mesmo no escuro assim, avançava nos guardados, nos esconsos, em buracos na taipa, achava aqueles toquinhos de pau que Mãitina tinha escascado com a faca, eram os calunguinhas, Vovó Izidra trouxava tudo no fogo, sem dó! —: eram santos-desgraçados, a gente nem não devia de consentir se Mãitina oferecesse aquilo para respeito de se beijar, bonecos do demo, cazumbos, a gente devia era de decuspir em riba. Mãitina depois tornava a compor outros. Essas horas, a gente nunca sabia o que Mãitina fosse arrumar, tudo com ela dependia. Tinha vez, ria atôa, não fazia caso; mas, outras, ela gritava horroroso, enfrenesiava no meio do quintal, rogando pragas sentidas, tivesse lama deitava mesmo na lama, se esparramava.

E agorinha, agora, que ele carecia tanto de qualquer assinzinho de socôrro, algum aprumo de amparo, será que não podia pedir a ela? Miguilim pensava. Miguilim nem ria. O que ele ia vendo: que nem não adiantava. Ah, não adiantava não, de jeito nenhum — Mãitina estava na bebedeira. A mal, derradeiro deixavam ela tomasse como quisesse; porque estavam supeditando escondido na cachaça o pó de uma raiz, que era para ela enfarar de beber, então, sem saber, perdia o vício. Mas nem não valia. Podiam sobpor aquilo, sustanciar em todas quantidades, a meizinha não executava. Judiação. Mãitina bebia e rebebia, queria mais, ela gastava a cachaça toda. Tudo, que todo o mundo fazia, era errado.

A Rosa. Miguilim pergunta à Rosa: — "Rosa, que coisa é a gente ficar héctico?" "— Menino, fala nisso não. Héctico é tísico, essas doenças, derrói no bofe, pessôa vai minguando magra, não esbarra de tossir, chega cospe sangue..." Miguilim desertêia para a tulha, atontava.

— "Agora você ensina armar urupuca..." — o Dito queria, quando desinvernou de repente, as maitacas já passavam, vozeando o trilique, antes era tão bonito. Para o Dito, não tinha coragem de negar. Mas a urupuca não definia certa, o Dito mesmo experimentou, espiava sério, só Tio Terêz era quem podia. Tio Terêz em tudo estava vivendo longe. Tio Terêz voltasse, Miguilim conversava. — "Sanhaço pia uma flauta... Parece toca aprendendo..." "— Que é que é flauta, Tio Terêz?" Flauta era assovio feito, de instrumento, a melhor remedava o pio assim do sanhaço grande, o ioioioim deles... Tio Terêz ia apronta para ele uma, com taquara, com canudo de mamão? Mas, depois, de certo esqueceu, nunca que ninguém tinha tempo, quase que nenhum, de trabalhar era que todos careciam.

Tomezinho e o Dito corriam, no pátio, cada um com uma vara de pau, eram cavalinhos que tinham até nomes dados. "— Brincar, Miguilim!" Brincar de pegador. Até a Chica e Drelina brincavam, os cachorros latiam diverso. O Gigão sabia quase brincar também. Miguilim corria, tinha uma dôr de um lado. Esbarrava, nem conseguia ânimo de tomar respiração. Não queria aluir do lugar — a dôr devia de ir embora. Assim instante assim, comecinho dela, ela estava só querendo vindo pousando — então num átimo não podia também desistir de nele pousar, e ir embora? Ia. Mas não adiantava, ele sabia, deu descordo. Já estava héctico. Então, ia morrer, mesmo, o remédio de seo Deográcias não adiantava.

— Dito, hoje é que dia?

Então ia morrer; carecia de pensar feito já fosse pessôa grande? Suspendeu as mãozinhas, tapando os olhos. Em mal que, a gente carecia de querer pensar somente nas coisas que devia de fazer, mas o governo da cabeça era erroso — vinha era toda idéia ruim das coisas que estão por poder suceder! Antes as estórias. Do pai de seo Soande vivo, estória do homem boticário, Soande. Esse, deu um dia, se prezou que já estava justo completo, capaz para navegar logo p'ra o Céu, regalias altas; como que então ele dispôs de tudo que tinha, se despediu dos outros, e subiu numa árvore, de manhã cedo, exclamou: —"Belo, belo, que vou para o Céu!..." — e se soltou, para voar; descaíu foi lá de riba, no chão muito se machucou. — "Bem feito!" — Vovó Izidra relatava — "Quem pensa que vai para o Céu, vai mas é para o Céu-de-Laláu!..." Vovó Izidra todos vigiava.

O Dito tinha ido ver, perguntar. Daí, voltava: — "Hoje é onze, a Rosa espiou na folhinha. A Rosa disse essa folhinha que agora a gente tem não é bôa, folhinha-de-Mariana; que carece de arranjar folhinha de desfolhar — de tão bonitos quadros..."

"— Eu vou ali, volto..." — Miguilim disse. Miguilim tinha pegado um pensamento, quase que com suas mãos.

"— Deix'ele ir, Dito. Ele vai amarrar-o-gato..." — ainda escutava dizer o vaqueiro Jé. Mentira. Tinha mentido, de propósito. Era o único jeito de sozinho poder ficar, depressa, precisava. Podiam rir, de que rissem ele não se importava. Mesmo agora ali estava ele ali, atrás das árvores, com as calças soltadas, acocorado, fingindo. Ah, mas livre de todos; e pensava, ah, pensava!

Repensava aquele pensamento, de muitas maneiras amarguras. Era um pensamento enorme, aí Miguilim tinha de rodear de todos os lados, em beira dele. E isso era, era! Ele tinha de morrer? Para pensar, se carecia de agarrar coragem — debaixo da exata idéia, coraçãozinho dele anoitecia. Tinha de morrer? Quem sabia, só? Então — ele rezava pedindo: combinava com Deus, um prazo que marcavam... Três dias. De dentro daqueles três dias, ele podia morrer, se fosse para ser, se Deus quisesse. Se não, passados os três dias, aí então ele não morria mais, nem ficava doente com perigo, mas sarava! Enfim que Miguilim respirava forte, no mil de um minuto, se coçando das ferroadas dos mosquitos, alegre quase. Mas, nem nisso, mau! — maior susto o salteava: três dias era curto demais, doíam de assim tão perto, ele mesmo achava que não aguentava... Então, então, dez. Dez dias, bom, como valesse de ser, dava espaço de, amanhã, principiar uma novena. Dez dias. Ele queria, lealdoso. Deus aprovava.

Voltou para junto. Agora, ele se aliviava qualqual, feliz no acomodamento, espairecia. Era capaz de brincar com o Dito a vida inteira, o Ditinho era a melhor pessôa, de repente, sempre sem desassossego. O Dito como que ajudava. Ele Miguilim ainda carecia de sinalar os dias todos, para aquela espera, fazia a conta nos dedos. Dito e o vaqueiro Jé não estavam entendendo nada, mas o vaqueiro Jé fez a conta, Miguilim e Dito não sabiam. — "Pra que é, Miguilim? Você fechou data para se casar?" — assim a poetagem do vaqueiro Jé, falanfão. Soubesse o que era, de verdade, assim se rindo assim ele falava? O vaqueiro Jé era uma pessôa esperdiçada. — "Ah, isto é" — ainda vinha dizendo mais — "e por via da vacama: o Miguilim vai reger o costeio..."

A tempo, com a chuva, os pastos bons, o pai tinha falado iam tornar a começar a tirar muito leite, fazer requeijão, queijo. As vacas estavam sobrechegando, com o touro. O touro era um zebú completo preto — Rio-Negro. A bezerrada se concluía num canto do curral, os rabinhos de todos pendurados, eles formavam roda fechada, com as cabeças todas juntas. O cachorro Gigão vigiava, sempre sério, sentado; ele desgostava do Rio-Negro. O Rio-Negro era ruim, batedor. Um dia ele tinha investido nos meninos. Quando que avançou, de supetão, todos gritaram, as pessôas grandes gritaram: os meninos estavam mortos! Mas mais se viu que o Gigão sobrestava, de um pulo só ele cercou, dando de encontro — tinha ferrado forte do Rio-Negro, abocando no focinho — não desmordeu, mesmo — deu com o pai-de-bezerro no chão. Três tombos, até o Rio-Negro rolar por debaixo do cocho que quase encostado na cerca. Todas as belezas daquele retumbo! Deu a derradeira queda aqui, já neste fundinho de terra. O Gigão gostava de mexida de gado, cachorro desse derruba qualquer boi. Tinha livrado os meninos da morte, todos faziam festas no Gigão, sempre que se matava galinha assavam o papo e as tripas para ele. Mas agora o Gigão parava ali, bebelambendo água na poça, e mesmo assim, com ele diante perto, Miguilim estava sentindo saudade dele. Então, era porque ia mesmo morrer? Já tinham quase passado dois dias, faltavam os outros para inteirar. E ele, por motivo nenhum, mas tinha deixado de principiar a novena, e não sobrava mais tempo, não dava. Deus Jesus, como é que havia de ser?

Não ia fazer mais artes. Só tinha trepado na árvore-de-tentos, com o Dito, para apanhar as frutinhas de birosca. Tomezinho não sabia subir, ficava fazendo birra em baixo, xingava nome feio. "— Não xinga, Tomezinho, é Mãe que você está ofendendo!" Mas então precisavam de ensinar a ele outros nomes de xingar, senão o Tomezinho não esbarrava. Às vezes a melhor hora para a gente era quando Tomezinho estava dormindo de dia. No descer do tenteiro, Miguilim desescorregou, um galho partiu, ele bateu no chão, não machucou parte nenhuma, só que a calça rasgou, rasgão grande, mesmo. Tudo se dado felizmente. Mas o pai, quando ele chegou, gritou pito, era para costurarem a roupa. E ainda mandou que deixassem Miguilim nú, de propósito, sem calça nenhuma, até Mãe acabar de costurar. Só isso, se morria de vergonha. E, então, não tinham pena dele, Miguilim, achavam de exemplar por conta de tudo, mesmo num tempo como esse, que faltavam seis dias, do comum diferentes? Ah, não fosse pecado, e aí ele havia de ter uma raiva enorme, de Pai, deles todos, raiva mesmo de ódio, ele estava com razão. Pudesse, capaz de ter uma raiva assim até do Dito! Mas por que era que o Dito semelhava essa sensatez — ninguém não botava o Dito de castigo, o Dito fazia tudo sabido, e falava com as pessôas grandes sempre justo, com uma firmeza, o Dito em culpa aí mesmo era que ninguém não pegava.

Agora estavam reduzindo com os bezerros, para a ferra, na laçação. Miguilim também queria ir lá no curral, para poder ver — não ia, nú, nuélo, castigado. Escutava o barulho — como o bezerro laçado bufa e pula, tréta bravo. O vaqueiro Jé sabia jogar focinheira bem, com o laço: era custoso, mais custoso quando o bezerro estava com a cabeça abaixada. Laçavam pelo pescoço. Quando pegavam o pescoço e perna, duma vez, Pai zangava, estavam errando. Peavam o bezerro, na curva, com duas voltas de sedém e um nó-de-porco; encambixavam, com as duas mãos. Outro apertava a cabeça dele no chão. Outro ajudava. O bezerro punha a língua de fora. E os berros. Berrú-berro feio, como quando que gado toma uma esbarrada se estremece bruto, nervoso, derruba gente, agride, pula cerca. Doidavam desespero, davam testada. Até às vezes, no pular, algum rasgava a barriga nas pontas de aroeira, depois morriam. Como o pai ficava furioso: até quase chorava de raiva! Exclamava que ele era pobre, em ponto de virar miserável, pedidor de esmola, a casa não era dele, as terras ali não eram dele, o trabalho era demais, e só tinha prejuízo sempre, acabava não podendo nem tirar para sustento de comida da família. Não tinha posse nem para retelhar a casa velha, estragada por mão desses todos ventos e chuvas, nem recurso para mandar fazer uma bôa cerca de réguas, era só cerca de achas e paus pontudos, perigosa para a criação. Que não podia arranjar um garrote com algum bom sangue casteado, era só contentar com o Rio-Negro, touro do demônio, sem raça nenhuma quase. Em tanto nem conseguia remediar com qualquer zebú ordinário, touro cancréje, que é gado bravo, miúdo ruim leiteiro, de chifres grandes, mas sempre é zebú mesmo, cor queimada, parecendo com o guzerate: — "Zebú que veio no meio dos outros, mas não teve aceitação..." — que era o que queria o vaqueiro Salúz. Dava vergonha no coração da gente, o que o pai assim falava. Que de pobres iam morrer de fome — não podia vender as filhas e os filhos... Pudesse, crescesse um poucado mais, ele Miguilim queria ajudar, trabalhar também. Mas, muito em antes queria trabalhar, mais do que todos, e não morrer, como quem sabe ia ser, e ninguém não sabia.

Mas por que não cortavam aquela árvore de pé-de-flôr, de detrás da casa, que seo Deográcias tinha falado? Se não cortassem, era tanto perigo, de agouro, ela crescia solerte, de repente uma noite despassava mais alta do que o telhado, então alguém da família tinha de morrer, então era que ele Miguilim morria. Pois ele não era o primeirozinho separado para ser, conforme Deus podia mandar, como a doença queria? Mas nem que o pai não queria saber de cortar, quizilou quando Mãe disse: — "Não corto, não deixo, não dou esse prazer a esse seo Deográcias! Nem ele não pense que tudo o que fala é minhas-ordens, que por destino de pobres ignorantes a gente é bobo também..." Não cortavam, e a arvorezinha pegava asas. Miguilim escogitava. "— Dito, alegria minha maior se alguém terminasse com a árvore-de-flor, um vento forte derribasse..." O Dito não fosse tão ladino: quando ninguém não estava vendo ele chamou o vaqueiro Salúz, disse que para botar no chão, mandado do pai. Vaqueiro Salúz gostava de cortar, meteu o facão, a árvore era fina. Miguilim olhava de longe; de alegria, coração não descansava. Quando os outros viram, todos ficaram assustados, temor do pai, diziam o Dito ia apanhar de tirar sangue. O Dito, por uma agüinha branca como nem que ele não se importava. Saíu brincando com carrinho-de-boi, com os sabucos. Um sabuco rôxo era boi rôxo, outros o Dito pedia à Rosa para no fôgo tostar, viravam sendo boizinhos amarelos, pretos, pintados de preto-e-branco. Era o brinquedo mais bonito de todos. Pai chegou, soube da árvore cortada, chamou o Dito: — "Menino, eu te amostro! Que foi que mentiu, que eu tinha mandado sentar facão na árvore-de-flôr?!" "— Ah, Pai, ressonhei que o que se disse, se a árvore danasse de crescer, mais o senhor é que é o dono da casa, agora o senhor pode bater em mim, mas eu por nada não queria que o senhor adoecesse, gosto do senhor, demais...” E o pai abraçou o Dito, dizia que ele era menino corajoso e com muito sentimento, nunca que mentia. Mesmo Miguilim não entendia o sopro daquilo; pois até ele, que sabia de tudo, dum jeito não estava acreditando mais no que fora: mas achando que o que o Dito falou com o pai era que era a primeira verdade.

Marôto que o Dito saía, por outros brinquedos, com simples de espiar o ninho de filhotes de bem-te-vi, não tinha medo que bem-te-vi pai e mãe bicavam, podiam furar os olhos da gente. Chamava Miguilim para ir junto. Miguilim não ia. O Dito não chamava mais. O Dito quase que não se importava mais com ele, o Dito não gostava mais dele. Cada dia todos deixavam de gostar dele um poucadinho, cismavam a sorte dele, parecia que todos já estavam pressentindo, e queriam desacostumar. Não faltavam só três dias? Mas agora ele imaginava outros pensamentos, só que eram desencontrados, tudo ainda custoso, dificultoso. Se escapasse, achava que ia ficar sabendo, de repente, as coisas de que precisava. Ah, não devia de ter decorado na cabeça a data desses dias! Sempre de manhã já acordava sopitado com aquela tristeza, quando os bem-te-vis e pass'os-pretos abriam pio, e Tomezinho pulava da cama tão contente, batia asas com os braços e cocoricava, remedando o galo. De noite, Miguilim demorava um tempo distante, pensando na coruja, mãe de seus saberes e poderes de agouro. — “É coruja, cruz?!” Não. O Dito escutava com seriedades. Só era só o grito do enorme sapo latidor.

De em dia, Miguilim mesmo tinha escasseado o gosto de se esconder, de se apartar às vezes da companhia dos outros, conforme tanto de-primeiro ele apreciava. Mas, agora, de repente achava que, se sozinho, então — por certo encoberto modo — aí era que ele era mais sabido de todos, mais enxergado e medido. Parava dentro de casa, na cozinha, perto de Mãe, perto das meninas. Queria que tudo fosse igual ao igual, sem esparrame nenhum, nunca, sem espanto novo de assunto, mas o pessoal da família cada um lidando em suas miúdas obrigações, no usozinho. Que — se ele mesmo desse de viver mais forte, então puxava perigo de desmanchar o esquecimento de Deus, influía mais para a banda da doença. Que, se andasse, adoecia amadurecido, sentia uma dor na contraquilha, no fundo das tampas do peito, daí cuspia sangue — era o que a Rosa falava para sempre. De sestro, salivava, queria saber se já sobrava o gosto de sangue. — "Qu' é qu' isso, Miguilim!? Larga de mania feia!" — qualquer um repreendia. E ele abanava a cabeça que sim, sorria mansinho que pudesse, para ser bobinho. Porque a alma dele temia gritos. No sujo lamoso do chiqueiro, os porcos gritavam, por gordos demais. Todo grito, sobre ser, se estraçalhava, estragava, de dentro de algum macio miolo — era a começação de desconhecidas tristezas. O quirquincho de um tatú caçado. O afurôo dos cachorros, estrepolindo com o tatú em buraco.

Ali mesmo, para cima do curral, vez pegaram um tatú-peba — como roncou! — o tatú-pevinha é que é o que ronca mais, quando os cachorros o encantôam. Os cachorros estreitam com ele, rodeavam — era tatúa-fêmea — ela encapota, fala choraminguda; peleja para furar buraco, os cachorros não deixam. Os cachorros viravam com ela no chão, ela tornava a se desvirar, ligeiro. A gente via que ela podia correr muito, se os cachorros deixassem. E tinha pelinhos brancos entremeados no casco, feito as pontas mais finas, mais últimas, de raizinhas. E levantava as mãozinhas, cruzadas, mostrava aqueles dedos de unhas, como ossinhos encardidos. Pedia pena... Depois, outra ocasião, não era peva, era um tatú-galinha, o que corre mais, corredor. Funga, quando cachorro pega. Pai tirava a faca, punha a faca nele, chuchava. Ele chiava: *Izúis, Izúis!...* Estava morrendo, ainda estava fazendo barulho de unhas no chão, como quando entram em buraco. — "Tem dó não, Miguilim, esses são danados para comer milho nas roças, derrubam pé-de-milho, roem a espiga, desenterram os bagos de milho semeados, só para comer..." — o vaqueiro Salúz dizia aquilo, por consolar, tantas maldades. — "O tatú come raízes..." Então, mas por que é que Pai e os outros se praziam tão risonhos, doidavam, tão animados alegres, na hora de caçar atôa, de matar tatú e os outros bichinhos desvalidos? Assim, com o gole disso, com aquela alegria avermelhada, era que o demônio precisava de gostar de produzir os sofrimentos da gente, nos infernos? Mais nem queriam que ele Miguilim tivesse pena do tatú — pobrezinho de Deus sozinho em seu ofício, carecido de nenhuma amizade. Miguilim inventava outra espécie de nôjo das pessôas grandes. Crescesse que crescesse, nunca havia de poder estimar aqueles, nem ser sincero companheiro. Aí, ele grande, os outros podiam mudar, para ser bons — mas, sempre, um dia eles tinham gostado de matar o tatú com judiação, e aprontado castigo, essas coisas todas, e mandado embora a Cuca Pingo-de-Ouro, para lugar onde ela não ia reconhecer ninguém e já estava quase ceguinha.

Mas, a mal, vinha vesprando a hora, o fim do prazo, Miguilim não achava pé em pensamento onde se firmar, os dias não cabiam dentro do tempo. Tudo era tarde! De siso, devia de rezar, urgente, montão de rezas. Não compunha. Pois então, no espandongado mesmo dessa pressa, era que a reza não dava vontade de se rezar, ele principiava e não conseguia, não aguentava, nervosia, toleimado se atolava todo. Se sentava na tulha, ainda uma vez, com coragem, só com o gato Sossõe. Ficava pensando. Se lembrando. O gato chegava por si, sobremacio, tripetrepe, naquela regra. Esse não se importava com nenhuma coisa; mais, era rateiro: em estado de dormindo, mesmo, ele com um cismado de orelhas seguia longe o rumor de rato que ia se aparecer dum buraquinho. E Miguilim de repente viu que estava recordando aquelas conversas do Patorí, gostando delas, auxiliando mesmo de se lembrar. A coisa do boi se chamava verga. A do cavalo, chamava *província*, pendurada, enorme, semelhando um talo de cacho de bananeira, sem o mangará. Tinha até vontade que o Patorí voltasse, viesse, havia de conversar a bem com ele, perguntar mais desordens. O garrote tourava as vacas, depois nasciam os bezerrinhos. Patorí falava que podia ensinar muitas coisas, que o homem fazia com mulher, de tão feio tudo era bonito. Só assim em se pensar, mesmo já esquentava, bom, descansava. Um porco magro, passante, demorou na porta da tulha, esmastigando, de amarelar, um bagaço de cana. Grunhava. Devia de ser bom, namoração. Ele Miguilim era quem ia se casar com Drelina — mas irmão não podia casar com irmã? Daí, não aguentava: tinha vergonha. — "Dito, vem cá, fala comigo uma pergunta minha..."

— "Quê que é, Miguilim? Você sabe Pai disse? Amanhã ele vai deixar a gente nós dois montar a cavalo, sozinhos, vamos ajudar a trazer os bezerros..." "— Dito, você já teve alguma vez vontade de conversar com o anjo-da-guarda?" "— Não pode, Miguilim. Se puder, vai p'ra o inferno..." "— Dito, eu às vezes tenho uma saudade de uma coisa que eu não sei o que é, nem de donde, me afrontando..." "— Deve de não, Miguilim, descarece. Fica todo olhando para a tristeza não, você parece Mãe." " — Dito, você ainda é companheiro meu? De primeiro você gostava de conversar comigo..." " — Que eu que eu gosto, Miguilim. Demais. Mas eu quero não conversar essas conversas assim." "— Você quer me ver eu crescer, Dito? Eu viver, toda a vida, ficar grande?" "— Demais. A gente brincar muito, tempos e tempos, de em diante crescer, trabalhar, todos, comprar uma fazenda muito grande, estivada de gados e cavalos, pra nós dois!" A alegria do Dito em outras ocasiões valia, valia, feito rebrilho de ouro.

Daí mas descambava, o dia abaixando a cabeça morre-não-morre o sol. O oõo das vacas: a vaca Belbutina, a vaca Trombeta, a vaca Brindada... O enfile delas todas, tantas vacas, vindo lentamente do pasto, sobre pé de pó. Atitava um assovio de perdiz, na borda-do-campo. Voando quem passava era a marreca-cabocla, um pica-pau pensoso, casais de araras. O gaviãozinho, o gavião-pardo do cerrado, o gaviãozinho-pintado. A gente sabia esses todos vivendo de ir s'embora, se despedidos. O pio das rolinhas mansas, no tarde-cai, o ar manchado de preto. Daí davam as cigarras, e outras. A rã rapa-cúia. O sorumbo dos sapos. Aquele lugar do Mutúm era triste, era feio. O morro, mato escuro, com todos os maus bichos esperando, para lá essas urubuguáias. A ver, e de repente, no céu, por cima dos matos, uma coisa preta desforme se estendendo, batia para ele os braços: ia ecar, para ele, Miguilim, algum recado desigual? "São os morcegos? Se fossem só os morcegos?!..." Depois, depois, tinha de entrar p'ra dentro, beber leite, ir para o quarto. Não dormia dado. Queria uma coragem de abrir a janela, espiar no mais alto, agarrado com os olhos, elas todas, as Sete-Estrelas. Queria não dormir, nunca. Queria abraçar o Ditinho, conversar, mas não tinha diligência, não tinha ânimo.

Agora era o dia derradeiro. Hoje, ele devia de morrer ou não morrer. Nem ia levantar da cama. De manhã, ele já chuviscara um chorozinho, o travesseiro estava molhado. Morria, ninguém não sentia que não tinha mais o Miguilim. Morria, como arteirice de menino mau? — "Dito, pergunta à Rosa se de noite um pássaro riu em cima do paiol, em cima da casa?" O dia era grande, será que ele ia aguentar de ficar o tempo todo deitado? — "Miguilim, Mãe está chamando todos! É p'ra catar piôlho..." Miguilim não ia, não queria se levantar da cama. "— Que é que está sentindo, Miguilim? Está doente, então tem de tomar purgante..." A mãe já estaria lá, passando o pente-fino na cabeça dos outros, botava óleo de babosa nos cabelos de Drelina e da Chica, suas duas muito irmãzinhas, delas gostava tanto. Tomezinho chorava, ninguém não podia com Tomezinho. — "Miguilim está mesmo doente? Que é agora que ele tem?" Era Vovó Izidra, moendo pó em seu fornilho, que era o moinho-de-mão, de pedra-sabão, com o pião no meio, mexia com o moente, que era um pau cheiroso de sassafrás. Miguilim agora em tudo queria reparar demais, lembrado. Pó, tabaco-rapé, de fumo que ela torrava, depois moía assim, repisando — a gente gostava às vezes de auxiliar a moer — o pó ela guardava na cornicha, de ponta de chifre de boi, com uma tampinha segura com tirinha de couro, dentro dela botava também uma fava de cumarú, para dar cheiro... Vovó Izidra não era ruim, todos não eram ruins, faziam ele comer bastante, para fortalecer, para não emagrecer héctico, de manhãzinha prato fundo com mingau-de-fubá, dentro misturavam leite, pedacinhos de queijo, que derretiam, logo, despois comia gemada de ovo, enjoada, toda noite Vovó Izidra quentava para ele leite com açúcar, com umas folhinhas verdes de hortelã, era tão gostoso... A mãe vinha ver: — "Melhor se dar logo o sal-amargo a ele senão o Bero vem, ele pensa que remédio para menino é doses, feito bruto p'ra cavalo..." Mas Miguilim estava chorando simples, não era medo de remédio, não era nada, era só a diferença toda das coisas da vida. Só Drelina só era quem adivinhava aquilo, vinha se sentar na beira da cama. — "Miguilinzinho, meu irmãozinho, fala comigo por que é que você está chorando, que é que você está sentindo dôr?" Drelina pegara uma das mãos dele, de junto carinhava Miguilim, na testa. Drelina era bonita de bondade. — "Sossega, Miguilim, você não está com febre não, cabeça não está quente..." "— Drelina, quando eu crescer você casa comigo?" "— Caso, Miguilim, demais." "— E a Chica casa com o Dito, pode?" "— Pode, decerto que pode." "— Mas eu vou morrer, Drelina. Vou morrer hoje daqui a pouco..." Quem sabe, quem sabe, melhor ficasse sozinho — sozinho longe deles parecia estar mais perto de todos de uma vez, pensando neles, no fim, se lembrando, de tudo, tinha tanta saudade de todos. Para um em grandes horas, todos: Mãe, o Dito, as Meninas, Tomezinho, o Pai, Vovó Izidra, Tio Terêz, até os cachorros também, o gato Sossõe, Rosa, Mãitina, vaqueiro Salúz, o vaqueiro Jé, Maria Pretinha... Mas, no pingo da horinha de morrer, se abraçado com a mãe, muito, chamando pelo nome que era dela, tão bonito: — Nhanina...

— Mãe! Acode ligeiro, o Miguilim está dando excesso!...

E o Dito? Onde o Dito estava? Saíra correndo certo. Tinha avistado o seo Aristeu, que descia de volta do Nhangã, montado no seu cavalinho sagaz, foi correu — chamar para vir ver Miguilim, pronto. Seo Aristeu chegou.

Seo Aristeu entrava, alto, alegre, alto, falando alto, era um homem grande, desusado de bonito, mesmo sendo roceiro assim; e dôido, mesmo. Se rindo com todos, fazendo engraçadas vênias de dansador.

— "Vamos ver o que é que o menino tem, vamos ver o que é que o menino tem?!... Ei e ei, Miguilim, você chora assim, assim — p'ra cá você ri, p'ra mim!..." Aquele homem parecia desinventado de uma estória. — "O menino tem nariz, tem boca, tem aqui, tem umbigo, tem umbigo só..." — "Ele sara, seo

Aristeu?" "— ... Se não se tosar a crina do poldrinho novo, pescoço do poldrinho não engrossa. Se não cortar as presas do leitãozinho, leitãozinho não mama direito... Se não esconder bem pombinha do menino, pombinha vôa às aluadas... Miguilim — bom de tudo é que tu'tá: levanta, ligeiro e são, Miguilim!..."

— Eu ainda pode ser que vou morrer, seo Aristeu...

— Se daqui a uns setenta anos! Sucede com eu, que também uma vez já morri: morri sim, mas acho que foi morte de ida-e-volta... Te segura e pula, Miguilim, levanta já!

Miguilim, dividido de tudo, se levantava mesmo, de repente são, não ia morrer mais, enquanto seo Aristeu não quisesse. Todo ria. Tremia de alegrias.

— "Não disse, não falei? Apruma mesmo durim, Miguilim, a dansa hoje é das valsas..." Todo o mundo: boca que ria mais ria. "— Ai, Miguilim, eu soubesse disto, tinha trazido minha companhia — que por nome tem até é Minréla-Mindóla, Menina Gordinha, com mil laços de fitas... — viola mestra de todo tocar!" "— Então, eu não estou héctico nem tísico não, seo Aristeu?" "— Bate na boca por bestagem tão grande que se disse, compadre meu Miguilim: nunca que eu ouvi outra maior. Tísica nem não dá, nestes Gerais, o ar aqui não consente! Vai o que você tem é saúde grande ainda mal empenada..."

Pai estava chegando, seo Aristeu para ele explicava: — "Amigo meu Miguilim de repente estranhou a melhor saúde que ele tem. Isso isso-mesmo: ajustar as perninhas primeiro nos compassos..." Estipulava: que ali no Gerais não dava tísica, não, mas mesmo tísica ele sarava, com agrião e caldo de bicho caramujo — era: pá!-bosta! — e todos milagres aquilo fazia... Miguilim carecia de remédio nenhum, estava limpo de tudo. Siso de que exercício era bom: podia ir até na caçada... Porque seo Aristeu aparecia por ali era para prevenir os caçadores: uma anta enorme estava trançando, desdada, uma anta preta chapadense, seo Aristeu tinha batido atrás da treita do rastro, acertara com a picada mais principal, ela reviajava de chapada p'ra chapada, e em três veredas ela baixava: no Tipã, no Terentém e no Ranchório — burrinhando, sozinha, a fêmea decerto tinha ficado perdida dela, ou alguém mais já tinha matado. Carecia de se emprazar a bôa caçada... — "E as abelhas, como vão, seo Aristeu?" "— De mel e mel, bem e mal, Nhô Berno, mas sempre elas diligen cêiam, me respeitam como rei delas, elas sabem que eu sou o Rei-Bemol... Inda ontem, sei, sabem, um cortiço deu enxame, enxame enorme: um vê — rolando uma nuvem preta, o diabo devia de querer estar no meio, rosnando... Ei, Miguilim, isto é p'ra você, você carece de saber das coisas: primeiro, foi num mato, onde eu achei uns macacos dormindo, aí acordaram e conversaram comigo... Depois, se a gente vê um ruivo espirrar três vezes seguidas, e ele estando com facão, e pedir água de beber, mas primeiro lavar a boca e cuspir — então, desse, nada não se queira, não!" Seo Aristeu sossegava para almoçar. Supria de aceitar cachaça. Oh homem! Ele tinha um ramozinho de ai-de-mim de flôr espetado na copa do chapéu, as calças ele não arregaçava. Só dizia aquelas coisas dansadas no ar, a casa se espaceava muito mais, de alegrias, até Vovó Izidra tinha de se rir por ter boca. Miguilim desejava tudo de sair com ele passear — perto dele a gente sentia vontade de escutar as lindas estórias. Na hora de ir embora afinal, seo Aristeu abraçou Miguilim:

— "Escuta, meu Miguilim, você sarou foi assim, sabe:

...Eu vou e vou e vou e vou e volto!
Porque se eu for
Porque se eu for

Porque se eu for
hei de voltar...

E isto se canta bem ligeiro, em tirado de quadrilha."

Depois e tanto, abraçou o Dito; falou: — "Tratem com os açúcras este homenzinho nosso, foi ele quem veio e quis me chamar..."

A caçada, a batida da anta, para um domingo, Deus quisesse, ficou marcada.

Agora Miguilim tinha tanta fome, comeu demais, até deu na fraqueza: depois de comer, ficou frio suado. Mas estava alevantado nas bôas cores. O barro secou. Pai disse: — "Miguilim carece de render exercício labutando, amanhã ele leva almoço meu na rocinha." Miguilim gostou disso, por demais: Pai estava achando que ele tinha préstimo para ajudar, Pai tinha falado com ele sem ser ralhando. A alegria de Miguilim era a sús.

— Você me ensinazinho a dansar, Chica?

— Ensino, você não aprende.

— Aprendo sim, Chica...

— A Rosa quem disse: Dito aprende, Miguilim não aprende...

— Por que, Chica?

— Você nasceu em dia-de-sexta com os pés no sábado: quando está alegre por dentro é que está triste por fora... A Rosa é quem disse. Você tem pé de chacolateira...

No outro dia, dia-de-manhã bonito, o sol chamachando, estava dado lindo o grilgril das maitacas, no primeiro, segundo, terceiro passar delas, para os buritis das veredas. Por qualquer coisa, que não se sabe, as seriemas gritaram, morro abaixo, morro acima, quase bem uma hora inteira. Vaqueiro Salúz tirava leite, o Dito conseguia de ajudar. A bezerrinha da vaca *Piúna* era dele, bezerro da *Trombeta* era de Tomezinho, o da *Nobreza* de Drelina, o da *Mascaranha* de Chica, dele Miguilim o da vaca *Sereia*. O Rio-Negro não saía de junto da *Gadiada*, que devia de estar em começo de calor. Touro em turvo, feio, a cara burra, tão de ruim. Vez em quando virava a cabeçona, por se lamber na charneira — estava cheio de bernes. — "Por causa que aqui é mato, pé-de-serra, aí no meio dos Gerais não dá..." — por ele punia o vaqueiro Salúz. O Dito perguntava continuação. O Dito de tudo queria aprender.

Mas depois Mãe e a Rosa arrumavam bem a comida, no tabuleirinho de pau com aqueles buracos diferentes — nem não se carecia de prato nenhum, nem travessa, nenhuma vasilha nenhuma —; ele Miguilim podia ir cauteloso, levar para o pai. Em mal que o Dito não acompanhava de vir junto, porque dois meninos nunca que dá certo, fazem arte. E o caminhozinho descia, beirava a grota. Põe os olhos pra diante, Miguilim! Em ia contente, levava um brio, levava destino, se ria do grosso grito dos papagaios voantes, nem esbarrou para merecer uma grande arara azul, pousada comendo grelos de árvore, nem para ouvir mais o guaxe de rabo amarelo, que cantava distinto, de vezinha não cantava, um estádio: só piava, pra chamar fêmea. De daí, Miguilim tinha de traspassar um pedaço de mato. Não curtia medo, se estava tão perto de casa. Assim o mês era só meios de novembro, mas por si pulavam caindo no chão as frutinhas da gameleira. O joá-bravo em rôxo florescia — seus lenços rôxos, fuxicados. E ali nem tinha tamanduá nenhum, tamanduá reside nas grotas, gostam de lugar onde tem taboca, tamanduá arranha muito a casca das árvores. A bem que estúrdio ele tamanduá é, tem um ronco que é um arquêjo, parece de porco barrão, um arquêjo soluçado. Miguilim não tinha medo, mas medo nenhum, nenhum, não devia de. Miguilim saía do mato, destemido. Adiante, uma maria-faceira em cima do vôo assoviava — ia ver as águas das lagôas. O curiol ainda recantava, em mesmo, na primeirinha árvore perto do mato. Miguilim não virava a cara para espiar, faltava prazo. Os passarinhos são assim, de propósito: bonitos não sendo da gente. A pra não se ter medo de tudo, carecia de se ter uma obrigação. Aí ele andava mais ligeiro, instantinho só, chegava na rocinha.

O pai estava lá, capinando, um sol batia na enxada, relumiava. Pai estava suado, gostava de ver Miguilim chegando com a comida do almoço. Tudo estava direitim direito, Pai não ralhava. Se sentava no toco, para principiar a comer. Miguilim sentava perto, no capim. Gostava do Pai, gostava até pelo barulhinho d'ele comendo o de-comer. Pai comia e não conversava. Miguilim olhava. A roça era um lugarzinho descansado bonito, cercado com uma cerquinha de varas, mò de os bichos que estragam. Mas muitas borboletas voavam. Afincada na cerca tinha uma caveira inteira de boi, os chifres grandes, branquela, por toda bôa-sorte. E espetados em outros paus da cerca, tinha outros chifres de boi, desparelhados, soltos: — que ali ninguém não botava mau-olhado! As feições daquela caveira grande de boi eram muito sérias. Aí uma nhambuzinha ia saindo, por embora, acautelada com as perninhas no meio do meloso, passou por debaixo da tranqueira. A nhambuzinha ainda quis remirar para trás, sobressaía aqueles olhos da cor de ferrugem. Pai tinha plantado milho, feijão, batata-dôce, e tinha uns pés de pimenteira. Mas, em outros lugares, também, de certo ele plantava arrozal, algodão, um mandiocal grande que tinha. Miguilim tirava os carrapichos presos na roupa. As folhas de batata-dôce estavam picadas: era um besourinho amarelo que tudo furava. Pai tinha uma lata d'água, e uma cabaça com rolha de sabuco, mais tinha um coité, pra beber. Mesmo muitos mosquitos, abêlhas e avêspas inçoavam sem assento, o barulhim deles zunia. Pai não falava.

— Pai, quando o senhor achar que eu posso, eu venho também, ajudar o senhor capinar roça...

Pai não respondia nada. Miguilim tinha medo ter falado bobagem faltando ao respeito.

— Estou comido, regalo do corpo e bondade de Deus. Agora volta p'ra casa, menino, caça jeito no caminho não fazer arte.

Miguilim pegava o tabuleirinho vazio, tomava a benção a Pai, vinha voltando. Chegasse em casa, uma estória ao Dito ele contava, mas estória toda nova, dele só, inventada de juízo: a nhá nhambuzinha, que tinha feito uma roça, depois vinha colher em sua roça, a Nhá Nhambuzinha, que era uma vez! Essas assim, uma estória — não podia? Podia, sim! — pensava em seo Aristeu... Sempre pensava em seo Aristeu — então vinha idéia de vontade de poder saber fazer uma estória, muitas, ele tinha! Nem não devia de ter medo de atravessar o mato outra vez, era só um matinho bobo, matinho pequeno trem-atôa. Mas ele estava nervoso, transparecia que tinha uma coisa, alguém, escondido por algum, mais esperando que ele passasse, uma pessôa? E era! Um vulto, um homem, saía de detrás do jacarandá-tã — sobrevinha para riba dele Miguilim — e era Tio Terêz!...

Miguilim não progredia de formar palavra, mas Tio Terêz o abraçava, decidido carinhoso. — "Tio Terêz, eu não vou morrer mais!" — Miguilim então também desexclamava, era que nem numa porção de anos ele não tivesse falado.

— "De certo que você não vai morrer, Miguilim, em de ouros! Te tive sempre meu amigo? Conta a notícia de todos de casa: a Mãe como é que vai passando?"

E Miguilim tudo falava, mas Tio Terêz estava de pressa muito apurado, vez em quando punha a cabeça para escutar. Miguilim sabia que Tio Terêz estava com medo de Pai. — "Escuta, Miguilim, você alembra um dia a gente jurou ser amigos, de lei, leal, amigos de verdade? Eu tenho uma confiança em você..." — e Tio Terêz pegou o queixo de Miguilim, endireitando a cara dele para se olharem. — "Você vai, Miguilim, você leva, entrega isto aqui à Mãe, bem escondido, você agarante?! Diz que ela pode dar a resposta a você, que mais amanhã estou aqui, te espero..." Miguilim nem paz, nem pôde, perguntou nada, nem teve tempo, Tio Terêz foi falando e exaparecendo nas árvores. Miguilim sumiu o bilhete na algibeira, saiu quase corre-corre, o quanto podia, não queria afrouxar idéia naquilo, só chegar em casa, descansar, beber água, estar já faz-tempo longe dali, de lá do mato.

— Miguilim, menino, credo que sucedeu? Que que está com a cara em ar?

— Mesmo nada não, Mãe. Gostei de ir na roça, demais. Pai comeu a comida...

O bilhete estava dobrado, na algibeira. O coração de Miguilim solava que rebatia. De cada vez que ele pensava, recomeçava aquela dúvida na respiração, e era como estivesse sem tempo. — "Miguilim está escondendo alguma arte que fez!" "— Foi não, Vovó Izidra..." "— Dito, quê que foi que o Miguilim arrumou?!" "— Nada não, Vovó Izidra. Só que teve de passar em matos, ficou com medo do capêta..."

Pois agora iam ajudar Mãitina a arrancar inhame p'ra os porcos. Buscavam os inhames na horta, Mãitina cavacava com o enxadão, eram uns inhames enormes. Mãitina esbarrava, pegava própria terra do chão com os dedos do pé dela, falava coisas demais de sérias. Quase nada do que falava, com a boca e com as duas mãos pretas, a gente bem não aproveitava. Ela mascava fumo e enfiava também mecha de fumo no nariz, era vício. — "Dito, por que foi que você falou aquilo com Vovó Izidra?"

"— Em tempo que não te auxiliei, Miguilim?" "— Mas por quê que você inventou no capêta, Dito? Por que?!" "— É porque do capêta todos respeitam, direito, até Vovó Izidra." O Dito suspendia um susto na gente — que sem ser, sem saber, ele atinava com tudo. Mas não podia contar nada a ninguém, nem ao Dito, para Tio Terêz tinha jurado. Nem ao Dito! Custava não ter o poder de dizer, chega desnorteava, até a cabeça da gente doía. Mas não podia entregar o bilhete à Mãe, nem passar palavra a ela, aquilo não podia, era pecado, era judiação com o Pai, nem não estava correto. Alguém podia matar alguém, sair briga medonha, Vovó Izidra tinha agourado aquelas coisas, ajoelhada diante do oratório — do demônio, de Caim e Abel, de sangue de homem derramado. Não falava. Rasgava o bilhete, jogava os pedacinhos dentro do rego, rasgava miúdo. E Tio Terêz? Ele tinha prometido ao Tio Terêz, então não podia rasgar. Podia estar escrito coisa importante exata, no bilhete, o bilhete não era dele. E Tio Terêz estava esperando lá, no outro dia, saindo de detrás das árvores. Tio Terêz tinha falado feito numa estória: — "... amigos de todo guerrear, Miguilim, e de não sujeitar as armas?!..." Então, então, não ia, no outro dia, não ia levar a comida do Pai na roça, falava que estava doente, não ia...

Mesmamente que acabavam a arrancação de inhames, aí Mãitina chamava a gente, puxava, resumindo uma conversa ligeira, resmungada, aquela feia fala, eles dois tinham de ir com ela até na porta do acrescente. Quê que queria? Pois, vai, mexia em seus guardados, vinha com rodelão de cobre-de-quarenta na palma-da-mão, demostrava aquele dinheiro sujoso, falava, falava, de ventas abertas, toda aprumada em sobres. — "Que ela quer é cachaça! Que está dizendo dá o cobre, a gente furtar pra ela um gole, um copo, do restilo que Pai tem..." O Dito espertava Miguilim para correrem, os dois escapuliam, Mãitina parava de lá, zurêta, sapateava, até levantava de ofensa a saia, presentava o sesso, aquelas pernas pretas, pernas magras, magras. — "O que é que vocês estão fazendo com a negra?" — a Rosa gritava. — "Olha, ela arruma em vocês malefício de ato, põe o que põe!" A Rosa temia toda qualidade de praga e de feitiçaria.

No curral, o vaqueiro Jé já tinha reunido todos os burros e cavalos, que estava tratando, o cavalinho pampa semelhava doente, sangrado na cia e desistido de sacudir os cabos. — "Aprende, Dito: pisadura que custa mais para sarar, é a no rim e na charneira..." Miguilim gostava de esperar perto do cocho, perto deles — os cavalos que sopram quente. Nos mais mansos, o vaqueiro Jé deixava a gente montar, em pêlo, um em um. — "Vocês me honrem, ãã!? Não facilitem..." Desde, desde, se ia até lá adiante, a porto nos coqueiros, se voltava. Devoava uma alegria. Era a coisa melhor. O Dito montava no Papavento, que era baio-amarelo, cor de terra de ivitinga; Miguilim montava no Preto, que era preto mesmo, mas Mãe queria mudar o nome dele para Diamante. O vaqueiro Jé dava a cada um um ramo verde, para bater. Tomezinho se escaldava, burrando birra, por não poder montar, ele só. Miguilim todo o tempo quase não pensava no bilhete, resolvia deixar para pensar no outro dia, manhã cedo. Um que outro gavião, quando pousavam gritavam. Alto, os altos, uns urubús. — *"Vai fazer tua casa, arubú! Tempo de chuva envém, arubú!..."* Esses iam. "— Eta, apostar quem corre mais, Miguilim?" — "Não, Dito, vaqueiro Jé disse que a gente deve de não correr..." Despois das piteiras, com aquelas verdes pontas, aquelas flores amarelas, principiava o pasto, despois do jacarandá-violeta. Tinha aquelas árvores... De já, tinha um boi vermelho, boi laranjo, esbarrado debaixo do alto tamboril. Tantas cores! Atroado, grosso, o môo de algum outro boi. O Dito então aboiava. Miguilim queria ver mais coisas, todas, que o olhar dele não dava. — "Pai é dono, Dito, de mandar nisso tudo, ah os gados... Mas Pai desanima de galopar nunca, não vem vaquejar boiadas..." "— Pai é dono nenhum, Miguilim: o gadame é dum homem, Sô Sintra, só que Pai trabalha ajustado em tomar conta, em parte com o vaqueiro Salúz." "— Sei e sei, Dito. Eu sabia... Mas então é ruim, é ruim..." "— Mais, mesmo, também, Pai não consegue de muito montar, ele não aguenta campeio. Pai padece de escandescência." — "Eu sabia, Dito. Só a mal eu esqueci..." O Dito aboiava de endiabrado certo, que nem fosse um homem, estremecido. "— Dito, mesmo você acha, eu sou bobo de verdade?" "— É não, Miguilim, de jeito nenhum. Isso mesmo que não é. Você tem juizo por outros lados..." Vinham voltando, cruzavam com o vaqueiro Jé, montado no cavalo Cidrão, carregando Tomezinho adiante e com a Chica na garupa. A Chica punha os dedinhos na boca, os beijos ela jogava. — "Quem ensinou fazer isso, Chica?" "— Mãe mesma que ensinou, ah!" Amável que era tão engraçadinha, a Chica, todas as vezes, as feições de ser.

— "Dito, como é que a gente sabe certo como não deve de fazer alguma coisa, mesmo os outros não estando vendo?" "— A gente sabe, pronto." Zerró e Julim perseguiam atrás das galinhas-d'angola. Tomezinho jogou uma pedra na perna do Floresto, que saíu, saindo, cainhando. Tomezinho teve de ir ficar de castigo. No castigo, em tamborete, ele não chorava, daí deixava de pirraçar: mais de repente virava sisudo, casmurro — tão pequetitinho assim, e assombrava a gente com uma cara sensata de criminoso. — "Rosa, quando é que a gente sabe que uma coisa que vai não fazer é malfeito?" "— É quando o diabo está por perto. Quando o diabo está perto, a gente sente cheiro de outras flores..." A Rosa estava limpando açúcar, mexendo no tacho. Miguilim ganhava o ponto de puxa, numa cuia d'água; repartia com o Dito. "— Mãe, o que a gente faz, se é mal, se é bem, ver quando é que a gente sabe?" "— Ah, meu filhinho, tudo o que a gente acha muito bom mesmo fazer, se gosta demais, então já pode saber que é malfeito..." O vaqueiro Jé descascava um ananás branco, a eles dava pedaço. — "Vaqueiro Jé: malfeito como é, que a gente se sabe?" "— Menino não carece de saber, Miguilim. Menino, o todo quanto faz, tem de ser mesmo é malfeito..." O vaqueiro Salúz aparecia tangendo os bezerros, as vacas que berravam acompanhavam. Vaqueiro Salúz vinha cantando bonito, ele era valente geralista. A ele Miguilim perguntava. "— Sei se sei, Miguilim? Nisso nunca imaginei. Acho quandos os olhos da gente estão querendo olhar para dentro só, quando a gente não tem dispor para encarar os outros, quando se tem medo das sabedorias... Então, é mal feito." Mas o Dito, de ouvir, ouvir, já se invocava. "— Escuta, Miguilim, esbarra de estar perguntando, vão pensar você furtou qualquer trem de Pai." "— Bestagem. O cão que eu furtei algum!" "— Olha: pois agora que eu sei, Miguilim. Tudo quanto há, antes de se fazer, às vezes é malfeito; mas depois que está feito e a gente fez, aí tudo é bem-feito..." O Dito, porque não era com ele. Fosse com ele, desse jeito não caçoava.

Desde estavam brincando de jogar malha, no pátio, meio de tardinha. Era com dois tocos, botados em pé, cada um de cada lado. A gente tinha de derrubar, acertando com uma ferradura velha, de distância. Duma banda o Dito, mais vaqueiro Salúz, da outra Miguilim mais o vaqueiro Jé. Mas Miguilim não dava para jogar direito, nunca que acertava de derribar. — "Faz mal não, Miguilim, hoje é dia de são-gambá: é de branco perder e preto ganhar..." — o vaqueiro Jé consolava. Mas Miguilim não enxergava bem o toco, de certo porque estava com o bilhete no bolso, constante que em Tio Terêz não queria pensar. Essa hora, Pai tinha voltado da roça, estava lá dentro, cansado, deitado na rede macia de buriti, perto de Mãe, como cochilava. Miguilim forcejava, não queria, mas a idéia da gente não tinha fecho. Aquilo, aquilo. Pensamentos todos desciam por ali a baixo. Então, ele não queria, não ia pensar — mas então carecia de torar volta: prestar muita atenção só nas outras coisas todas acontecendo, no que mais fosse bonito, e tudo tinha de ser bonito, para ele não pensar — então as horas daquele dia ficavam sendo o dia mais comprido de todos... O Gigão folgazando com Tomezinho, os dois rolavam no chão, em riba da palha. Aquele fiar fino dos sanhaços e sabiás entorpecia, gaturamo já tinha ido dormir, vez em quando só um bem-te-vi que era que ainda gritava. Zerró, Julim e Seu-Nome estavam deitados, o tempo todo — conforme podia ser notícia de chuva: se diz que, chuva vesprando, cachorro soneja muito. Mas Caráter, Catita, Leal e Floresto corriam espaço, até muito por longe, querendo pegar as bobagens do vento. Miguilim pensava a conversa do Dito. Quando o Dito falou, aquilo devagar ainda podia parecer justo, o Dito sabia tanta coisa tirada de idéia, Miguilim se espantava. Menos agora. Agora, ele escogitava, cismava que não era só assim, o do Dito, achava que era o contrário. A ver, com ele Miguilim, era o contrário. A coisa mais difícil que tinha era a gente poder saber fazer tudo certo, para os outros não ralharem, não quererem castigar. De primeiro, Miguilim tinha medo dos bois, das vacas costeadas. Pai bramava, falava: — "Se um sendo medroso, por isso o gado te estranha, rês sabe quando um está com pavor, qualquer receiozinho, então capaz mesmo que até a mansa vira brava, com vontades de bater..." Pois isso, outra vez, Miguilim sabia que a gente não tivesse medo não tinha perigo, não se importou mais, andou logo por dentro da boiada, duma boiada chegada, poeira de boi. Daí, foi um susto, veio Pai, os vaqueiros vieram, com as varas, carregaram com ele Miguilim pra o alpendre, passavam muito ralho. — "Menino, diabo, demonim! Tu entra no meio desse gado bruto, que é outro, tudo brabeza dos Gerais?! Sei como não sentaram chifre, não te espisaram!..." De em diante, Miguilim tudo temeu de atravessar um pasto, a tiro de qualquer rês, podia ser brava podia ser mansa, essas coisas. Mas agora Miguilim queria merecer paz dos passados, se rir seco sem razão. Ele bebia um golinho de velhice.

— "Você hoje está honrador, Miguilim, assoprado solerte!" Vaqueiro Salúz era que estava para vadiar, desusado de vaqueiro. Miguilim não queria ficar sozinho de coisa nenhuma. Agora jogavam peteca, atôa. Vaqueiro Salúz fez uma peteca de palha-de-milho, espetou penas de galinhas. A Chica e Tomezinho divertiam com os bezerros, Tomezinho apartava um mais sereno, montava, de primeiro Miguilim também gostava daquilo. Os bezerros também brincavam uns com os outros, de dar pinotes, os coices, e marradas — zupa que estralavam, os garrotinhos se escornando, chifreando — conforme fazem esse sistema. Tinha uma bezerrinha, tão nascida pequena, a filha da Atucã, e era aspra, zangosa, feito uma vaquinha brava: investia de lá, vinha na Chica. — "Nem, nem, nem, Tucaninha? Me quer-bem de me matar?!" A Chica nunca aceitava medo de nada. O Dito botava um milho para os cavalos. Sobreescurecia. Devoavam em az os morcegos, que rodopeiam. O vaqueiro Jé acendia um foguinho de sabucos, quase encostado na casa, o fôgo drala bonito, todos catavam mais sabucos, catavam lenha para se queimar. Um cavalo vinha perto, o Dito passava mão na crina dele. A gente nem esperando, via vagalume principiando pisca. — "Teu lume, vagalume?" Eram tantos. Sucedeu um vulto: de ser a coruja-branca, asas tão moles, passou para perto do paiol, o vôo dela não se ouvia. — "Ri aqui, Xandoca velha, que eu te sento bala!..." De trás de lá, no mato da grota, mãe-da-lua cantava: — "*Floriano, foi, foi, foi!...*" Miguilim seguia o existir do cavalo, um cavalo rangendo seu milho. Aquele cavalo arreganhava. O vaqueiro Salúz contava duma caçada de veado, no Passo do Perau, em beiras. Estava na espera melhor, numa picada de samambaias, samambaia alta, onde algum roçado tinha tido. Veado claro do campo: um suassú-tinga, em éra. Vaqueiro Salúz produzia: — "O bicho abre — ele ganhou uma dianteira... Os cachorros maticavam, piando separados: — *Piu, piu... Uão, uão, uão...* A cachorrada abre o eco, que ninguém tem mão... Veado foi acuado num capão-de-mato, não quis entrar no mato... Aí o veado tomou o chumbo, ajoelhou pulou de lado, por riba da samambaia... A gente abria o veado, esvaziava de tripas e miúdos, mò de ficar leve p'ra se carregar." Seo Aristeu estava lá, divertido. — "Você inda aprecêia de caçar, Miguilim. Quer vir junto?" Miguilim queria, não queria. — "Quem sabe um dia eu quero, Pai vai me levar..." O vaqueiro Jé, p'ra o pito, pegava um tição. Tomezinho assanhava as sombras no nú da parede. A noite, de si, recebia mais, formava escurão feito. Daí, dos demais, deu tudo vagalume. — "Olha quanto mija-fôgo se desajuntando no ar, bruxolim deles parece festa!" Inçame. Miguilim se deslumbrava. — "Chica, vai chamar Mãe, ela ver quanta beleza..." Se trançavam, cada um como que se rachava, amadurecido quente, de olho de bago; e as linhas que riscavam, o comprido, naquele uauá verde, luzlino. Dito arranjava um vidro vazio, para guardar deles vivendo. Dito e Tomezinho corriam no pátio, querendo pegar, chamavam: — "*Vagalume, lume, lume, seu pai, sua mãe, estão aqui!...*" Mãe minha Mãe. O vagalume. Mãe gostava, falava, afagando os cabelos de Miguilim: — "O lumêio deles é um acenado de amor..." Um cavalo se assustava, com medo que o vagalume pusesse fôgo na noite. Outro cavalo patalava, incomodado com seu corpo tão imóvel. Um vagalume se apaga, descendo ao fundo do mar. — "Mãe, que é que é o mar, Mãe?" Mar era longe, muito longe dali, espécie duma lagôa enorme, um mundo d'água sem fim, Mãe mesma nunca tinha avistado o mar, suspirava. — "Pois, Mãe, então mar é o que a gente tem saudade?" Miguilim parava. Drelina espiava em sonho, da janela. Maria Pretinha e a Rosa tinham vindo também.

Mas chegava a noite de dormir, Miguilim esperdiçava as coisas todas do dia. O Dito guardou debaixo da cama a garrafa cheia de vagalumes. — "Miguilim, você hoje não tirou calça." "— Amola não, Dito. Tou cansado." Mas antes tinha carecido de lavar os pés: quem vai se deitar em estado sujo, urubú vem leva. Também, tudo que se fazia transtornava preceito. Amanhã, Pai estava lá na roça... O Dito sabia não, deitado no canto. Todos outros pensamentos, menos esse, o Dito pensava. Ele ainda estava deitado de costas, vez em quando fungava um assopro brando, já devia de ter rezado suas três ave-marias sem rumor. Agora, o que era que ele pensava? Essas horas, bem em beira do sono, o Dito, mesmo irmão, mesmo ali encostado, na cama, e ficava parecendo quase que outra pessôa, um estranho, dividido da gente. O Dito era espertadozinho, mas acomodado. Nunca que ele falava por mal. — "Dito?" "— O quê, Miguilim?" "— Nú só é que a gente não deve de dormir, anjo-da-guarda vai s'embora... Mas calça a gente pode não se tirar..." "— Eu sei, Miguilim." O Dito resumia de nada. O Dito não brigava de verdade com ninguém, toda vez de brigar ele economizava. Miguilim sempre queria não brigar, mas brigava, derradeiramente, com todos. Tomara a gente ser, feito o Dito: capaz com todos horários das pessôas... — "Dito? Não tiro a calça hoje, pois porque foi uma promessa que eu fiz..." "— Uê, Miguilim..." Ele não acreditava? "— Miguilim? Foi pra as almas-do-purgatório que você fez?" O Dito se rebuçava. Miguilim também se rebuçava. O bilhete estava ali na algibeira, até medo de botar a mão, até não queria saber, amanhã cedo ele via se estava. Rezava, rezava com força; pegava um tremor, até queria que brilhos doessem, até queria que a cama pulasse. Conseguia era outro medo, diferente. O Dito já tinha adormecido. O que dormia primeiro, adormecia. O outro herdava os medos, e as coragens. Do mato do Mutúm. Mas não era toda vez: tinha dia de se ter medo, ocasião, assim como tinha dia de mão de tristeza, dia de sair tudo errado mesmo, — que esses e aqueles a gente tinha de atravessar, varar da outra banda. Cuidava de outros medos.

Das almas. Do lobishomem revirando a noite, correndo sete-portêlos, as sete-partidas. Do Lobo-Afonso, pior de tudo. Mal, um ente, Seo Dos-Matos Chimbamba, ele Miguilim algum dia tinha conhecido, desqual, relembrava metades dessa pessôa? Um homem grosso e baixo, debaixo de um feixe de capim seco, sapé? — homem de cara enorme demais, sem pescoço, rôxo escuro e os olhos-brancos... Pai soubesse que ele tinha conversado com Tio Terêz? Ai, mortes! —? Rezava. Do Pitôrro. Um tropeiro vinha viajado, sozinho, esbarrava no meio do campo, por pousar. Aí, ele enxergava, sentado no barranco, homenzinho velho, barbim em queixo, peludo, barrigudo, mais tinha um chapéu-de-couro grande na cabeça, homem esse assoviava. Parecia veredeiro em paz. Mas o Homem perguntava se o Tropeiro tinha fumo e palha; mas ele mesmo secundava da algibeira um cachimbo que tinha, socava de fumo, acendia esquentado. Soltava fumaceira, de dentro indagava, com aquela voz que ia esticando, cada ponto mais perguntadeira, desonrosa: — "Seor conhece o Pitôrro?" Botava outras fumaças: — "Seor conhece o Pitôrro?!" E ia crescendo, de desde, transformava um monstro

Homem, despropósito. — "Não conheço Pitôrro, nem mãe, nem pai de Pitôrro, nem diabo que os carregue em nome de Se'J'us Cristo amém!..." — o Tropeiro exclamava, riscava no chão o signo-salomão, o Pitôrro com enxofres breus desrebentava: ele era o "Menino", era o Pé-de-Pato. — "Com Deus me deito, com Deus me levanto!" — jaculava Miguilim; e não pegava de ver a ponta do sono em que se adormecia.

Tanto que amanheceu, e que as poucas horas se agravaram, pobres pezinhos de Miguilim, no outro dia, caminhando pronto e vagaroso, passeiro para o curto do mato, arregalado em sua aflição. Se abobava? Deu ar: que Pai hoje estava capinando noutra roça — ah, que era bom! Mas, não, que nem não era bom, não remediava. A outra roça era mais adiante, mas o caminho sendo o mesmo, Miguilim tinha por-toda-a-lei de atravessar o matinho, lá Tio Terêz estava em pé esperando. Consoante que se sobreformava um céu chuvo, dia feio, bronho. Miguilim carregava à cabeça o tabuleirinho. E não chorava. Que ninguém visse, ninguém podia ver: por fora ele não chorava. Tinha pensado tudo que podia dizer e não fazer? Não tinha. — "Tio Terêz, eu entreguei o bilhete a Mãe, mas Mãe duvidou de me dar a resposta..." Ah, de jeito nenhum, podia não, era levantar falso à Mãe, não podia. Mas então não achava escape, prosseguia sem auxílio de desculpa, remissão nenhuma por suprir. Sem tempo mais, sem o solto do tempo, e o tamanho de tantas coisas não cabia em cabeça da gente... Ah, meu-deus, mas, e fosse em estória, numa estória contada, estoriazinha assim ele inventando estivesse — um menino indo levando o tabuleirinho com o almoço — e então o que era que o Menino do Tabuleirinho decifrava de fazer? Que palavras certas de falar?! — "...Tio Terêz, Vovó Izidra vinha, raivava, eu rasguei o bilhete com medo d'ela tomar, rasguei miudinhos, tive de jogar os pedacinhos no rego, foi de manhãzinha cedo, a Rosa estava dando comida às galinhas..." — "Tio Terêz, a gente foi a cavalo, costear o gado nesses pastos, passarinhos do campo muito cantavam, o Dito aboiava feito vaqueiro grande de toda-a-idade, um boi rajado de pretos e verdes investiu para bater, de debaixo do jacarandá-violeta, ái, o bilhetezinho de se ter e não perder eu perdi..." Mas, aí, Tio Terêz não era da estória, aí ele pega escrevia outro bilhete, dava a ele outra vez; tudo, pior de novo, recomeçava. — "Tio Terêz, eu principiei querer entregar a Mãe, não entreguei, inteirei coragem só por metade..." Ah, mas, se isso, Tio Terêz não desanimava de nada, recrescia naquela vontade estouvada de pessôa, agarrava no braço dele, falava, falava, falava, não desistia nenhum. Nenhum jeito! Agora Miguilim esbarrava, respirava mais um pouco, não queria chorar para não perder seu pensamento, sossegava os espantos do corpo. E não tinha outro caminho, para chegar lá na roça do Pai? Não tinha, não. Miguilim lá ia. Ia, não se importava. Tinha de ser lealdoso, obedecer com ele mesmo, obedecer com o almoço, ia andando. Que, se rezasse, sem esbarrar, o tempo todo, todo tempo, não ouvia nada do que Tio Terêz falasse, ia andando, rezava, escutava não, ia andando, ia andando... Entrava no mato. Era aquele um mato calado. Miguilim rezava, sem falar alto. Deus vigiava tudo, com traição maior, Deus vaquejava os pequenos e os grandes! E era na volta que o Tio Terêz ia aparecer? Mas não era.

Tio Terêz saía de suas árvores, ousoso macio como uma onça, vinha para cima de Miguilim. Miguilim agora rezava alto, que doideira era aquela? E nem não pôde mais, estremeceu num pranto. Sacudia o tabuleirinho na cabeça, as lágrimas espararamaram na cara, sufocavam o fôlego da boca, ele não encarava Tio Terêz e rezava. — "Mas, Miguilim, credo que isso, quieta!? Quê que você tem, que foi?!" "— Tio Terêz, eu não entreguei o bilhete, não falei nada com Mãe, não falei nada com ninguém!" "— Mas, por que, Miguilim? Você não tem confiança em mim?!" "— Não. Não. Não! O bilhete está aqui na algibeira de cá, o senhor pode tirar ele outra vez..." Tio Terêz duvidava um espaço, depois recolhia o bilhete do bolso de Miguilim, Miguilim sempre com os bracinhos levantados, segurando na cabeça o tabuleirinho com a comida, outra vez quase não soluçava. Tio Terêz espiava o bilhete, que relia, às tristes vezes, feito não fosse aquele que ele mesmo tinha fornecido. Daí olhou para Miguilim, de dado relance, tirou um lenço, limpou jeitoso as lágrimas de Miguilim. — "Miguilim, Miguilim, não chora, não te importa, você é um menino bom, menino direito, você é meu amigo!" Tio Terêz estava com a camisa de xadrezim, assim o tabuleiro na cabeça empatava de Tio Terêz poder dar abraço. — "Você é que está certo, Miguilim. Mais não queira mal ao seu Tio Terêz, nem fica pensando..." Tio Terêz falava tantas outras coisas; comida de Pai não estava por demais esfriando? Tio Terêz dizia só tinha vindo por perto para dar adeus, pois que ia executar viagem, por muito distante. Tio Terêz beijava Miguilim, de despedida, daí sumia por entre o escuro das árvores, conforme que mesmo tinha vindo.

Miguilim chorava um resto e ria, seguindo seu caminhinho, saía do mato, despois noutro mato entrava, maior, a outra rocinha de Pai devia de se ser mais adiante por ali, ao por pouco. E Miguilim andava aligeirado, desesfogueado, não carecia mais de pensar! Só um caxinguelê ruivo se azougueou, de repentemente, sem a gente esperar, e já de ah subindo p'la árvore de jequitibá, de reta, só assim esquilando até em cima, corisco, com o rabãozinho bem esticado para trás, pra baixo, até mais comprido que o corpo — meio que era um peso, para o donozinho dele não subir mais depressa do que a árvore... Miguilim por um seu instante se alegrou em si, um passarinho cantasse, dlim e dlom.

Mas o mato mudava bruto, no esconso, mais mato se fechando. Miguilim andara demais longe, devia de ter depassado o ponto da roça nova. Esbarrou. Tinham mexido em galho — mas não era outro serelepe, não.

Susto que uns estavam conversando cochicho, depressa, fervido, davam bicotas. Vulto de vaqueiro encourado, acompanhado de outro, escorregou pelas folhagens, de sonsagato, querendo mais escondido. Desordem de ameaça, que disse-disse, era lá em cima: um frito de toicinho, muitos olhos estalavam, no mioloso. E destravavam das árvores, repulando, vindo nele? — *A cô!* — Miguilim tinha não aguentado mais, tiçou tabuleiro no chão, e abriu correndo de volta, aos gritos de quero mãe, quero pai, foi — como que nem sabia como que — mais corria.

De supetão, o Pai — aparecido — segurava-o por debaixo dos braços, Miguilim gritava e as perninhas ainda queriam sempre correr, o Pai ele não tinha reconhecido. Mas Pai carregava Miguilim suspendido alto, chegava com ele na cabeceira da roça, dava água na cabaça, pra beber. Miguilim bebia, chorava e cuspia. —“ Que foi que foi, Miguilim? Qu'é de o almoço?” Junto com o Pai, estava o outro homem, sem barba nenhuma, que pegava na mão de Miguilim, e ria para ele, com os olhos alumiados. Quando Miguilim contou o caso do mato, Pai e o outro espiaram o ar, todos sérios, tornaram a olhar para Miguilim. Com Pai ali, Miguilim tinha medo não, isto é tinha e não tinha. — “A gente vamos lá!” — o Pai disse. Eles estavam com as armas. Miguilim vinha caminhando, meio atrás deles dois.

Mas, que mal iam chegando lá onde tinha sido aquele lugar, e Pai e o outro homem desbandeiravam de rir, se descadeiravam, tomavam bom espanto: bicho macaco se escapuliam de pra toda banda, só guinchos e discussão de assovio, cererê de mão em mão no chão, assunga rabo, rabo que até enroscavam para dependurar, quando empoleiravam, mais aqueles pulos maciinhos, de árvore em árvore — tudo mesmo assim ainda queriam ver, e pouco fugiam. Mas, no alto meio, agarrado com as mãos em dois galhos, senhor um mandava, que folhassem e azulassem mostrando as costas com toda urgência. Capela de macacos! Miguilim entendia, juntou as pernas e baixou a cara, Pai agora o ia matar, por ter perdido o caráter, botado fora o almoço. Mas Pai, se rindo com o outro homem, disse, sem soltura de palavras, sem zanga verdadeira nenhuma: — "Miguilim, você é minhas vergonhas! Mono macaco pôde mais do que você, eles tomaram a comida de suas mãos..." E não quiseram matar macacos nenhuns. Também, não fazia grande mal, ia começar a chover, careciam mesmo de voltar para casa. Miguilim pegou o tabuleirinho — os macacos tinham comido o de-comer todo.

Sofria precisão de conversar com o Dito, assim que o Pai terminasse de contar tantas vezes a estória dos macacos, todos riam muito, mas ele Miguilim não se importava, até era bom que rissem e falassem, sem ralhar. — "Miguilim? Se encontrou com padrinho Simão, correu ensebado, veadal... Chorou a água de uns três cocos..." — Pai caçoava. Quando Pai caçoava, então era porque Pai gostava dele.

Mas carecia de ficar sozinho com o Dito. Tinha aprendido o segredo de uma coisa, valor de ouro, que aumentava para sempre seu coração. — "Dito, você sabe que quando a gente reza, reza, reza, mesmo no fogo do medo, o medo vai s'embora, se a gente rezar sem esbarrar?!" O Dito olhava para ele, desconvindo, só que não tinha pressa de se rir: — "Mas você não correu dos macacos, Miguilim, o que Pai disse?" Agora via que nisso não tinha pensado: não podia contar ao Dito tudo a respeito do Tio Terêz, nem que ele Miguilim tinha sido capaz de não entregar o bilhete, e o que Tio Terêz tinha falado depois, de louvor a ele, tudo. Ah, aí Miguilim nunca pensou que ia penar tanto, por não dizer, cão de que tinha de ficar calado! O Dito escorria no nariz, com um defluxo, ele repensava, muito sério. Tirou um pedaço de rapadurinha preta do bolso, repartiu com Miguilim. Depois, falou: — "Mas eu sei, que é mesmo. Aquilo que você perguntou." "— Então, quando você está com medo, você também reza, Dito?" "— Rezo baixo, e aperto a mão fechada, aperto o pé no chão, até doer..." "— Por que será, Dito?" "— Eu rezo assim. Eu acho que é por causa que Deus é corajoso."

O Dito, menor, muito mais menino, e sabia em adiantado as coisas, com uma certeza, descarecia de perguntar. Ele, Miguilim, mesmo quando sabia, espiava na dúvida, achava que podia ser errado. Até as coisas que ele pensava, precisava de contar ao Dito, para o Dito reproduzir, com aquela força séria, confirmada, para então ele acreditar mesmo que era verdade. De donde o Dito tirava aquilo? Dava até raiva, aquele juízo sisudo, o poder do Dito, de saber e entender, sem as necessidades. Tinha repente de judiar com o Dito: — "Mas eles não deixam você levar comida em roça, acham você não é capaz..." O Dito não se importava. Comia o restante de rapadura, com tanto gosto, depois limpou a mão na roupa. — "Miguilim — ele disse — você lembra que seo Aristeu falou, os macacos conversaram? Eu acho que foi de verdade." Aí, começava a chover, chuva dura entortada, de chicote. Destampava que chovia, da banda de riba. O mato do morro do Mutúm em branco morava.

Pai ainda estava na sala, acabando almoço com o outro homem, o vaqueiro Salúz disse: topara com seo Deográcias. O Patorí, filho dele, tinha matado assassinado um rapaz, dez léguas de lá do Côcho, noutro lugar. Vaqueiro Salúz redondeava: — "Que faz dias, que foi..." Seo Deográcias estava revestido de preto, envelhecido com os cabelos duma hora para outra, percorrendo todas as veredas, e dando aviso às pessôas, dizendo que o Patorí não queria assassinar, só que estavam experimentando arma-de-fôgo, a garrucha disparou, o rapazinho morreu depressa demais. O Patorí esquipou no mundo, de si devia de estar vagando, campos. Seo Deográcias pedindo, a todos, para cercarem sem brutalidade. Seo Deográcias só perguntava, repetidas, se não achavam que o Patorí, sendo sem idade e sem culpa governada, não devia de escapar de cadeia, se não chegava ser mandado para a Marinha, em Pirapora, onde davam escola de dureza para meninos apoquentados.

O homem que tinha vindo junto, Pai dizia que ele era o Luisaltino. Conhecido bom amigo, deixado de trabalhar na Vereda do Quússo, meeiro, mas agora ia passar os tempos morando em casa, plantar roça com Pai. E era até bom, outro homem de respeito, mais garantido. Carecia de se pensar naqueles criminosos que andavam soltos no Gerais, feito, por um exemplo, o Brasilino Boca-de-Bagre. Mãe, Vovó Izidra, todas acho que concordavam.

Esse Luisaltino aceitou água para beber; mas primeiro bochechou, com um gole, e botou fora. Será que tinha facão? Miguilim espiou aberto para o Dito: do fim da conversa de seo Aristeu se lembrava. Será que tinha espirrado, três vezes? Miguilim não reparara. Mas não podia que ser? Devia. Assunto de Miguilim, se assustando: se devia de dar aviso ao Dito, aviso a todos — para ninguém não comer coisas nenhumas, o que o Luisaltino oferecesse. E bom que o Luisaltino ainda não dormia lá, naquela noite, mais primeiro tinha de ir buscar a trouxa e os trens, numa casa, na beira do Ranchório. Só retardava de beber o café e que a chuva melhorasse.

A Chica também estava esperando: tinha tirado amolecido mais um dentinho de diante, quando estiasse careciam de jogar o dente no telhado, para ela, dizendo: — "*Mourão, Mourão, toma este dente mau, me dá um dente são!...*" A Chica agora ria tão engraçado; então dizia que, fosse menino-homem, batia no Dito e em Miguilim. Drelina mandava que ela tivesse modo. Drelina ficava olhando muito para Luisaltino, disse depois que ele era um moço muito bonito apessoado. Tomezinho estava no alpendre, conversando com um menino chamado o Grivo, que tinha entrado para se esconder da chuva. Esse menino o Grivo era pouquinho maior que Miguilim, e meio estranhado, porque era pobre, muito pobre, quase que nem não tinha roupa, de tão remendada que estava. Ele não tinha pai, morava sozinho com a mãe, lá muito para trás no Nhangã, no outro pé do morro, a única coisa que era deles, por empréstimo, era um coqueiro buriti e um olho-d'água. Diziam que eles pediam até esmola. Mas o Grivo não era pidão. Mãe dava a ele um pouco de comer, ele aceitava. Ia de passagem, carregando um saco com cascas de árvores, encomendadas para vender. — "Você não tem medo? O Patorí matou algum outro, anda solto dôido por aí..." — Miguilim perguntava. O Grivo contava uma história comprida, diferente de todas, a gente ficava logo gostando daquele menino das palavras sozinhas. E disse que queria ter um cachorro, cachorrinho pequeno que fosse, para companhia com ele, mas a mãe não deixava, porque não tinham de comer para dar. Mas eles tinham galinhas. — "Sem cachorro pra tomar conta, raposinha não pega?" — o Dito perguntava. — "De tardinha, a gente põe as galinhas para dentro de casa..." "— Dentro de sua casa chove?" — perguntava Miguilim. "— Demais." O Grivo tossia, muito. Será que ele não tinha medo de morrer?

Maria Pretinha trazia café para o vaqueiro Salúz. O que sobrava, o Grivo também bebia. Maria Pretinha sabia rir sem rumor nenhum, só aqueles dentes brancos se proseavam. Uma hora ela perguntou pelo vaqueiro Jé. — "Ei, campeando fundo nesse Gerais... Tem muito rancho por aí, pra ele de chuva se esconder!" Mas o vaqueiro Jé tinha levado capanga com paçoca, fome nenhuma não passava. Os cachorros gostavam do sistema do Grivo, vinham para perto, abanando rabo, as patas eles punham no joelho dele. Tomezinho tinha furtado uma boneca da Chica, escondeu por debaixo duma cangalha. A Chica queria bater, Tomezinho corria até lá na chuva. O Gigão corria junto, sabia conversar, com uns latidos mais fortes, de molhar o corpo ele mesmo não se importava. — "Dito, eu vou falar com Pai, pra não deixar esse moço morar aqui com a gente." "— Fosse eu, não falava." — "Pois por que, Dito? Você não tem medo de adivinhados?" "— Pai gosta que menino não fale nada desta vida!" Mas Miguilim mesmo não tinha certeza, cada hora tinha menos, cada hora menos. O Dito mais tinha falado: — "Luisaltino não é ruivo. Seo Aristeu não falou? Pai é que é ruivo..." E mesmo Miguilim achava que aquelas palavras de seo Aristeu também podiam ser só parte de uns versos muito antigos, que se cantavam. Agorinha, tinha vontade era de conversar muito com o Dito e o Grivo, juntos, a chuvinha ajudava a gente a conversar. O que ao Grivo ele estava dizendo: que a cachorrinha mais saudosa deste mundo, a Cuca Pingo-de-Ouro, era que o Grivo devia de ter conhecido.

Quando o Luisaltino veio de ficada, trouxe um papagaio manso, chamado Papaco-o-Paco, que sabia muitas coisas. Pai não gostava de papagaio; mas parece que desse um não se importou, era um papagaio que se respeitava. Penduraram a alcandora dele perto da cozinha, ele cantava: "*Olerê lerê lerá, morena dos olhos tristes, muda esse modo de olhar...*" Comia de tudo.

Miguilim agora ia todo dia levar comida na roça, para Pai e Luisaltino. Não pensava em Tio Terêz nem nos macacos; mas também ia com as algibeiras cheias de pedras. Luisaltino prometeu dar a ele uma faquinha. Luisaltino agradava muito a todos. Disse que o Papaco-o-Paco era da Chica, mas o Papaco-o-Paco não gostava constante da Chica, nem de pessôa nenhuma, nem dos meninos, nem do gato Sossõe, nem dos cachorros, nem dos papagaios bravos, que sovoavam. Só gostava era da Rosa, estalava beijos para a Rosa, e a Rosa sabia falar bôazinha com ele: — "Meu Cravo, tu chocou no meio dos matos, quantos ovinhos tinha em teu ninho? Onça comeu tua mãe? Sucruiú comeu teu pai? Onde é que estão teus irmãozinhos?" E Papaco-o-Paco estalava beijos e recantava: "*Estou triste mas não choro. Morena dos olhos tristes, esta vida é caipora...*" Cantava, cantava, sofismado, não esbarrava. A Rosa disse que aquela cantiga se chamava "Mariazinha".

Com taquara e cana-de-flecha, Luisaltino ensinou a fazer gaiolas. O Dito logo aprendeu, fazia muito bem feitinhas, ele tinha jeito nas mãos para aprender. As gaiolas estavam vazias, sanhaço e sabiá do peito vermelho não cantavam presos e o gaturaminho se prendesse morria: mas Luisaltino falou que com visgo e alçapão mais tarde iam pegar passarim de bom cantar: patativo, papa-capim, encontro. Luisaltino conversava sozinho com Mãe. O Dito escutou. — "Miguilim, Luisaltino está conversando com Mãe que ele conhece Tio Terêz..." Mas Miguilim desses assuntos desgostava. De certo que ele não achava defeito nenhum em Luisaltino.

Aqueles dias passaram muito bonitos, nem choveu: era só o sol, e o verde, veranico. Pai ficava todo tempo nas roças, trabalhava que nem um negro do cativeiro — era o que Mãe dizia. E era bom para a gente, quando Pai não estava em casa. A Rosa tinha deitado galinhas: a Pintinha-amarela-na-cabeça, com treze ovos, e a Pintadinha com onze — e três eram ovos de perdiz, silpingados de rôxo no branco; agora não ia ter perigo de melar e dar piôlho nelas, no choco. Também estava chegando ocasião de se fazer presépio, Vovó Izidra mandava vir musgo e barba-de-pau, até o Grivo ia trazer. Vaqueiro Salúz pegou um mico-estrela, se pôs p'ra morar numa cabacinha alevantada na parede, atrás da casa. A Chica brincou uma festa de batizar três bonecas de mentira, para Miguilim, o Dito e Tomezinho serem os padrinhos. Depois, os vaqueiros estavam chegando de campear, relatavam: — "Os cachorros deram com um tatú-canastra, tão grande! O tatú-canastra joga pedra e terra, tanta, que ninguém chega atrás. Alguém subisse em riba dele, ele não esbarrava de cavacar..." — "Ô bicho que tem força!" — o vaqueiro Jé aprovava. Disse que alguns não comiam tatú-canastra, porque a carne dele tem gosto de flôr. — "Mas a carne dos outros tatús dá uma farofa bôa!" Miguilim então se ria, de tanta poetagem. O vaqueiro Jé, sem-sabido, perguntou: — "Ei, eu fizer a farofa, Miguilim, tu come? Você tem pena do tatú mais não?" "— Pois tenho, demais! Só que agora eu não estava pensando..." Daí Miguilim ficou com um ódio, por aquilo terem perguntado. E o Dito, em encoberto, contou que o vaqueiro Jé tinha abraçado a Maria Pretinha. Doideiras.

A vaca Sinsã pariu um bezerrinho branco, e a Tapira e a Veluda pariram cada-uma uma bezerrinha, igualzinhas das cores delas duas. Siàrlinda, mulher do vaqueiro Salúz, veio, trouxe requeijão moreno e dôce-de-leite que ela fez. Siàrlinda contou estórias. Da Moça e da Bicha-Fera, do Papagaio Dourado que era um Príncipe, do Rei dos Peixes, da Gata Borralheira, do Rei do Mato. Contou estórias de sombração, que eram as melhores, para se estremecer. Miguilim de repente começou a contar estórias tiradas da cabeça dele mesmo: uma do Boi que queria ensinar um segredo ao Vaqueiro, outra do Cachorrinho que em casa nenhuma não deixavam que ele morasse, andava de vereda em vereda, pedindo perdão. Essas estórias pegavam. Mãe disse que Miguilim era muito ladino, despois disse que o Dito também era. Tomezinho desesperou, porque Mãe tinha escapado de falar no nome dele; mas aí Mãe pegou Tomezinho no colo, disse que ele era um fiozinho caído do cabelo de Deus. Miguilim, que bem ouviu, raciocinou apreciando aquilo, por demais. Uma hora ele falou com o Dito — que Mãe às vezes era a pessôa mais ladina de todas.

Tudo era bom, às tardes a gente a cavalo, buscando vacas. Dia-de-domingo, cedinho escuro, no morno das águas, Pai e Luisaltino iam lavar corpo no pôço das pedras, menino-homem podia ir junto, carregavam pedaço de sabão de fruta de tinguí, que Mãitina tinha cozinhado. Luisaltino cortava pau-de-pita: abraçado com o leve desse, e com as cabaças amarradas, não se afundava, todo o mundo suspendido n'água, se aprendendo a nadar. Naquele pôço, corguinho-veredinha, não dava peixe, só fingindo de fazer de conta era que se pescava. Mas Vovó Izidra teve de ir dormir na Vereda do Bugre, para servir de parteira; sem Vovó Izidra a casa ainda ficava mais alegrada. Aí a Rosa levou os meninos todos, variando, se pescou. Só só piabas, e um timburé, feio de formas, com raja, com aquela boquinha esquisita, e um bagre — mole, saposo, arroxeado, parecendo uma posta de carne doente. Mas se pescou; foi muito divertido, a gente brincava de rolar atôa no capim dos verdes. E vai, veio uma notícia meia triste: tinham achado o Patorí morto, parece que morreu mesmo de fome, tornadiço vagando por aquelas chapadas.

Pai largou de mão o serviço todo que tinha, montou a cavalo, então carecia de ir no Côcho, visitar seo Deográcias, visita de tristezas. Então, aquela noite, sem Pai nem Vovó Izidra, foi o dia mais bonito de todos. Tinha lua-cheia, e de noitinha Mãe disse que todos iam executar um passeio, até aonde se quisesse, se entendesse. Eta fomos, assim subindo, para lá dos coqueiros. Mãe ia na frente, conversando com Luisaltino. A gente vinha depois, com os cavalos-de-pau, a Chica trouxe uma boneca. A Rosa cantava silêncio de cantigas, Maria Pretinha conversava com o vaqueiro Jé. Até os cachorros vinham — tirante Seu-Nome, que esse pai tinha conduzido com ele na viagem. Quando a lua subiu no morro, grandona, os cachorros latiam, latiam. Mãitina tinha ficado em casa, mas ganhou gole de cachaça. Vaqueiro Salúz também ganhou do restilo de Pai, mas veio mais a gente. Drelina disse para a lua: — *"Lua, luar! Lua, luar!"* Vaqueiro Salúz disse que era o demônio que tinha entrado no corpo do Patorí; aí o Dito perguntou se Deus também não entrava no corpo das pessôas; mas o vaqueiro Salúz não sabia. Contava só que todas patifarias de desde menino pequeno o Patorí aprontava: guardava bosta de galinha nas algibeiras dos outros, inventava lélis, lelê de candonga, semeava pó de joão-mole na gente, para fazer coçar. O Dito semelhava sério. — "Dito, você não gosta de se conversar do Patorí, que morreu?" O Dito respondeu: — "Estou vendo essa lua." Assim era bom, o Dito também gostasse. — "Eu espio a lua, Dito, que fico querendo pensar muitas coisas de uma vez, as coisas todas..." "— É luão. E lá nela tem o cavaleiro esbarrado..." — o Dito assim examinava. Lua era o lugar mais distanciado que havia, claro impossível de tudo. Mãe, conversando só com Luisaltino, atenção naquilo ela nem não estava pondo. Uma hora, o que Luisaltino falou: que judiação do mal era por causa que os pais casavam as filhas muito meninas, nem deixavam que elas escolhessem noivo. Mas Miguilim queria que, a lua assim, Mãe conversasse com ele também, com o

Dito, com Drelina, a Chica, Tomezinho. A gente olhava Mãe, imaginava saudade. Miguilim não sabia muitas coisas. — "Mãe, a gente então nunca vai poder ver o mar, nunca?" Ela glosava que quem-sabe não, iam não, sempre, por pobreza de longe. — "A gente não vai, Miguilim" — o Dito afirmou: — "Acho que nunca! A gente é no sertão. Então por que é que você indaga?" "— Nada, não, Dito. Mas às vezes eu queria avistar o mar, só para não ter uma tristeza..." Essa resposta Mãe escutou, prezou; pegou na mão de Miguilim para perto dela. Quando chegaram nos coqueiros, Mãe falou que gostava deles, porque não eram árvores dos Gerais: o primeiro dono que fez a casa tinha plantado aqueles, porque também dizia que queria ali outros coqueiros altos, mas que não fossem buritis. Mas o buriti era tão exato de bonito! A Rosa cantava a estória de um, às músicas, buritì desde que nasceu, de preso dentro da caixinha de um coco, até cair de velho, na água azulada de sua vereda dele. A Rosa dizia que podia ensinar a Papaco-o-Paco todo cantar que tencionasse. Quando a gente voltou, se tomou café, nem ninguém não precisou de fazer café forte demais e amargoso, só Pai e Vovó Izidra é que bebiam daquele café desgostável. No outro dia, foi uma alegria: a Rosa tinha ensinado Papaco-o-Paco a gritar, todas as vezes: — "*Miguilim, Miguilim, me dá um beijim!...*" Até Mãitina veio ver. Mãitina prezou muito o pássaro, deu a ele o nome de Quixume; ficou na frente dele, dizendo louvor, fazendo agachados e vênias, depois levantava a saia, punha até na cabeça. — "*Miguilim, Miguilim...*" Era uma lindeza.

Mas vem um tempo em que, de vez, vira a virar só tudo de ruim, a gente paga os prazos. Quem disse foi o vaqueiro Salúz, que não se esquecia da estória do Patorí, e também perdeu um pé de espora no campeio, e Siàrlinda achou um dinheiro que ele tinha escondido dela em buraco no alto da parede, e ele estava com dois dentes muito doendo sempre, disse que hemorróida era aquilo. Depois o Dito aprovou que o tempo-do-ruim era mesmo verdade, quando no dia-de-domingo tamanduá estraçalhou o cachorro Julim. Notícia tão triste, a gente não acreditava, mas Pai trouxe para se enterrar o Julim morto, dependurado no cavalo, ninguém que via não esbarrava de chorar. Foi na caçada de anta. Pai não querendo contar: o tamanduá-bandeira se abraçou com o Julim, primeiro estapeava com a mão na cara dele, como tamanduá dá sopapos como pessôa. Daí rolaram no chão, aquela unha enorme do tamanduá rasgou a barriga dele, o Julim abraçado sangrado, não desabotoou o abraço — abriu os peitos, ainda furou os olhos. Zerró não pôde ajudar, nem os outros. Pai matou o bandeira, mas teve de pedir a um companheiro caçador que acabasse de matar o Julim, mò de não sofrer. Nem não deviam de ter ido! Não eram cachorros para isso, anteiros eram os de seo Brízido Boi, que caçou também. E nem a anta não mataram: ela pegou o carreiro, furtou o caminho, desbestou zurêta chapada a fora, fez sertão, cachorro frouxou, com a anta, que frouxou também; mas não puderam matar. Aquele dia, Pai adoeceu de pena. Depois, Zerró e Seu-Nome percuravam, percuravam, os dois eram irmãos do Julim. Só o Gigão dormia grande, não fazia nada; e os paqueiros juntos, que corriam por ali a quatro, feito meninos sem juízo: Caráter, Catita, Soprado e Floresto.

Marimbondo ferroou Tomezinho, que danou chorou, Vovó Izidra levou Tomezinho na horta, no lugar ofendido espremeu joão-leite, aquele leite azulado, que muito sarava. Mais isso não era coisa nova por si, sempre abelha ou avêspa ferroavam algum, e a lagarta tatarana cabeluda, que queima a gente, tatarana-rata, até em galhos de árvore, e toda-a-vida a gente caía, relava os joelhos, escalavrava, dava topada em pedra ou em toco. Pior foi que o Rio-Negro estava do outro lado da cerca, lambendo sal no cocho, e Miguilim quis passar mão, na testa dele, alisar, fazer festas. O touro tinha só todo desentendimento naquela cabeçona preta — deu uma levantada, espancando, Miguilim gritou de dôr, parecia que tinham quebrado os ossos da mão dele. Mãe trouxe a mula de cristal, branquinho, aplicou no lugar, aquela friúra lisinha do cristal cercava a dôr para sarar, não deixava inchaço; mas Miguilim gemia e estava com raiva até dele mesmo. O Dito veio perto, falou que o touro era burro, Miguilim achava que tinha entendido que o Dito queria era mexer — minha-nossenhora! — nem sabia por que era que estava com raiva do Dito: pulou nele, cuspiu, bateu, o Dito bateu também, todo espantado, com raivas — "Cão!" "Cão!" — no chão que rolaram, quem viu primeiro pensava eles dois estivessem brincando.

Quando Miguilim de repente pensou, fechou os olhos: deixava o Dito dar, o Dito podia bater o tanto que quisesse, ele ficava quieto, não podia brigar com o Dito! Mas o Dito não batia. O Dito ia saindo embora, nem insultava, só fungava; decerto pensava que ele Miguilim estava ficando dôido. Quem sabe estava? Desabria de vergonha, até susto, medo. Carecia de não chorar, rezar a Deus o cr'em-deus-padre. Não achava coragem pronta para frentear o Dito, pedir perdão — podia que tão ligeiro o Dito não perdoasse. E então Miguilim foi chamado — a mão que o Rio-Negro machucou nem não doía mais — e Miguilim veio se sentar no tamborete, que era o de menino de-castigo. A vergonha que sentia era assim como se ele tivesse sobrado de repente ruim leve demais, a modo que todo esvaziado, carecia de esperar muito tempo, quieto, muito sozinho, até o corpo, a cabeça se encher de peso firme outra vez; mais não podia. Aquele castigo dado-por-si decerto era a única coisa que valia.

Com algum tempo, mais não aguentava: ia porque ia, procurar o Dito! Mas o Dito já vinha vindo. — "Miguilim, a gente vai trepar no pé-de-fruta..." O Dito nem queria falar na briga. Ele subia mais primeiro — o brinquedo ele tinha inventado. Antes de subir, botava a camisinha para dentro da calça, resumia o pelo-sinal, o Dito era um irmão tão bonzinho e sério, todas as coisas certas ele fazia. Lá em cima, bem em cima, cada um numa forquilha de galhos, estavam no meio das folhagens, um quase defronte do outro, só sozinhos. Estavam ali como escondidos, mas podiam ver o que em volta de casa se passava. O gato Sossõe que rastreava sorrateiro, capaz de caçar alguma lagartixa: com um zapetrape ele desquebrava a lagartixa, homem de fazer assim até com calango — o calango pequeno verde que é de toda parte, que entra em mato e vem em beira de morada, mas que vive o diário é no cerrado. Maria Pretinha lavando as vasilhas no rego, Papaco-o-Paco cochilando no poleiro, Mãitina batendo roupa na laje do lavadouro. — "Dito, você não guarda raiva de mim, que eu fiz?" "— Você fez sem por querer, só por causa da dôr que estava doendo..." O Dito fungava no nariz, ele estava sempre endefluxado. Falava: — "Mais, se você tornar a fazer, eu dou em você, de pontapé, eu jogo pedrada!..." Miguilim não queria dizer que agora estava pensando no Rio-Negro: que por que era que um bicho ou uma pessoa não pagavam sempre amor-com-amor, de amizade de outro? Ele tinha botado a mão no touro para agradar, e o touro tinha repontado com aquela brutalidade. — "Dito, a gente vai ser sempre amigos, os mais de todos, você quer?" "— Demais, Miguilim. Eu já falei." Com um tempo, Miguilim tornava: — "Você acha que o Rio-Negro tem demônio dentro dele, feito o Patorí, se disse?" "— Acho não." O que o Dito achava era custoso, ele mesmo não sabia bem. Miguilim perguntava demais da conta. Então o Dito disse que Pai ia mandar castrar o Rio-Negro de qualquer jeito, porque careciam de comprar outro garrote, ele não servia mais para a criação, capava e vendia para ser boi-de-lote, boi-boiadeiro, iam levar nas cidades e comer a carne do Rio-Negro. Vaqueiro Salúz falava que era bom: castravam no curral e lá mesmo faziam fogo, assavam os grãos dele, punham sal, os vaqueiros comiam, com farinha.

Mas, de noite, no canto da cama, o Dito formava a resposta: — "O ruim tem raiva do bom e do ruim. O bom tem pena do ruim e do bom... Assim está certo." "— E os outros, Dito, a gente mesmo?" O Dito não sabia. — "Só se quem é bronco carece de ter raiva de quem não é bronco; eles acham que é moleza, não gostam... Eles têm medo que aquilo pégue e amoleça neles mesmos — com bondades..." "— E a gente, Dito? A gente?" "— A gente cresce, uai. O mole judiado vai ficando forte, mas muito mais forte! Trastempo, o bruto vai ficando mole, mole..." Miguilim tinha trazido a mula de cristal, que acertava no machucado da mão, debaixo das cobertas. "— Dito, você gosta de Pai, de verdade?" "— Eu gosto de todos. Por isso é que eu quero não morrer e crescer, tomar conta do Mutúm, criar um gadão enorme."

De madrugada, todo o mundo acordou cedo demais, a Maria Pretinha tinha fugido. A Rosa relatava e xingava: — "Foi o vaqueiro Jé que seduziu, corjo desgramado! Sempre eu disse que ela era do rabo quente... Levou a negrinha a cavalo, decerto devem de estar longe, ninguém não pega mais!" O cavalo do vaqueiro Jé se chamava Assombra-Vaca. O vaqueiro Jé era branco, sardal, branquelo. Como é que foi namorar completo com a Maria Pretinha? A Rosa também era branca, mas era gorda e meia-velha, não namorava com ninguém. Quando a Rosa brabeava, desse jeito assim, Papaco-o-Paco também desatinava.

Aquilo ele gritava só numa fúria: — *"Eu não bebo mais cachaça, não gosto de promotor! Filho-da-mãe é você! É você, ouviu!? É você!..."*

O Dito não devia de ter ido de manhãzinha, no nascer do sol, espiar a coruja em casa dela, na subida para a Laje da Ventação. Miguilim não quis ir. Era uma coruja pequena, coruja-batuqueira, que não faz ninhos, botava os ovos num cupim velho, e gosta de ficar na porta — no buraco do cupim — quando a gente vinha ela dava um grito feio — um barulho de chiata: *"Cuíc-cc'-kikikik!..."* e entrava no buraco; por perto, só se viam as cascas dos besouros comidos, ossos de cobra, porcaria. E ninguém não gostava de passar ali, que é perigoso: por ter espinho de cobra, com os venenos.

O Dito contou que a coruja eram duas, que estavam carregando bosta de vaca para dentro do buraco, e que rodavam as cabeças p'ra espiar pra ele, diziam: *"Dito! Dito!"* Miguilim se assustava: — "Dito, você não devia de ter ido! Não vai mais lá não, Dito." Mas o Dito falou que não tinha ido para ver a coruja, mas porque sabia do lugar onde o vaqueiro Jé mais a Maria Pretinha sempre em escondido se encontravam. — "Que é que tinha lá, então, Dito?" — "Nada não. Só tinha a sombra da árvore grande e o capim do campo por debaixo."

Mas no meio do dia o mico-estrela fugiu, correu arrepulando pelas moitas de carqueja, trepou no cajueiro, pois antes de trepar ainda caçou maldade de correr atrás da perúa, queria puxar o rabo dela. Todo o mundo perseguiu ligeiro pra pegar, a cachorrada latindo, Vovó Izidra gritava que os meninos estavam severgonhados, Mãe gritava que a gente esperasse, que a Rosa sozinha pegava, Drelina gritava que deixassem o bichinho sonhim ganhar a liberdade do mato que era dele, o Papaco-o-Paco gritava: *"Mãe, olha a Chica me beliscando! Ai, ai, ai, Pai, a Chica puxou meu cabelo!..."* — era copiadinho o choro de Tomezinho.

A gente tinha de fazer diligência, se não já estava em tempo d'os cachorros espatifarem o pobre do mico. Não se pegou: ele mesmo, sozinho por si, quis voltar para a cabacinha. Mas foi aí que o Dito pisou sem ver num caco de pote, cortou o pé: na covado-pé, um talho enorme, descia de um lado, cortava por baixo, subia da outra banda.

— "Meu-deus-do-céu, Dito!" Miguilim ficava tonto de ver tanto sangue. "— Chama Mãe! Chama Mãe!" — o Dito pedia. A Rosa carregou o Dito, lavaram o pé dele na bacia, a água ficava vermelha só sangue, Vovó Izidra espremia no corte talo de bálsamo da horta, depois puderam amarrar um pano em cima de outro, muitos panos, apertados; ainda a gente sossegou, todo o mundo bebeu um gole d'água, que a Rosa trouxe, beberam num copo. O Dito pediu para não ficar na cama, armaram a rede para ele no alpendre.

Miguilim queria ficar sempre perto, mas o Dito mandava ele fosse saber todas as coisas que estavam acontecendo. — "Vai ver como é que o mico está." O mico estava em pé na cabacinha, comendo arroz, que a Rosa dava. — "Quando o vaqueiro Salúz chegar, pergunta se é hoje que a vaca Bigorna vai dar cria." "— Miguilim, escuta o que Vovó Izidra conversar com a Rosa, do vaqueiro Jé mais a Maria Pretinha." O Dito gostava de ter notícia de todas as vacas, de todos os camaradas que estavam trabalhando nas outras roças, enxadeiros que meavam. Requeria se algum bicho tinha vindo estragar as plantações, de que altura era que o milho estava crescendo. — "Vovó Izidra, a senhora já vai fazer o presépio?" "— Daqui a três dias, Dito, eu começo." O Dito não podia caminhar, só podia pulando num pé só, mas doía, porque o corte tinha apostemado muito, criando matéria. Chamando, o Gigão vinha, vigiava a rede, olhava, olhava, sacudia as orelhas. — "Você está danado, Dito, por causa?" "— Estou não, seo Luisaltino, costumei muito com essas coisas..." "— Depressa que sare!" "— Uê, p'ra se sarar basta se estar doente."

Meu-deus-do-céu, e o Dito já estava mesmo quase bom, só que tornou outra vez a endefluxar, e de repente ele mais adoeceu muito, começou a chorar — estava sentindo dôr nas costas e dôr na cabeça tão forte, dizia que estavam enfiando um ferro na cabecinha dele. Tanto gemia e exclamava, enchia a casa de sofrimento. Aí Luisaltino montou a cavalo, ia daí a mais de um dia de viagem, aonde tinha um fazendeiro que vendia, buscar remédio para tanta dôr. Vovó Izidra fez um pano molhado, com folhas-santas amassadas, amarrou na cabeça dele. — "Vamos rezar, vamos rezar!" — Vovó Izidra chamava, nunca ela tinha estado tão sem sossego assim. Decidiram dar ao Dito um gole d'água com cachaça. Mas ele tinha febre muito quente, vomitava tudo, nem sabia quando estava vomitando. Vovó Izidra veio dormir no quarto, levaram a caminha do Tomezinho para o quarto de Luisaltino. Mas Miguilim pediu que queria ficar, puseram uma esteira no chão, para ele, porque o Dito tinha de caber sozinho no catre. O Dito gemia, e a gente ouvia o barulhinho de Vovó Izidra repassando as contas do terço.

No outro dia, o Dito estava melhorado. Só que tinha soluço, queria beber água-com-açúcar. Miguilim ficava sentado no chão, perto dele. Vovó Izidra tinha de principiar o presépio, o Dito não podia ver quando ela ia tirar os bichos do guardado na canastra — boi, leão, elefante, águia, urso, camelo, pavão — toda qualidade de bichos que nem tinha deles ali no Mutúm nem nos Gerais, e Nossa Senhora, São José, os Três Reis e os Pastores, os soldados, o trem-de-ferro, a Estrela, o Menino Jesus. Vovó Izidra vez em quando trazia uma coisa ou outra para mostrar ao Dito: os panos, que ela endurecia com grude — moía carvão e vidro, e malacacheta, polvilhava no grude. Mas

Dito queria tanto poder ver quando ela estava armando o presépio, forrando os tocos e caixotes com aqueles panos — fazia as serras, formava a Gruta. Os panos pintados com anil e tinta amarela de pacarí, misturados davam um verde bonito, produzido manchado, como todos os matos no rebroto. E tinha umas bolas grandes, brilhantes de muitas cores, e o arroz plantado numa lata e deixado nascer no escuro, para não ser verde e crescer todo amarelo descorado. Tinha a lagôa, de água num prato-fundo, com os patinhos e peixes, o urso-branco, uma rã de todo tamanho, o cágado, a foquinha bicuda. Quase a maior parte daquelas coisas Vovó Izidra possuía e carregava aonde ia, desde os tempos de sua mocidade. Depois de pronto, era só pôr o Menino Jesus na Lapinha, na manjedoura, com a mãe e o pai dele e o boizinho e o burro. E punha um abacaxi-maçã, que fazia o presépio todo cheirar bonito. Todos os anos, o presépio era a coisa mais enriquecida, vinha gente estranha dos Gerais, para ver, de muitos redores. Mas agora o Dito não podia ir ajudar a arrumação, e então Miguilim gostava de não ir também, ficar sentado no chão, perto da cama, mesmo quando o Dito tinha sono, o Dito agora queria dormir quase todo o tempo.

A Chica e Tomezinho podiam espiar armar o presépio o prazo que quisessem, mas eram tão bobinhos que pegavam inveja de Miguilim e o Dito não estarem vendo também. E então vinham, ficavam da porta do quarto, os dois mais o Bustica — aquele filho pequeno do vaqueiro Salúz. — "Vocês não podem ir ver presepe, vocês então vão para o inferno!" — isso a Chica tinha ensinado Tomezinho a dizer. E tinha ensinado o Bustica a fazer caretas. O Dito não se importava, até achava engraçado. Mas então Miguilim fez de conta que estava contando ao Dito uma estória — do Leão, do Tatú e da Foca. Aí Tomezinho, a Chica e aquele menino o Bustica também vinham escutar, se esqueciam do presépio. E o Dito mesmo gostava, pedia: — "Conta mais, conta mais..." Miguilim contava, sem carecer de esforço, estórias compridas, que ninguém nunca tinha sabido, não esbarrava de contar, estava tão alegre nervoso, aquilo para ele era o entendimento maior. Se lembrava de seo Aristeu. Fazer estórias, tudo com um viver limpo, novo, de consolo. Mesmo ele sabia, sabia: Deus mesmo era quem estava mandando! — "Dito, um dia eu vou tirar a estória mais linda, mais minha de todas: que é a com a Cuca Pingo-de Ouro!..." O Dito tinha alegrias nos olhos; depois, dormia, rindo simples, parecia que tinha de dormir a vida inteira.

A Pinta-Amarela tirou os pintinhos, todos vivos, e no meio as três perdizinhas. A Rosa trouxe as três, em cima de uma peneira, para o Dito conhecer. Mas o Dito mandava Miguilim ir espiar, no quintal, e depois dizer para ele como era que elas viviam de verdade. A dôr-de-cabeça do Dito tinha voltado forte, mas agora Luisaltino tinha trazido as pastilhazinhas, ele engulia, com gole d'água, melhorava. — "Dito, as três perdizinhas são diabinhas! A galinha pensa que elas são filhas dela, mas parece que elas sabem que não são. Todo o tempo se assanham de querer correr para o bamburral, fogem do meio dos pintinhos irmãos. Mas a galinha larga os pintos, sai atrás delas, chamando, chamando, cisca para elas comerem os bichinhos da terra..." A febre era mais muita, testa do Dito quente que pelava. — "Miguilim, vou falar uma coisa, para segredo. Nem p'ra mim você não torna a falar." O Dito sentava na cama, mas não podia ficar sentado com as pernas esticadas direito, as pernas só teimavam em ficar dobradas nos joelhos. Tudo endurecia, no corpo dele. — "Miguilim, espera, eu estou com a nuca tesa, não tenho cabeça pra abaixar..." De estar pior, o Dito quase não se queixava.

— "Miguilim, Vovó Izidra toda hora está xingando Mãe, quando elas estão sem mais ninguém perto?" Miguilim não sabia, Miguilim quase nunca sabia as coisas das pessôas grandes. Mas o Dito, de repente, pegava a fazer caretas sem querer, parecia que ia dar ataque. Miguilim chamava Vovó Izidra. Não era nada. Era só a cara da doença na carinha dele.

Depois, a gente cavacava para tirar minhocas, dar para as perdizinhas. Mas o mico-estrela pegou as três, matou, foi uma pena, ele abriu as barriguinhas delas. Miguilim não contou ao Dito, por não entristecer. — "As perdizinhas estão assustadinhas, estão crescendo por demais... Amanhã é o dia de Natal, Dito!" "— Escuta, Miguilim, uma coisa você me perdôa? Eu tive inveja de você, porque o Papaco-o-Paco fala *Miguilim me dá um beijim*... e não aprendeu a falar meu nome..." O Dito estava com jeito: as pernas duras, dobradas nos joelhos, a cabeça dura na nuca, só para cima ele olhava. O pior era que o corte do pé ainda estava doente, mesmo pondo cataplasma doía muito demorado. Mas o papagaio tinha de aprender a falar o nome do Dito! — "Rosa, Rosa, você ensina Papaco-o-Paco a chamar alto o nome do Dito?" "— Eu já pelejei, Miguilim, porque o Dito mesmo me pediu. Mas ele não quer falar, não fala nenhum, tem certos nomes assim eles teimam de não entender..." O Dito gostava de comer pipocas. A Rosa estava assando pipoca: para elas estalarem bem graúdas, a Rosa batia na tampa da caçarola com uma colher de ferro e pedia a todos para gritarem bastante, e a Rosa mesma gritava os nomes de toda pessôa que fosse linguaruda: — "Pipoca, estrala na boca de Sià Tonha do Tião! Estrala na boca de dona Jinuana, da Rita Papuxa!..." Miguilim vinha trazer as pipocas, saltantes, contava o que a Rosa tinha gritado, prometia que Papaco-o-Paco já estava começando a soletrar o nome do Dito. O Dito gemia de mais dôr, com os olhos fechados.

— "Espera um pouco, Miguilim, eu quero escutar o berro dessas vacas..." Que estava berrando era a vaca Acabrita. A vaca Dabradiça. A vaca Atucã. O berro comprido, de chamar o bezerro. — "Miguilim, eu sempre tinha vontade de ser um fazendeiro muito bom, fazenda grande, tudo roça, tudo pastos, cheios de gado..." — "Mas você vai ser, Dito! Vai ter tudo..." O Dito olhava triste, sem desprezo, do jeito que a gente olha triste num espelho. — "Mas depois tudo quanto há cansa, no fim tudo cansa..." Miguilim discorreu que amanhã Vovó Izidra ia pôr o Menino Jesus na manjedoura. Depois, cada dia ela punha os Três Reis mais adiantados um pouco, no caminho da Lapinha, todo dia eles estavam um tanto mais perto — um Rei Branco, outro Rei Branco, o Rei Preto — no Dia de Reis eles todos três chegavam... "— Mas depois tudo cansa, Miguilim, tudo cansa..." E o Dito dormia sem adormecer, ficava dormindo mesmo gemendo.

Então, de repente, o Dito estava pior, foi aquela confusão de todos, quem não rezava chorava, todo mundo queria ajudar. Luisaltino tornou a selar cavalo, ia tocar de galope, para buscar seo Aristeu, seo Deográcias, trazer remédio de botica. Pai não ia trabalhar na roça, mais no meio dali resistia, com os olhos avermelhados. O Dito às vezes estava zarolho, sentido gritava alto com a dôr-de-cabeça, sempre explicavam que a febre dele era mais forte, depois ele falava coisas variando, vomitava, não podia padecer luz nenhuma, e ficava dormindo fundo, só no meio do dormir dava um grito repetido, feio, sem acordo de si. Miguilim desentendia de tudo, tonto, tonto. Ele chorou em todas partes da casa.

Veio seo Deográcias, avelhado e magro, dizia que o Patorí não era ruim assim como todos pensavam, dizia que Deus para punir o mundo estava querendo acabar com todos os meninos.

Veio seo Aristeu, dessa vez não brincava nem ria, abraçou muito Miguilim e falou, apontando para o Dito: — "Eu acho que ele é melhor do que nós... Nem as abelhinhas hoje não espanam as asas, tarefazinha... Mas tristeza verdadeira, também nem não é prata, é ouro, Miguilim... Se se faz..." Veio seo Brízido Boi, que era padrinho do Tomezinho: um homem enorme, com as botas sujas de barro seco, ele chorava junto, aos arrancos, dizia que não podia ver ninguém sofrer. Veio a mãe do Grivo, com o Grivo, ela era quase velhinha, beijou a mão do Dito. E de repente veio vaqueiro Jé, com a Maria Pretinha, os dois tão vergonhosos, só olhavam para o chão. Mas ninguém não ralhou, até Pai disse que pelo que tinha havido eles precisavam nenhum de ir s'embora, ficavam aqui mesmo em casa os dois trabalhando; e Vovó Izidra disse que, quando viesse padre por perto, pelo direito se casavam. O vaqueiro Jé concordou, pegou na mão da Maria Pretinha, para chegarem na beira da cama do Dito, ele cuidava muito da Maria Pretinha, com aqueles carinhos, senhoroso. E então o povo todo acompanhou Vovó Izidra em frente do oratório, todos ajoelharam e rezavam chorado, pedindo a Deus a saúde que era do Dito. Só Mãe ficou ajoelhada na beira da cama, tomando conta do menino dela, dizia.

A reza não esbarrava. Uma hora o Dito chamou Miguilim, queria ficar com Miguilim sozinho. Quase que ele não podia mais falar. — "Miguilim, e você não contou a estória da Cuca Pingo-de-Ouro..." "— Mas eu não posso, Dito, mesmo não posso! Eu gosto demais dela, estes dias todos..." Como é que podia inventar a estória? Miguilim soluçava. — "Faz mal não, Miguilim, mesmo ceguinha mesmo, ela há de me reconhecer..." "— No Céu, Dito? No Céu?!" — e Miguilim desengolia da garganta um desespero. — "Chora não, Miguilim, de quem eu gosto mais, junto com Mãe, é de você..." E o Dito também não conseguia mais falar direito, os dentes dele teimavam em ficar encostados, a boca mal abria, mas mesmo assim ele forcejou e disse tudo: — "Miguilim, Miguilim, vou ensinar o que agorinha eu sei, demais: é que a gente pode ficar sempre alegre, alegre, mesmo com toda coisa ruim que acontece acontecendo. A gente deve de poder ficar então mais alegre, mais alegre, por dentro!..." E o Dito quis rir para Miguilim. Mas Miguilim chorava aos gritos, sufocava, os outros vieram, puxaram Miguilim de lá.

Miguilim doidava de não chorar mais e de correr por um socôrro. Correu para o oratório e teve medo dos que ainda estavam rezando. Correu para o pátio, chorando no meio dos cachorros. Mãitina caminhava ao redor da casa, resmungando coisas na linguagem, ela também sentia pelo estado do Dito. — "Ele vai morrer, Mãitina?!" Ela pegou na mão dele, levou Miguilim, ele mesmo queria andar mais depressa, entraram no acrescente, lá onde ela dormia estava escuro, mas nunca deixava de ter aquele foguinho de cinzas que ela assoprava. — "Faz um feitiço para ele não morrer, Mãitina! Faz todos os feitiços, depressa, que você sabe..." Mas aí, no vôo do instante, ele sentiu uma coisinha caindo em seu coração, e adivinhou que era tarde, que nada mais adiantava. Escutou os que choravam e exclamavam, lá dentro de casa. Correu outra vez, nem soluçava mais, só sem querer dava aqueles suspiros fundos. Drelina, branca como pedra de sal, vinha saindo: — "Miguilim, o Ditinho morreu..."

Miguilim entrou, empurrando os outros: o que feito uma loucura ele naquele momento sentiu, parecia mais uma repentina esperança. O Dito, morto, era a mesma coisa que quando vivo, Miguilim pegou na mãozinha morta dele. Soluçava de engasgar, sentia as lágrimas quentes, maiores do que os olhos. Vovó Izidra o puxou, trouxe para fora do quarto. Miguilim sentou no chão, num canto, chorava, não queria esbarrar de chorar, nem podia. — "Dito! Dito!..." Então se levantou, veio de lá, mordia a boca de não chorar, para os outros o deixarem ficar no quarto. Estavam lavando o corpo do Dito, na bacia grande. Mãe segurava com jeito o pezinho machucado doente, como caso pudesse doer ainda no Dito, se o pé batesse na beira da bacia. O carinho da mão de Mãe segurando aquele pezinho do Dito era a coisa mais forte neste mundo. — "Olha os cabelos bonitos dele, o narizinho..." — Mãe soluçava. — "Como o pobre do meu filhinho era bonito..." Miguilim não aguentava ficar ali; foi para o quarto de Luisaltino, deitou na cama, tapou os ouvidos com as mãos e apertou os olhos no travesseiro — precisava de chorar, toda-a-vida, para não ficar sozinho.

Quando entrou a noite, Miguilim sabia não dormir, passar as horas perto da mesa, onde o Dito era principezinho, calçado só com um pé de botina, coberto com lençol branco e flores, mas o mais sério de todos ali, entre aquelas velas acêsas que visitavam a casa. Mas chegou o tempo em que ele Miguilim cochilou muito, nem viu bem para onde o carregavam. Acordou na cama de Mãe e Pai. Com o escuro das estrelas nas veredas, a notícia tinha corrido. O Mutúm estava cheio de gente.

Além de seo Aristeu, seo Brízido Boi e seo Deográcias, estavam lá o Nhangã, seo Soande, o Frieza, um rapazinho Lugolino; o seo Braz do Bião, os filhos dele Câncio e Emerêncio, os vaqueiros do Bião: Tomás, Cavalcante e José Lúcio; dona Eugeniana, mulher de seo Braz do Bião. Os enxadeiros que à meia trabalhavam para Pai, e que também eram criaturas de Deus com seus nomes que tinham: um Cornélio, filho dele Acúrcio, Raymundo Bom, Nhô Canhoto, José de Sá. Depois chegava Sià Ía, a gorda, dona do Atrás-do-Alto, meio gira, que ela mesma só falava que andava sumida: — "Tou p'los matos! Tou p'los matos..." E o Tiotônio Engole, papudo. O vaqueiro Riduardo, vaqueiro próprio, com os filhos: Riduardinho e Justo, vaqueiros também. O velho Rocha Surubim, a mulher dele dona Lelena, e os filhos casados, que eram três, dois deles tinham trazido as mulheres, da Vereda do Bugre. E ainda chegavam outros. Até dois homens sem conhecimento nenhum, homens de fora, que andavam comprando bezerros. Muitas mulheres, uma meninada. Desdormido, estonteado, desinteirado de si, no costume que começava a ter de ter, de sofrer, Miguilim sempre ficava em todo o caso triste-contente, de que tanta gente ali estivesse, todos por causa do Dito, para honrar o Dito, e os homens iam carregar o Dito, a pé, quase um dia inteiro de viagem — iam "ganhar dia", diziam — mò de enterrar no cemiteriozinho de pedras, para diante da vereda do Terentém.

— "E Tio Terêz?" — uma hora ele perguntou ao vaqueiro Jé, longe dos outros. Mas foi o vaqueiro Salúz quem mais tarde deu resposta: — "Tio Terêz não sabe, Miguilim: ele está longe, está levantando gado nos Gerais da Bahia..."

Tinham de sair cedo, por forma que precisavam de caminhar muito, e estavam comendo farofa de carne, com mandioca cozida, todos bebendo café e cachaça. Vaqueiro Salúz matou o porquinho melhor, porque a carne seca não chegava, e Mãitina, na cozinha, não esbarrava de bater paçoca no pilão — aquele surdo rumor. Careciam também de levar, para o caminho, um garrafão de cachaça. A Rosa ia catar flores, trazia, logo ia buscar mais, chorosa, achava que nunca que bastavam. Mãe chorava devagarinho, ajoelhada, mas o tempo passando; os bonitos cabelos tapavam a cara dela. E Vovó Izidra fungava, andando para baixo e para cima, com ela mesma era que ralhava.

Os enxadeiros tinham ido cortar varas do mato, uma vara grande de pindaíba, e Pai desenrolou a redezinha de buriti. Mas aí Mãe exclamou que não, que queria o filhinho dela no lençol de alvura. Então embrulharam o Dito na colcha de chita, enfeitaram com alecrins, e amarraram dependurado na vara comprida. Pai pegou numa ponta da vara, seo Braz do Bião segurou na outra, todos os homens foram saindo. Miguilim deu um grito, acordado demais. Vovó Izidra rezava alto, foi o derradeiro homem sair e ela fechou a porta. E sojigou Miguilim debaixo de sua tristeza.

Todos os dias que depois vieram, eram tempo de doer. Miguilim tinha sido arrancado de uma porção de coisas, e estava no mesmo lugar. Quando chegava o poder de chorar, era até bom — enquanto estava chorando, parecia que a alma toda se sacudia, misturando ao vivo todas as lembranças, as mais novas e as muito antigas. Mas, no mais das horas, ele estava cansado. Cansado e como que assustado. Sufocado. Ele não era ele mesmo. Diante dele, as pessôas, as coisas, perdiam o peso de ser. Os lugares, o Mutúm — se esvaziavam, numa ligeireza, vagarosos. E Miguilim mesmo se achava diferente de todos. Ao vago, dava a mesma idéia de uma vez, em que, muito pequeno, tinha dormido de dia, fora de seu costume — quando acordou, sentiu o existir do mundo em hora estranha, e perguntou assustado: — "Uai, Mãe, hoje já é amanhã?!"

— "Isso nem é mais estima pelo irmão morto. Isso é nervosias..." — Vovó Izidra condenava. Miguilim ouvia e fazia com os ombros. Agora ele achava que Vovó Izidra gostava de ser idiota.

Ora vez, tinha raiva. Das pessôas, não. Nem de Deus; não. Mais não sabia, de quem ou de que. Tinha raiva. Não conseguia, nem mesmo queria, se recordar do Dito vivo, relembrar o tempo em que tinham vivido juntos, conversado e brincado. Queria, isso sim, se fosse um milagre possível, que o Dito voltasse, de repente, em carne e ôsso, que a morte dele não tivesse havido, tudo voltando como antes, para outras horas, novas, novas conversas e novos brinquedos, que não tinham podido acontecer — mas devia de ter para acontecer, hoje, depois, amanhã, sempre. — "Hoje, o que era que o Dito ia dizer, se não tivesse morrido? O quê?!..." Então, chorava mais.

Mas chorava com mais terrível sentimento era quando se lembrava daquelas palavras da Mãe, abraçada com o corpo do Dito, quando o estavam pondo dentro da bacia para lavar: — "*Olha o inflamado ainda no pezinho dele... Os cabelos bonitos... O narizinho... Como era bonito o pobrezinho do meu filhinho...*" Essas exclamações não lhe saíam dos ouvidos, da cabeça, eram no meio de tudo o ponto mais fundo da dôr, ah, Mãe não devia de ter falado aquilo... Mas precisava de ouvir outra vez: — "Mãe, que foi que a senhora disse, dos cabelos, do nariz, do machucadinho no pé, quando eles estavam lavando o Ditinho?!" A mãe não se lembrava, não podia repetir as palavras certas, falara na ocasião qualquer coisa, mas, o que, já não sabia. Ele mesmo, Miguilim, nunca tinha reparado antes nos cabelos, no narizinho do Dito. Então, ia para o paiol, e chorava, chorava. Depois, repetia, alto, imitando a voz da mãe, aquelas frases. Era ele quem precisava de guardá-las, decoradas, ressofridas; se não, alguma coisa de muito grave e necessária para sempre se perdia. — "Mãe, o que foi que naquela hora a senhora sentiu? O que foi que a senhora sentiu?!..."

E precisava de perguntar a outras pessôas — o que pensavam do Dito, o que achavam dele, de tudo por junto; e de que coisas acontecidas se lembravam mais. Mas todos, de Tomezinho e Chica a Luisaltino e Vovó Izidra, mesmo estando tristes, como estavam, só respondiam com lisice de assuntos, bobagens que o coração não consabe. Só a Rosa parecia capaz de compreender no meio do sentir, mas um sentimento sabido e um compreendido adivinhado. Porque o que Miguilim queria era assim como algum sinal do *Dito morto* ainda no *Dito vivo*, ou do *Dito vivo* mesmo no *Dito morto*. Só a Rosa foi quem uma vez disse que o Dito era uma alminha que via o Céu por detrás do morro, e que por isso estava marcado para não ficar muito tempo mais aqui. E disse que o Dito falava com cada pessôa como se ela fosse uma, diferente; mas que gostava de todas, como se todas fossem iguais. E disse que o Dito nunca tinha mudado, enquanto em vida, e por isso, se a gente tivesse um retratinho dele, podia se ver como os traços do retrato agora mudavam. Mas ela já tinha perguntado, ninguém não tinha um retratinho do Dito. E disse que o Dito parecia uma pessôinha velha, muito velha em nova.

Miguilim se agarrou com a Rosa, em pranto de alívio; aquela era a primeira vez que ele abraçava a Rosa. Mas a galinha choca vinha passando, com seus pintinhos, a Rosa mostrou-a a Miguilim. — "Uai, é a Pintadinha, Rosa? A Pintadinha também já tirou os pintos?" "— Mas já faz tanto tempo, Miguilim. Foi naqueles dias..." "— Que jeito que eu não vi?!" "— Pois que você mesmo quis ver só foi a Pintinha-Amarela, Miguilim, por causa que ela tinha as três perdizinhas..."

Depois ele conversou com Mãitina. Mãitina era uma mulher muito imaginada, muito de constâncias. Ela prezava a bondade do Dito, ensinou que ele vinha em sonhos, acenava para a gente, aceitava louvor. Sempre que se precisava, Mãitina era pessôa para qualquer hora falar no Dito e por ele começar a chorar, junto com Miguilim. O que eles dois fizeram, foi ela quem primeiro pensou. Escondido, escolheram um recanto, debaixo do jenipapeiro, ali abriram um buraco, cova pequena. De em de, camisinha e calça do Dito furtaram, para enterrar, com brinquedos dele. Mas Mãitina foi remexer em seus guardados, trouxe uns trens: boneco de barro, boneco de pau, penas pretas e brancas, pedrinhas amarradas com embira fina; e tinha mais uma coisa. — "Que que é isso, Mãitina?" "— Tomé me deu. Tomé me deu..." Era a figura de jornal, que Miguilim do Sucurijú aportara, que Mãe tomou da Chica e rasgou, Mãitina salvara de colar com grude os rasgados, num caco de gamela. Miguilim tinha todas as lágrimas nos olhos. Tudo se enterrou, reunido com as coisinhas do Dito. Retaparam com a terra, depois foram buscar as pedrinhas lavadas do riacho, que cravaram no chão, apertadas, remarcando o lugar; ficou semelhando um ladrilhado redondo. Era mesma coisa se o Dito estivesse depositado ali, e não no cemiteriozinho longe, no Terentém. Só os dois conheciam o que era aquilo. Quando chovia, eles vinham olhar; se a chuva era triste, entristeciam. E Miguilim furtava cachaça para Mãitina.

E um dia, então, de repente, quando ninguém mais não mandava nem ensinava, o Papaco-o-Paco gritou: — *"Dito, Expedito! Dito, Expedito!"* Exaltado com essa satisfação: ele tinha levado tempo tão durado, sozinho em sua cabeça, para se acostumar de aprender a produzir aquilo. Miguilim não soube o rumo nenhum do que estava sentindo. Todos ralhavam com Papaco-o-Paco, para ele tornar a se esquecer depressa do que tanto estava gritando. E outras coisas desentendidas, que o Papaco-o-Paco sempre experimentava baixo para si, aquele grol, Miguilim agora às vezes duvidava que vontade fossem de um querer dizer. Aí, Miguilim quis ir até lá na subida para a Laje da Ventação, saber as corujas-batuqueiras; não tinha medo dos espinhos de cobra. Mas o entrar do cupim estava sem dono. — "Coruja se mudou: estão num buraco de tatú, naquela grota..." — o vaqueiro Salúz estava explicando, tinha achado, deviam de ser as mesmas. Mas lá na grota Miguilim não queria ir espiar. Nem queria ouvir os berros da vaca Acabrita e da vaca Dabradiça.

Nem inventar mais estórias. Nem ver, quando ele retornou, o luar da lua-cheia.

— "Diacho, de menino, carece de trabalhar, fazer alguma coisa, é disso que carece!" — o Pai falava, que redobrava: xingando e nem olhando Miguilim. Mãe o defendia, vagarosa, dizia que ele tinha muito sentimento. — "Uma pôia!" — o Pai desabusava mais. — "O que ele quer é sempre ser mais do que nós, é um menino que despreza os outros e se dá muitos penachos. Mais bem que já tem prazo para ajudar em coisa que sirva, e calejar os dedos, endurecer casco na sola dos pés, engrossar esse corpo!" Devagarzinho assim, só suspiro, Mãe calava a boca. E Vovó Izidra secundava, porque achava que, ele Miguilim solto em si, ainda podia ficar prejudicado da mente do juízo.

Daí por diante, não deixavam o Miguilim parar quieto. Tinha de ir debulhar milho no paiol, capinar canteiro de horta, buscar cavalo no pasto, tirar cisco nas grades de madeira do rego. Mas Miguilim queria trabalhar, mesmo. O que ele tinha pensado, agora, era que devia copiar de ser igual como o Dito.

Mas não sabia imitar o Dito, não tinha poder. O que ele estava — todos diziam — era ficando sem-vergonha. Comia muito, se empanzinava, queria deitar no chão, depois do almoço. — "Levanta, Miguilim! Vai catar gravetos para a Rosa!" Lá ia Miguilim, retardoso; tinha medo de cobra. Medo de morrer, tinha; mesmo a vida sendo triste. Só que não recebia mais medo das pessôas. Tudo era bobagem, o que acontecia e o que não acontecia, assim como o Dito tinha morrido, tudo de repente se acabava em nada. Remancheava. E ele mesmo achava que não gostava mais de ninguém, estirava uma raiva quieta de todos. Do Pai, principal. Mas não era o Pai quem mais primeiro tinha ódio dele Miguilim? Era só avistar Miguilim, e ele já bramava: — "Mão te tenha, cachorrinho! Enxerido... Carapuçudo...” Derradeiro, o Pai judiava mesmo com todo o mundo. Ralhava com Mãe, coisas de vexame: — “Nhanina quer é empobrecer ligeiro o final da gente: com tanto açúcar que gasta, só fazendo porcaria de dôces e comidas de luxo!” O dôce a Mãe fazia era porque os meninos e ele Miguilim gostavam. Então, mesmo, Vovó Izidra um dia tinha resmungado, Miguilim bem que ouviu: — “Esse Bero tem ôsso no coração...” Miguilim mal queria pensar. Não tinha certeza se estava tendo raiva do Pai para toda a vida.

Pai encabou uma enxada pequena. — “Amanhã, amanhã, este menino vai ajudar, na roça.” Nem triste nem alegre, lá foi Miguilim, de manhã, junto com Pai e Luisaltino. — “Teu eito é aqui. Capina.” Miguilim abaixava a cabeça e pelejava. Pai nunca falava com ele, e Miguilim preferia cumprir calado o desgosto, e aguentar o cansaço, mesmo quando não estava podendo. Sempre a gente podia, desde que não se queixasse. Pai conversava com Luisaltino, esbarravam para pitar, caçoavam. Luisaltino era bonzinho, tinha pena dele: — “Agora, Miguilim, desiste um pouco da tirana. Você está vermelho, camisinha está empapada...” Daí todos ficavam trabalhando com o corpo por metade nú, só de calças, as costas escorregavam de suor de sol, nos movimentos. Descalço, os pés de Miguilim sobravam cheios de espinhos. E com aquele calor a gente necessitava de beber água toda hora, a água da lata era quente, quente, não matava direito a sede. Sol a sol — de tardinha voltavam, o corpo de Miguilim doía, todo moído, torrado. Vinha com uma coisa fechada na mão. — “Que é isso, menino, que você está escondendo?” “— É a joaninha, Pai.” “— Que joaninha?” Era o besourinho bonito, pingadinho de vermelho. “— Já se viu?! Tu há de ficar toda-a-vida bobo, ô panasco?!” — o Pai arreliou. E no mais ralhava sempre, porque Miguilim não enxergava onde pisasse, vivia escorregando e tropeçando, esbarrando, quase caindo nos buracos: — "Pitosga..."

Vez em quando, seo Deográcias aparecia lá na roça. Ficava de cócoras, queria conversar com o Pai, e dava pena, de tão destruído arruinado que estava. Só falava coisas tristes; Pai dizia depois a Luisaltino que ele caceteava. — "Pois é, Miguilim, e você que perdeu quase de junto de uma vez os dois tão seus amigos: o Dito e o Patorí..." E fundo suspirava. — "Pois é, seo Nhô Berno, isto aqui vai acabar, vai acabar... Não tem recursos, não tem proteção do alto, é só trabalho e doenças, ruindades ignorâncias... De primeiro, eu mesmo pensei de poder ajudar a promover alguma melhora, mesmo pouca. Ah, pensei isso, mas foi nos ocos da cabeça! Agora... O que eu sei, o que há, é o mundo por se acabar..." Seo Deográcias se sentava no chão e cochilava. Depois dizia que o Patorí era um menino de bom coração, que levantava cedinho e para ele coava café, gostava de auxiliar em muita coisa... Seo Deográcias recochilava, tornava a acordar: — "Ah, seo Nhô Berno Caz, o que falta é o que sei, o que sei. É o dindinheiro... é o dindinheiro..."

Miguilim dormia no mesmo catre, sozinho. Mas uma noite o gato Sossõe apareceu, deitado no lugar que tinha sido do Dito, no canto, aqueles olhos verdes no escuro silenciando demais, ele tão bonito, tão quieto. Na outra noite ele não vinha, Miguilim mesmo o foi buscar, no borralho. Daí, o gato Sossõe já estava aprendendo a vir sempre, mas Tomezinho acusou, e Pai jurou com raiva, não dava licença daquilo. Miguilim já estava acostumado a dormir sozinho sem ninguém, ocupava o catre inteiro, se alargava, podia abrir bem as pernas e os braços. Pensava. Ficava acordado muito tempo, escutava a tutuca dos jenipapos maduros caindo de supetão e se achatando, cheios, no chão da árvore. Se lembrava do Patorí. O que seo Deográcias tinha falado. Então, ele Miguilim era amigo do Patorí também, e nem não tinha sabido? Como podia ser? Procurava, procurava, nas distâncias, nos escuros da cabeça, ia se lembrando, ia achando. Se lembrava de umas vezes em que o Patorí não estava maldoso. O Patorí tocava berimbau, um berimbau de fibra de buriti, tocava com o dedo, era bonito, tristinho. Ou, então, outras ocasiões, o Patorí fazia de conta que era toda qualidade de bicho. — "Agora, o que é que você quer, Miguilim?" "— Cavalo!" "— Cavalo, cavalo, cavalo? É assim: ...*Rinhinhim, rinhinhim, rinhinhim...*" E batia com o pé no chão, de patada, aquele pé comprido, branquelo, que os dedos podiam segurar lama no chão e jogar longe. — "E agora, Miguilim?" "— Agora é pato!" "— Pato branco, pato preto, pato marreco, pato choco? É assim: ...*Quépo, quépo, quépo...*" "— Sariema! Agora é sariema!" "— Xô! Sariema no cerrado é assim: ...*Káu! Káu! Káukáukáufkáuf...*" Miguilim ria de em barriga não caber, e o Patorí sério falava: — "Miguilim, Miguilim, a vida é assim..." Era divertido.

No Dito, pensava sempre. Mas, mesmo quando não estava pensando conseguido, dentro dele parava uma tristeza: tristeza calada, completa, comum das coisas quando as pessôas foram embora. — "Você está ficando homem, Miguilim..." — falava o vaqueiro Salúz. Vaqueiro Salúz tinha mandado comprar um chapéu-de-couro novo, formoso, e vendeu o velho para o vaqueiro Jé.

No dia em que o Luisaltino não foi trabalhar na roça — disse que estava perrengue — Pai teve uma hora em que quis conversar com Miguilim. Drelina, a Chica e Tomezinho tinham trazido o almoço e voltaram para casa. Pai fez um cigarro, e falou do feijão-das-águas, e de quantos carros de milho que podia vender para seo Braz do Bião. Perguntou. Mas Miguilim não sabia responder, não achou jeito, cabeça dele não dava para esses assuntos. Pai fechou a cara. Depois Pai disse: — "Vigia, Miguilim: ali!" Miguilim olhou e não respondeu. Não estava vendo. Era uma plantação brotando da terra, lá adiante; mas direito ele não estava enxergando. Pai calou a boca, muitas vezes. Mas, de noite, em casa, mesmo na frente de Miguilim, Pai disse a Mãe que ele não prestava, que menino bom era o Dito, que Deus tinha levado para si, era muito melhor tivesse levado Miguilim em vez d'o Dito.

No seguinte, sem ninguém esperar, chegou o mano Liovaldo, com tio Osmundo Cessim, da Vila Risonha. Foi tanta alegria e surpresa, de Mãe, Pai, e de todos, que ninguém não ia trabalhar na roça. Eles vinham passar quinze dias, por visitar, pois tinham ficado sabendo da morte do Dito. Tio Osmundo Cessim trouxe um pano de roupa para Mãe, um facão novo para Pai, uma roupinha para cada um dos meninos. Trouxe pão, também, que dava para todos; e bacalhau; e um rosário de contas roxas, para Vovó Izidra. Tio Osmundo tinha bons cavalos, alforges vistosos, e uma mala de carregar à frente da sela, o couro da mala cheirava muito gostoso. Ele era um homem apessoado, com barba e bigode. Perguntava de tudo. Sabia muitas coisas. Dizia que aquele lugar ali de primeiro se chamava era Urumutúm, depois mudou se chamando Mutúm, mais tarde ainda outros nomes diferentes podia ter. A gente avistava tio Osmundo, sentia espécie de esperança. Mas ele logo não gostou de Miguilim, não gostava, dizia só: — "Este um está antipático..." E mexia com os beiços, sacudia a cara, aquela cara azulosa, desprazida, que o diabo deu a ele.

Mano Liovaldo tinha uma gaitinha, que tocava na boca. Emprestou a gaitinha a Miguilim, mas um instante só, Miguilim tinha jeito nenhum para aprender a tocar — ele disse. Daí quis ver todos os brinquedos, foi especular no fundo da horta. Buliu nos anzóis, até nos de Pai. Disse que quando fosse embora ia levar o Papaco-o-Paco para ele. Depois sentou no cocho do curral e todo tempo tocava na gaitinha, queria todo-o-mundo em redor dele.

Nos outros dias, Miguilim não restou em folga de brincar com o Liovaldo, porque para a roça cedinho saía. O Liovaldo recebia cavalo selado e ia brincar de campear, com o vaqueiro Jé ou com o vaqueiro Salúz. Mesmo quando não tinha serviço de roça, Pai mandava Miguilim ir buscar lenha, com o rapazinho Acúrcio, filho dum enxadeiro, queria lenha muita, eles puxavam os dois burros velhos. Depois, como sobrava muito leite, Pai mandou que todo dia Miguilim fosse levar as latas cheias até no Bugre, onde na ocasião não estavam costeando. Mãe não queria, disse que Miguilim para ir assim solitário ainda era muito pequeno; mas Pai teimou, disse que outros, mais menores, viajavam até mais longe, experimentou se Miguilim não sabia ver quando a barrigueira do cavalo estava frouxa, e se não era capaz sozinho de a apertar.

Miguilim montava no cavalo, com cangalha, punha as pernas para a frente. Era duro, não tinha coxim nenhum — o mesmo que estivesse sentado num pedaço de pau. Mas o vaqueiro Jé ensinou a botar capim em riba da cangalha, e Luisaltino emprestou uma pele de ovelha para pôr em cima do capim, de triliz. Melhorava. Pai prendia uma lata de leite de cada lado, grande. Miguilim tomava a benção e saía. O leite ia batendo, chuá, chuá, chuá, aquele barulhinho. O cavalo não podia trotar, ia a passo. Se corresse, o leite espirrava fora. A viagem enfarava. Era légua e quarto, Miguilim tinha sono. Às vezes vinha dormindo em cima do cavalo. Por tudo, tinha perdido mesmo o gosto e o fácil poder de inventar estórias. Mas, meio acordado, meio dormindo, pensava no Dito, sim.

Agora o pior era quando já estava quase chegando, logo que passava a ponte do Bugre, tinha as casas de uns meninos malignos, à beira do cerrado — o pai de um deles mesmo não gostava do pai de Miguilim — esses já esperavam ele passar, para jogarem pedradas, jogavam pedras e insultavam. Miguilim nada podia fazer: só, na hora de ir chegando lá, ele armava um galopão, avivava o cavalo. As latas sacudiam, esperdiçavam leite, depois Pai sabia e ia castigar Miguilim.

Na volta, em hora que ele estava mais tristonho e infeliz, foi-se lembrando de uma daquelas coisas que às vezes o Dito falava: — "Os outros têm uma espécie de cachorro farejador, dentro de cada um, eles mesmos não sabem. Isso feito um cachorro, que eles têm dentro deles, é que fareja, todo o tempo, se a gente por dentro da gente está mole, está sujo ou está ruim, ou errado... As pessôas, mesmas, não sabem. Mas, então, elas ficam assim com uma precisão de judiar com a gente..." "— Mas, então, Dito, a gente mesmo é que tem culpa de tudo, de tudo que padece?!" "— É." O Dito falava, depois ele mesmo se esquecia do que tinha falado; ele era como as outras pessôas. Mas Miguilim nunca se esquecia. Ah, o Dito não devia de ter morrido!

De onde era que o Dito descobria a verdade dessas coisas? Ele estava quieto, pensando noutros assuntos de conversa, e de repente falava aquilo. — "De mesmo, de tudo, essa idéia consegue chegar em sua cabeça, Dito?" Ele respondia que não. Que ele já sabia, mas não sabia antes que sabia. Como a respeito de se fazer promessa. O Dito tinha falado que em vez d'a gente só fazer promessa aos santos quando se estava em algum aperto, para cumprir o pagamento dela depois que tivesse sido atendido, ele achava que a gente podia fazer promessa e cumprir, *antes*, e mesmo nem não precisava d'a gente saber para que ia servir o pagamento dessa promessa, que assim se estava fazendo... Mas a gente marcava e cumpria, e alguma coisa bôa acontecia, ou alguma coisa ruim que estava para vir não vinha! Aquilo que o Dito tinha falado era bom, era bonito. Só de se lembrar, Miguilim ia levantando a cabeça e respirando mais, já começava a ficar animoso. Um dia, quando estivesse disposto, ele ia experimentar, ia executar uma promessa assim, no escuro, nas claridades. Agora, por enquanto, não. Agora ele estava sempre cansado, nem rezava quase. Mas, a promessa, ainda fazia! Por conta dos meninos da ponte do Bugre, não, nem não era preciso. Não carecia. Para aqueles, um dia ele trazia a faquinha, que ia ganhar do Luisaltino, então apeava do cavalo, de faquinha na mão, crescia para os meninos, eles se espantavam e corriam. Mas fazia a promessa era por conta de Pai. Por conta de Pai não gostar dele, ter tanto ódio dele, aquilo que nem não estava certo.

Quando Miguilim chegava em casa, Drelina ou Mãe punham o prato de comida para ele, na mêsa, o feijão, arroz, couve, às vezes tinha torresmos, às vezes tinha carne-seca, tinha batata-dôce, mandioca, ele mexia o feijão misturando com farinha-de-milho, ia comendo, sentado no banco, queria parecer o homenzinho sério, por fatigado. O Liovaldo então vinha querer conversar.

O Liovaldo era malino. Vinha com aquelas mesmas conversas do Patorí, mas mesmo piores. —"Miguilim, você precisa de mostrar sua pombinha à Rosa, à Maria Pretinha, quando não tiver ninguém perto..." Miguilim não respondia. Então o Liovaldo dizia um feitiço que sabia, para fazer qualquer mulher ou menina consentir: que era só a gente apanhar um tiquinho de terra molhada com a urina dela, e prender numa cabacinha, junto com três formigas-cabeçudas. Miguilim se enraivecia, de nada não dizer. Mesmo o Liovaldo sendo maior do que ele, ele achava que o Liovaldo era abobado, demais. Perto do Liovaldo,

Miguilim nem queria conversar com a Rosa, com o vaqueiro Salúz, com pessôa nenhuma, nem brincar com Tomezinho e a Chica, porque o Liovaldo, só de estar em presença, parecia que estragava o costume da gente com as outras pessôas. Mas então o Liovaldo ainda ficava mais querendo a companhia dele.

E foi que uma vez ia passando o Grivo, carregando dois patos, peados com embira, disse que ia levando para vender no Tipã. O dia estava muito quente, os patos chiavam com sede, o Grivo esbarrou para escutar a gaitinha do Liovaldo — ele nunca tinha avistado aquilo — e aproveitou, punha os patos para beber água num pocinho sobrado da chuva. Aí o Liovaldo começou a debochar, daí cuspiu no Grivo, deu com o pé nos patos, e deu dois tapas no Grivo. O Grivo ficou com raiva, quis não deixar bater, mas o Liovaldo jogou o Grivo no chão, e ainda bateu mais. O Grivo então começou a chorar, dizendo que o Liovaldo estava judiando dele e da criação que ele ia levando para vender.

O ódio de Miguilim foi tanto, que ele mesmo não sabia o que era, quando pulou no Liovaldo. Mesmo menor, ele derrubou o Liovaldo, esfregou na terra, podia derrubar sessenta vezes! E esmurrou, esmurrou, batia no Liovaldo de todo jeito, dum tempo só até batia e mordia. Matava um cão?! O Liovaldo, quando pôde, chorava e gritava, disse depois que o Miguilim parecia o demo.

Era dia-de-domingo, Pai estava lá, veio correndo. Pegou o Miguilim, e o levou para casa, debaixo de pancadas. Levou para o alpendre. Bateu de mão, depois resolveu: tirou a roupa toda de Miguilim e começou a bater com a correia da cintura. Batia e xingava, mordia a ponta da língua, enrolada, se comprazia. Batia tanto, que Mãe, Drelina e a Chica, a Rosa, Tomezinho, e até Vovó Izidra, choravam, pediam que não desse mais, que já chegava. Batia. Batia, mas Miguilim não chorava. Não chorava, porque estava com um pensamento: quando ele crescesse, matava Pai. Estava pensando de que jeito era que ia matar Pai, e então começou até a rir. Aí, Pai esbarrou de bater, espantado: como tinha batido na cabeça também, pensou que Miguilim podia estar ficando dôido.

— "Raio de menino indicado, cachôrro ruim! Eu queria era poder um dia abençoar teus calcanhares e tua nuca!..." — ainda gritou. Soltou Miguilim, e Miguilim caíu no chão. Também não se importou, nem queria se levantar mais.

E Miguilim chorou foi lá dentro de casa, quando Mãe estava lavando com água-com-sal os lugares machucados em seu corpo. — "Mas, meu filhinho, Miguilim, você, por causa de um estranho, você agride um irmão seu, um parente?" "— Bato! Bato é no que é o pior, no maldoso!" Bufava. Agora ele sabia, de toda certeza: Pai tinha raiva com ele, mas Pai não prestava. A Mãe o olhava com aqueles tristes e bonitos olhos. Mas Miguilim também não gostava mais da Mãe. Mãe sofria junto com ele, mas era mole — não punia em defesa, não brigava até ao fim por conta dele, que era fraco e menino, Pai podia judiar quanto queria. Mãe gostava era do Luisaltino... Mas até parece que ela adivinhava o pensamento de Miguilim, tanto que falava: — "Perdôa o teu Pai, que ele trabalha demais, Miguilim, para a gente poder sair de debaixo da pobreza..." Mas Miguilim não queria chorar mais. Podiam matar, se quisessem, mas ele não queria ter mais medo de ninguém, de jeito nenhum. Demais! Assoou o nariz. — "Pai é homem jagunço de mau. Pai não presta." Foi o que ele disse, com todo desprezo.

No outro dia, Mãe mandou o vaqueiro Salúz levar Miguilim junto com ele, no campeio. Era para Miguilim ficar três dias morando em casa do vaqueiro Salúz, enquanto Pai estivesse raivável. Miguilim queria ir. Só pediu à Rosa que não se esquecesse de tratar bem dos passarinhos. Dúvida que tinha, e vergonha, era uma: depois de tendo visto o Pai o tratar desmerecido assim, judiando e esmoralizando, o vaqueiro Salúz não ia também mermar com ele toda estima de respeito, e lidar às grossas, desfeiteado, desdenhado?

Mas foi tudo bom. O vaqueiro Jé veio também, até certo ponto, depois se apartava da gente, dando adeus. Miguilim montava no Cidrão, vaqueiro Salúz montava no Papavento. Beiravam as veredas, verdinhas, o buritizal brilhante. Buritis tão altos. As araras comiam os cocos, elas diligenciavam. O vaqueiro Salúz cantava:

"*Meu cavalo tem topete,*
topete tem meu cavalo.
No ano da seca dura,
mandioca torce no ralo..."

Do brejo voavam os arirís, em bandos, gritavam: — *arirí, arirí!* Depois, começava o mato. — "E estes, Salúz?" "— Estes são os grilos que piam de dia." Miguilim respirava forte. — "Ei, Miguilim, vai tornar a chover: o sabiazinho-pardo está cantando muito, invocando. Vigia ele ali!" "— Adonde? Não estou enxergando..." "— Mas, olha, ali mesmo! Mesmo mais menor do que um joão-de-barro. Ele é pássaro de beira de corgo..." E vaqueiro Salúz também cantava:

"*Quem quiser saber meu nome*
carece perguntar não:
eu me chamo lenha seca,
carvão de barbatimão..."

Mas entravam a pasto a fora, podia se cantar não, não espantar o gado bravo. A gente tinha de não ser estouvado. Avançando devagarinho, macio, levando os cavalos de môita em môita, pisavam o fofo capim, gafanhotos pulavam. Carecia de se ir em rumo da casa do vento. — "Salúz, a gente não aboia? Você não toca o berrante?" "— Hoje não, Miguilim, senão eles pensam vão ganhar sal..." Passavam os periquitos, aquela gritaria, bando, bando. Vaqueiro Salúz tinha de ver se havia reses doentes, machucadas, com bicheira. Boi morto, boca de cobra. Ervados. — "Estou visitando eles... Olha, Miguilim, bezerro da Brindada é danadinho, tudo quanto há ele come! Come cabresto, sedenho... Ele aprendeu a se encostar na cerca, de noite, mamava que mamava. De manhã, a Brindada tinha leite nenhum. A gente custou a descobrir essa manha..." Miguilim apeou para verter água, debaixo de um pau-terrinha. Gavião e urubú arrastavam sombras. Vez em quando a gente ouvia também um gró de papagaio. O cerrado estava cheio de pássaros. No alto da maria-pobre, um não cantava, outro no ramo passeava reto, em quanto cabia: era a alma-de-gato, que vive em visgo de verdes árvores. Salúz e Miguilim saíam num furado, já se escutava o a-surdo de boi. — "Miguilim, pois então aboia, vou mesmo fazer uma coisa só para você ver como é..." Aí, enquanto Miguilim aboiava, o vaqueiro Salúz desdependurou o berrante de tiracol, e tocou. A de ver: — "Eh cô!..." "*Huuu... huuu...*" — e a boiada mexe nos capões de mato.

Rebentava aquele barulho vivo de rumor, um estremecimento ranzia, zunindo — *brrrr, brrrr* — depois um chuá enorme, parecia golpes de bichos dentro d'água. O gado vinha, de perto e de longe, vinham todos os mansos, bois, vacas, garrotes, correndo, os bezerrinhos alegres espinoteando, saíam raspando môitas, quebrando galhos, vinham; e uns berravam. Bruto que os bravos fugiam, a essa hora, numas distâncias. Quantidade! Mas o vaqueiro Salúz ainda achava pouco: — "Um vê, Miguilim, é boiadão grande: o chão treme! Mas isto aqui é uma boiadinha alheia..." Perto deles, bezerrinho preto abria os beiços, quase ria — banguelo; esse levantava o rabinho e com ele, por cima, dava uma laçada. Mais perto, pertinho, um novilho branco comia as folhas do cabo-verde-do-campo — aquela moita enorme, coberta de flores amarelas. E o sol batia nas flores e no garrote, que estava outro amarelo de alumiado. — "Miguilim, isto é o Gerais! Não é bom?" "— Mas o mais bonito que tem mesmo no mundo é boi; é não, Salúz?" "— É sim, Miguilim."

Que pena que tivessem de voltar, mas de uma banda do céu já tinha armação de chuva. Passarinho maria-branca piava: — *Birr! Birr!* O vaqueiro Salúz cortou um cacho de banana-caturra. A casa dele era pequena, toda de buriti. Vaqueiro Salúz, no entrar lá dentro, também era outro, mais dono, nos modos, na fala. Miguilim brincou com aquele menino Bustica, tão bobinho — ele fazia tudo que a gente mandava. Dormiu no mesmo jirau com aquele menino Bustica, o jirau não tinha roupa-de-cama: só pano de sacos, que Siàrlinda uns nos outros costurava; e fedia a mijo não, aquele menino Bustica nem não urinava na cama, só ameaçava. Siàrlinda era tão boa, ela cozinhou canjica com leite e queijo, para Miguilim. O vaqueiro Jé de tardinha passou por lá, comeu canjica também. O vaqueiro Jé disse para não deixarem os meninos sair de perto de casa, porque tinha aparecido uma onça muito grande nos matos do Mutúm, que era pintada, onça comedeira, que rondeava de noite por muitas veredas; e o rastro dela estava estando em toda a parte. Depois o vaqueiro Jé contou que daí a uns meses a Maria Pretinha ia ter menino. Vaqueiro Salúz riu e falou assim: — "A modo e coisa que eu cá sou rôxo, e a Siàrlinda é roxa, Bustiquinha então deu o dado. Mas você, Jé, mais a Maria Pretinha, eu acho que o bezerrim é capaz de ser baetão, mouro ou chumbado..." E todos riram tudo.

Naqueles três dias, Miguilim desprezou qualquer saudade. Ele não queria gostar mais de pessôa nenhuma de casa, afora Mãitina e a Rosa. Só podia apreciar os outros, os estranhos; dos parentes, precisava de ter um enfaro de todos, juntos, todos pertencidos. Mesmo de Tomezinho; Tomezinho era muito diferente do Dito. Também não estava desejando se lembrar daqueles assuntos, dos conselhos do Dito. Um dia ele ia crescer, então todos com ele haviam de comer ferro. E mesmo agora não ia ter medo, ah, isso! Mexessem, fosse quem fosse, e mandava todo-o-mundo àquela parte, cantava o nome-da-mãe; e pronto. Quando teve de voltar, vinha pensando assim.

Chegou, e não falou nada. Não tomou a benção. Pai estava lá. — "O que é que este menino xixilado está pensando? Tu toma a benção?!" Tomou a benção, baixinho, surdo. Ficava olhando para o chão. Pai já estava encostado nele, como um boi bravo. Miguilim desquis de estremecer, ficou em pau, como estava. Já tinha resolvido: Pai ia bater, ele aguentava, não chorava, Pai batia até matar. Mas, na hora de morrer, ele rogava praga sentida. Aí Pai ia ver o que acontecia. Todos se chegaram para perto, até o tio Osmundo Cessim, Miguilim esperava. Duro.

Mas Pai não bateu em Miguilim. O que ele fez foi sair, foi pegar as gaiolas, uma por uma, abrindo, soltando embora os passarinhos, os passarinhos de Miguilim, depois pisava nas gaiolas e espedaçava. Todo o mundo calado. Miguilim não arredou do lugar. Pai tinha soltado os passarinhos todos, até o casalzinho de tico-ticos-reis que Miguilim pegara sozinho, por idéia dele mesmo, com peneira, na porta-da-cozinha, uma vez. Miguilim ainda esperou para ver se Pai vinha contra ele recomeçado. Mas não veio. Então Miguilim saíu. Foi ao fundo da horta, onde tinha um brinquedo de rodinha-d'água — sentou o pé, rebentou. Foi no cajueiro, onde estavam pendurados os alçapões de pegar passarinhos, e quebrou com todos. Depois veio, ajuntou os brinquedos que tinha, todas as coisas guardadas — os tentos de olho-de-boi e maria-preta, a pedra de cristal preto, uma carretilha de cisterna, um besouro verde com chifres, outro grande, dourado, uma folha de mica tigrada, a garrafinha vazia, o couro de cobra-pinima, a caixinha de madeira de cedro, a tesourinha quebrada, os carretéis, a caixa de papelão, os barbantes, o pedaço de chumbo, e outras coisas, que nem quis espiar — e jogou tudo fora, no terreiro. E então foi para o paiol. Queria ter mais raiva. Mas o que não lhe deixava a idéia era o casal de tico-ticos-reis, o macho tão altaneirozinho bonito — upupava aquele topete vermelho, todo, quando ia cantar. Miguilim tinha inventado de pôr a peneira meia em pé, encostada num toquinho de pau, amostrara arroz por debaixo, e pôde ficar de longe, segurando a pontinha de embira que estava lá amarrada no toquinho de pau, tico-tico-rei veio comer arroz, coração de Miguilim também, também, ele tinha puxado a embira... Agora, chorava.

O Liovaldo apareceu. Tinha mesmo de olhar assim, feito se ele Miguilim fosse algum bicho. — "Uê, hem, malcriado? Você queria poder com o Pai?!" Miguilim fechou os olhos. — "Olha aqui, só falta o tiquinho de barro urinado..." O Liovaldo estava com uma cabacinha, dentro dela já tinha botado as formigas-cabeçudas? Miguilim não tinha nada com aquilo, o Liovaldo podia obrar o que quisesse. O Liovaldo ria por metades, parecia o capêta. — "Se você for fazer isso com a Chica ou Drelina, eu conto Mãe!" — Miguilim miou. Tinha-se levantado. De repente ele agarrou a cabacinha da mão do Liovaldo, tacou longe, no chão, foi pisou em cima, espatifou. Miguilim tinha as tempestades. — "Não era pra Drelina e Chica, não, era para Maria Pretinha, burro!" E o Liovaldo defastou, não aguentava encarar Miguilim, cismado. — "Quero mexida com doido não, você dá acesso..." Foi saindo. Em tudo ele mentia.

Depois do jantar, tio Osmundo Cessim tirou uma pratinha de dinheiro da algibeira e quis dar a Miguilim. Mas Miguilim sacudiu a cabeça, disse que não carecia. Jeito nenhum não aceitou. E aí o tio Osmundo Cessim falou meio-baixo para o Pai: — "Seo Bero, seu filho tem coisa de fôgo. Este um não vai envergonhar ninguém, não..." Mãe olhou Miguilim, prazida. Pai escutou, e o que disse não disse nada.

Felizmente, com pouco o Liovaldo tornava a ir embora, mais o tio Osmundo Cessim. Levaram no embornal duas galinhas fritadas com farofa; levaram quantidade de breu de borá, que o Grivo vendeu. O Liovaldo deu a gaitinha para Tomezinho. Mas só não pôde levar o Papaco-o-Paco, porque tio Osmundo Cessim falou que aperreava a viagem. Desde muito tempo Miguilim não senhoreava alegria tão espaçosa. Mas não era por causa de ter ficado livre do irmão. Menos por isso, que pelo pensamento forte que formou: o de uma vez poder ir também embora de casa. Não sabia quando nem como. Mas a idéia o suspendia, como um trom de consolo.

De novo, na roça, enquanto capinava, sem pressa podia ir pensando. — "De que é que você está rindo, Miguilim?" — Luisaltino perguntou. — "Estou rindo é da minhoca branca, que as formigas pegaram..." O Pai sacudia a cabeça. Miguilim pensava. Primeiro precisava de se lembrar bem de todas as coisas que o Dito ensinara. Daquele jeito de que se podia fazer promessa. Dali a mais dias, havia de começar a cumprir em adiantado uma promessa, promessa sem assunto, conforme o Dito tinha adivinhado. Promessa de rezar três terços, todo dia. Mais pesada ainda: um mês inteiro não ia comer dôce nenhum, nem fruta, nem rapadura. Nem tomar café... Só de se resolver, Miguilim parava feliz. Estava com um pouquinho de dôr-de-cabeça, o corpo não sustentava bem; mas não fazia mal: era só do sol. Tinha de assoar o nariz. — "É sangue, Miguilim, que você está botando..." Luisaltino trazia água, levava Miguilim para a sombra, ajudava-o a levantar um braço. — "É melhor você esbarrar e voltar para casa." "— Não. Eu capino." Já não estava botando sangue mais. Em quando refrescava o dia, o ar dos matos se retrasava bom, trespassava. Algum passarinho cantando: apeou naquele galho. Como um ramo de folha menor se desenha para baixo. As borboletas. Mas se carecia era de dobrar o corpo, levar os braços, gastar mais força, só prestar cautela no serviço, se não a ferramenta resvalava, torava a plantação. O relar da folha da enxada, nas pedrinhas, aqueles bichos miúdos pulando do capim, a gente avançando sempre, os pés pisando no matinho cortado. Dava o cheiro gostoso, de terra sombreada. As moças de lindos risos, na fazenda grande dos Barboz, as folhagens no chão, as frutinhas vermelhas de cheiro respingado — aquilo! — ah, então nunca ia poder ter um lugar assim, permanecia só aquele fulgorzinho na memória, e a enxada capinando, se suava, e o Pai ali tomando conta? Nunca mais. O corpo pesava, a cabeça ardendo, Miguilim nem ia poder cumprir promessa, agora ele desanimava de tudo. Doía.

De repente, no outro dia, Miguilim estava capinando, só sentia aquele mal-estar, tonteou: veio um tremor forte de frio e ele começou a vomitar. Deitou-se ali mesmo, no chão, escondendo os olhos, como um bichinho doente. — "Que é isso, Miguilim? Afrouxou?" Doença. Era uma dôr muito brava, na nuca, também. Tremura de frio não esbarrava. Luisaltino levantou-o do chão e teve de o levar para casa carregado. — "Miguilim, Miguilim, só assim, que é?" — a mãe aflita indagava. Vovó Izidra olhava-o e ia derreter o purgante. — "Mãe, que é que fizeram com o resto da roupinha do Dito?" — agora ele queria saber. — "Está guardada, Miguilim. Depois ela ainda vai servir para Tomezinho." "— Mãe, e as alpercatinhas do Dito?" "— Também, Miguilim. Agora você descansa." Miguilim tinha mesmo que descansar, perdera a força de aluir com um dedo. Suava, suava. O latido dos cachorros no pátio vinha de muito longe, junto com a conversa da Rosa na cozinha, o cló das galinhas no quintal, a correria de Tomezinho, a fala de Papaco-o-Paco, o rumorzinho das árvores. Tudo tão misturado e macio, não se sabia bem, parecia que o dia tinha outras claridades.

Depois, Miguilim nem ia conhecendo quando era dia e quando era noite. Transpirava e tremia invernos, emborcava-o aquela dôr cravável na nuca. Só prostrado. Viu grande a cara tristã de seo Deográcias. Engulia os remédios. Sofria um descochilado aborrecimento, quando o estavam pondo na bacia maior, para banho na água fria. — "A barriguinha dele está toda sarapintada de vermelhos..." — escutava Vovó Izidra dizendo. A Mãe chorava, espairecia uma brandura. Davam banho, depois o deitavam, rebuçavam bem. Todos vinham ver. Até Mãitina. Por estado de um momento, ele pensou que ia assim morrer; mas era só aquela palavra *morrer*, nem desenrolava medo, nem imaginava fim de tudo e escuro. Tanta era a bambeza. Toda hora limpavam-lhe a boca, com um paninho remolhado. A dôr na nuca mexia, se enraizando; parecia que a cabeça, a parte sã, tinha de aguentar, mas sempre rodeava aquela dôr, queria enrolar aquela dôr, feito uma água cerca um punhadão de brasas. Aguentar aquela dôr parecia um serviço. E então Miguilim viu Pai, e arregalou os olhos: não podia, jeito nenhum não podia mesmo ser. Mas era. Pai não ralhava, não estava agravado, não vinha descompor. Pai chorava, estramontado, demordia de morder os beiços. Miguilim sorriu. Pai chorou mais forte: — "Nem Deus não pode achar isto justo direito, de adoecer meus filhinhos todos um depois do outro, parece que é a gente só quem tem de purgar padecer!?" Pai gritava uma braveza toda, mas por amor dele, Miguilim. Mãe segurou no braço de Pai e levou-o embora. Mas Miguilim não alcançava correr atrás de pensamento nenhum, não calcava explicação. Só transpirava e curtia frios; punha sangue pelo nariz; e a cabeça redoía. Do que tirou um instante contente foi da vinda do Grivo: o Grivo trouxe um canarinho-cabeça-de-fôgo dentro de uma gaiola pequena e mal feita, mas que era presente para ele Miguilim, presente de amizade.

— "Miguilim, seo Brízido Boi matou a onça pintada. Você vai ver o couro dela..." — o vaqueiro Jé contava. Ele sentia aquela preguiça de ter de entender. Mas devia de estar melhorado, a cara de todos era mais sensata. — "Miguilim, agora você vai se alegrar: seu pai ajustou o Grivo p'ra trabalhar com a gente, ele quer aprender ofício de vaqueiro..." — falou o vaqueiro Salúz. A alegria Miguilim adiava, agora não estava em meios. Sempre cansado, todo cansado, e a água quebrada da frieza não matava a sede. Tinha saudade do tempo-de-frio, quando a água é friinha, bôa. Tinha necessidade alguma laranja. — "Laranja... Laranja..." — gemia. O corpo inteiro doía sem pontas. O Pai exclamava que ele mesmo era quem ia buscar laranja para o Miguilim, aonde fosse que fosse, em qualquer parte que tivesse, até nos confins. Mandava arrear cavalo, assoviava chamando um cachorro, lá iam. Miguilim tornava a dormir. Tornavam a dar banho. Todos estavam chorosos outra vez. — "Mãe, fala no Ditinho..." Queria sonhar com o Dito, de frente, nunca tinha sonhado. Mas não conseguia.

O Pai trazia abacaxi, lima, limão-dôce: laranja não se achava mesmo em nenhuma parte no Gerais, assim tão diverso do tempo. Miguilim tinha os beiços em ferida. — "Mãe, os dias todos vão passando?" — "Vão, Miguilim, hoje é o seteno. Falta pouco para você sarar." — "Mãe, depois mesmo que eu sarar, vocês deixam eu ficar ainda muitos dias aqui deitado, descansando?" "— Pode, meu filhinho, você vai poder descansar todo o tempo que quiser..." Dormia longe.

— "Mãe... Mãe! Mãe!..." Que matinada era aquela? Por que todos estavam assim gritando, chorando? "— Miguilim, Miguilim, meu Deus, tem pena de nós! Pai fugiu para o mato, Pai matou o Luisaltino!..."

— "Não me mata! Não me mata!" — implorava Miguilim, gritado, soluçado. Mas vinha Vovó Izidra, expulsava todos para fora do quarto. Vovó Izidra sentava na beira da cama, segurando a mão de Miguilim: — "Vamos rezar, Miguilim, deixa os outros, eles se arrumam; esquece de todos: você carece é de sarar! Eu rezo, você me acompanha de coração, enquanto que puder, depois dorme..." Vovó Izidra rezava sem esbarrar, as orações tão bonitas, todas que ela sabia, todos os santos do Céu eram falados. Quando Miguilim tornou a acordar, era de noite, a lamparina acendida, e Vovó Izidra estava sempre lá, no mesmo lugar, rezando. Ela dava água, dava caldo quente, dava remédio. Miguilim tinha de ter os olhos encostados nos dela. E de repente ela disse: — "Escuta, Miguilim, sem assustar: seu Pai também está morto. Ele perdeu a cabeça depois do que fez, foi achado morto no meio do cerrado, se enforcou com um cipó, ficou pendurado numa môita grande de miroró... Mas Deus não morre, Miguilim, e Nosso Senhor Jesus Cristo também não morre mais, que está no Céu, assentado à mão direita!... Reza, Miguilim. Reza e dorme!"

Despertava exato, dava um recomeço de tudo.

De manhã, Mãe veio, se ajoelhou, chorava tapando a cara com as duas mãos: — "Miguilim, não foi culpa de ninguém, não foi culpa..." — todas as vezes ela repetia. — "Mãe, Pai já enterraram?" "— Já, meu filhinho. De lá mesmo foi levado para o Terentém..." "— E todos estão aí, Tomezinho, Drelina, a Chica?" "— Estão, Miguilim, todos gostando de todos..." " — E eu posso ficar doente, quieto, ninguém bole?" As lágrimas da Mãe ele escutava. — "Mãe, a senhora vai rezar também para o Dito?" O Dito sabia. Se o Dito estivesse ainda em casa, quem sabe aquilo tudo não acontecia. Miguilim chorava devagar, com cautela para a cabecinha não doer; chorava pelo Pai, por todos juntos. Depois ficava num arretriste, aquela saudade sozinha.

Seo Aristeu, quando deu de vir, trazia um favo grande de mel de oropa, enrolado nas folhas verdes. — "Miguilim, você sara! Sara, que já estão longe as chuvas janeiras e fevereiras... Miguilim, você carece de ficar alegre. Tristeza é agouría..."

— Foi o Dito quem ensinou isso ao senhor, seo Aristeu?

— Foi o sol, mais as abelhinhas, mais minha riqueza enorme que ainda não tenho, Miguilim. Escuta como você vai sarar sempre:

"*Amarro fitas no raio,*
formo as estrelas em par,
faço o inferno fechar porta,
dou cachaça ao sabiá,

boto gibão no tatú,
calço espora em marruá;
sojigo onça pelas tetas,
mò de os meninos mamar!"

Seo Aristeu fincava o dedo na testa, fazia vênia de rapapé no meio do quarto, trançava as pernas, ele era tão engraçado, tão comprido.

— Adeusinho de adeus, Miguilim. Quando você sarar mais, escuta, é assim:

Ô ninho de passarim,
ovinho de passarinhar:
se eu não gostar de mim,
quem é mais que vai gostar?

De rir, a gente podia toda a vida. Seo Aristeu sabia ser.

Aos dias, Miguilim melhorava. Sobressarado, já podia se levantar um pouquinho, sem escora. Mas cansava logo. De comer, só tasquinhava: comida nenhuma não tinha gosto, o café também não tinha. Tio Terêz apareceu, estava com um funo de luto no paletó, conversou muito com Miguilim. Vovó Izidra abençoou Miguilim, pôs mais duas medalhinhas no pescoço dele, trocou o fio do cordão, que estava muito velho, encardido e sujo de doença. Por fim ela beijou, abraçou Miguilim, se despedindo — ia embora, por nunca mais, ali não ficava. Tio Terêz é que ia voltar para morar com eles, trabalhando, sempre. Mas Miguilim não gostava mais de Tio Terêz, achava que era pecado gostar.

Por causa do restinho de doença, ele não devia de brincar com os irmãos, nem com o Grivo. Mas podia parar sentado, muito tempo, ouvindo o Papaco-o-Paco conversar, vendo Mãitina lavar roupa e a Chica pular corda. — "Entra pra dentro, Miguilim, está caindo sereno..." Entrava, deitava na rede, tinha tanta vontade de poder tirar estórias compridas, bonitas, de sua cabeça, outra vez. Não queria nada. — "Tempo bom é este, Miguilim: a gente planta couve e colhe repolho; então, come alface..." — seo Aristeu tinha falado. — "Mãe, seo Aristeu bebe?" "— E bebe não, Miguilim. Mas ele nasceu foi no meio-dia, em dia-de-domingo..." Tio Terêz agora estava trabalhando por demais, fez ajuste com mais um enxadeiro, e ia se agenciar de garroteiro, também. Ele tinha uma roupa inteira de couro, mais bonita do que a do vaqueiro Salúz; dava até inveja. — "Se daqui a uns meses sua mãe se casar com o Tio Terêz, Miguilim, isso é de teu gosto?" — Mãe indagava. Miguilim não se importava, aquilo tudo era bobagens. Todo mundo era meio um pouco bobo. Quando ele ficasse forte são de todo, ia ter de trabalhar com Tio Terêz na roça? Gostava mais de ofício de vaqueiro. Se o Dito em casa ainda estivesse, o que era que o Dito achava? O Dito dizia que o certo era a gente estar sempre brabo de alegre, alegre por dentro, mesmo com tudo de ruim que acontecesse, alegre nas profundas. Podia? Alegre era a gente viver devagarinho, miudinho, não se importando demais com coisa nenhuma.

Depois, de dia em dia, e Miguilim já conseguia de caminhar direito, sem acabar cansando. Já sentia o tempero bom da comida; a Rosa fazia para ele todos os dôces, de mamão, laranja-da-terra em calda de rapadura, geléia de mocotó. Miguilim, por si, passeava. Descia maneiro à estrada do Tipã, via o capim dar flôr. Um qualquer dia ia pedir para ir até na Vereda, visitar seo Aristeu. Zerró e Seu-Nome corriam adiante e voltavam, brincando de rastrear o incerto. Um gavião gritava empinho, perto.

De repente lá vinha um homem a cavalo. Eram dois. Um senhor de fora, o claro da roupa. Miguilim saudou, pedindo a benção. O homem trouxe o cavalo cá bem junto. Ele era de óculos, corado, alto, com um chapéu diferente, mesmo.

— Deus te abençoe, pequeninho. Como é teu nome?

— Miguilim. Eu sou irmão do Dito.

— E seu irmão Dito é o dono daqui?

— Não, meu senhor. O Ditinho está em glória.

O homem esbarrava o avanço do cavalo, que era zelado, manteúdo, formoso como nenhum outro. Redizia:

— Ah, não sabia, não. Deus o tenha em sua guarda... Mas, que é que há, Miguilim?

Miguilim queria ver se o homem estava mesmo sorrindo para ele, por isso é que o encarava.

— Por que você aperta os olhos assim? Você não é limpo de vista? Vamos até lá. Quem é que está em tua casa?

— É Mãe, e os meninos...

Estava Mãe, estava Tio Terêz, estavam todos. O senhor alto e claro se apeou. O outro, que vinha com ele, era um camarada. O senhor perguntava à Mãe muitas coisas do Miguilim. Depois perguntava a ele mesmo: — "Miguilim, espia daí: quantos dedos da minha mão você está enxergando? E agora?"

Miguilim espremia os olhos. Drelina e a Chica riam. Tomezinho tinha ido se esconder.

— Este nosso rapazinho tem a vista curta. Espera aí, Miguilim...

E o senhor tirava os óculos e punha-os em Miguilim, com todo o jeito.

— Olha, agora!

Miguilim olhou. Nem não podia acreditar! Tudo era uma claridade, tudo novo e lindo e diferente, as coisas, as árvores, as caras das pessôas. Via os grãozinhos de areia, a pele da terra, as pedrinhas menores, as formiguinhas passeando no chão de uma distância. E tonteava. Aqui, ali, meu Deus, tanta coisa, tudo... O senhor tinha retirado dele os óculos, e Miguilim ainda apontava, falava, contava tudo como era, como tinha visto. Mãe esteve assim assustada; mas o senhor dizia que aquilo era do modo mesmo, só que Miguilim também carecia de usar óculos, dali por diante. O senhor bebia café com eles. Era o doutor José Lourenço, do Curvêlo. Tudo podia. Coração de Miguilim batia descompasso, ele careceu de ir lá dentro, contar à Rosa, à Maria Pretinha, a Mãitina. A Chica veio correndo atrás, mexeu: — "Miguilim, você é piticégo..." E ele respondeu: — "Donazinha..."

Quando voltou, o doutor José Lourenço já tinha ido embora.

— "Você está triste, Miguilim?" — Mãe perguntou.

Miguilim não sabia. Todos eram maiores do que ele, as coisas reviravam sempre dum modo tão diferente, eram grandes demais.

— Pra onde ele foi?

— A foi p'ra a Vereda do Tipã, onde os caçadores estão. Mas amanhã ele volta, de manhã, antes de ir s'embora para a cidade. Disse que, você querendo, Miguilim, ele junto te leva... — O doutor era homem muito bom, levava o Miguilim, lá ele comprava uns óculos pequenos, entrava para a escola, depois aprendia ofício. — "Você mesmo quer ir?"

Miguilim não sabia. Fazia peso para não soluçar. Sua alma, até ao fundo, se esfriava. Mas Mãe disse:

— Vai, meu filho. É a luz dos teus olhos, que só Deus teve poder para te dar. Vai. Fim do ano, a gente puder, faz a viagem também. Um dia todos se encontram...

E Mãe foi arrumar a roupinha dele. A Rosa matava galinha, para pôr na capanga, com farofa. Miguilim ia no cavalo Diamante — depois era vendido lá na cidade, o dinheiro ficava para ele. — "Mãe, é o mar? Ou é para a banda do Pau-Rôxo, Mãe? É muito longe?" "— Mais longe é, meu filhinho. Mas é do lado do Pau-Rôxo não. É o contrário..." A Mãe suspirava suave.

— "Mãe, mas por que é, então, para que é, que acontece tudo?!"

"— Miguilim, me abraça, meu filhinho, que eu te tenho tanto amor..."

Os cachorros latiam lá fora; de cada um, o latido, a gente podia reconhecer. E o jeito, tão oferecido, tão animado, de que o Papaco-o-Paco dava o pé. Papaco-o-Paco sobrecantava: "*Mestre Domingos, que vem fazer aqui? Vim buscar meia-pataca, p'ra beber meu parati...*" Mãe ia lavar o corpo de Miguilim, bem ensaboar e esfregar as orêlhas, com bucha. — "Você pode levar também as alpecartinhas do Dito, elas servem para você..."

No outro dia os galos já cantavam tão cedinho, os passarinhos que cantavam, os bem-te-vis de lá, os passo-pretos: — *Que alegre é assim... alegre é assim...* Então. Todos estavam em casa. Para um em grandes horas, todos: Mãe, os meninos, Tio Terêz, o vaqueiro Salúz, o vaqueiro Jé, o Grivo, a mãe do Grivo, Siàrlinda e o Bustiquinho, os enxadeiros, outras pessôas. Miguilim calçou as botinas. Se despediu de todos uma primeira vez, principiando por Mãitina e Maria Pretinha. As vacas, presas no curral. O cavalo Diamante já estava arreado, com os estrivos em curto, o pelego melhor acorreado por cima da sela. Tio Terêz deu a Miguilim a cabacinha formosa, entrelaçada com cipós. Todos eram bons para ele, todos do Mutúm.

O doutor chegou. — "Miguilim, você está aprontado? Está animoso?" Miguilim abraçava todos, um por um, dizia adeus até aos cachorros, ao Papaco-o-Paco, ao gato Sossõe que lambia as mãozinhas se asseando. Beijou a mão da mãe do Grivo. — "Dá lembrança a seo Aristeu... Dá lembrança a seo Deográcias..." Estava abraçado com Mãe. Podiam sair.

Mas, então, de repente, Miguilim parou em frente do doutor. Todo tremia, quase sem coragem de dizer o que tinha vontade. Por fim, disse. Pediu. O doutor entendeu e achou graça. Tirou os óculos, pôs na cara de Miguilim.

E Miguilim olhou para todos, com tanta força. Saíu lá fora. Olhou os matos escuros de cima do morro, aqui a casa, a cerca de feijão-bravo e são-caetano; o céu, o curral, o quintal; os olhos redondos e os vidros altos da manhã. Olhou, mais longe, o gado pastando perto do brejo, florido de são-josés, como um algodão. O verde dos buritis, na primeira vereda. O Mutúm era bonito! Agora ele sabia. Olhou Mãitina, que gostava de o ver de óculos, batia palmas-de-mão e gritava: — *"Cena, Corinta!..."* Olhou o redondo de pedrinhas, debaixo do jenipapeiro.

Olhava mais era para Mãe. Drelina era bonita, a Chica, Tomezinho. Sorriu para Tio Terêz: — "Tio Terêz, o senhor parece com Pai..." Todos choravam. O doutor limpou a goela, disse: — "Não sei, quando eu tiro esses óculos, tão fortes, até meus olhos se enchem d'água..." Miguilim entregou a ele os óculos outra vez. Um soluçozinho veio. Dito e a Cuca Pingo-de-Ouro. E o Pai. *Sempre alegre, Miguilim... Sempre alegre, Miguilim...* Nem sabia o que era alegria e tristeza. Mãe o beijava. A Rosa punha-lhe dôces-de-leite nas algibeiras, para a viagem. Papaco-o-Paco falava, alto, falava.

Uma estória de amor

(Festa de Manuelzão)

> *"O tear*
> *o tear*
> *o tear*
> *o tear*
>
> *quando pega a tecer*
> *vai até ao amanhecer*
>
> *quando pega*
> *a tecer,*
> *vai até ao*
> *amanhecer..."*
>
> (Batuque dos Gerais.)

Ia haver a festa. Naquele lugar — nem fazenda, só um reposto, um currais-de-gado, pobre e novo ali entre o Rio e a Serra-dos-Gerais, onde o cheiro dos bois apenas começava a corrigir o ar áspero das ervas e árvores do campo-cerrado, e, nos matos, manhã e noite, os grandes macacos roncavam como engenho-de-pau moendo. Mas, para os poucos moradores, e assim para a gente de mais longe ao redor, vivente nas veredas e chapadas, seria bem uma festa. Na Samarra.

Benzia-se a capela — templozinho, nem mais que uma guarita, feita a dois quilômetros da Casa, no fim de uma altura esplã, de donde a vista se produzia. Uma ermida, com paredes de taipa-de-sebe, mas caiada e entelhada, barrada de vivo azul e tendo à testa a cruz. Nem um sino. A imagem no altar sorria sem tamanho e desjeitada, uma Nossa Senhora feia. Nossa Senhora do Perpétuo Socôrro. Mesmo Manuelzão achara de inscrever na parte de fora a invocação, em desastradas letras, que iam não cabendo na empena exígua. Dentro, dez pessôas talvez não pudessem estar, ainda apertadas. Mas, revezando-se, mexia-se por lá multidão de mulheres, que colocavam os adornos. Chifres de boi, dos bruxos, como vasos para flores; estampas; bandeirolas recortadas de leve papel; toalhas de crivo; colchas de bilro de Carinhanha, brancas como sal e açúcar.

Manuelzão, ali perante, vigiava. A cavalo, as mãos cruzadas na cabeça da sela, dedos abertos; só com o anular da esquerda prendia a rédea. Alto, no alto animal, ele sobrelevava a capelinha. Seu chapéu-de-couro, que era o mais vistoso, na redondeza, o mais vasto. Com tanto sol, e conservava vestido o estreito jaleco, cor de onça-parda. Se esquecia. "Manuel Jesus Rodrigues" — MANUELZÃO J. ROÍZ: — gostaria pudesse ter escrito também debaixo do título da Santa, naquelas bonitas letras azúis, com o resto da tinta que, não por pequeno preço, da Pirapora mandara vir. Queria uma festa forte, a primeira missa. Agora, por dizer, certo modo, aquele lugar da Samarra se fundava.

Mas Manuelzão menos entendia o mover-se das mulheres, surgidas quase de repente de toda parte, muitas ele nem conhecia. Mau o acordo com que elas se juntavam, semelhavam batalhão de mutirão. À sonsa, queriam afastá-lo? Enquanto fora obra de roçar a marca, torar madeira e carrear o materiame, fincar os esteios, levantar os oitões, e terminar — ele mestreara. Mas entre homens, seus homens. Agora, as mulheres tomavam conta. E ele ia ter algum jeito? A que fugiam de o encarar, sonseavam. — "Falta uma pia de água benta..." — ele reparava, de supetão, na voz de comandar mil bois. E elas se arredando, sáias astúcias, que nem um excomungado ele fosse. Fechava então o silêncio, para ser como uma zanga. Depois, tomava cuidado de dirigir-se a Leonísia, ou a alguma das dos vaqueiros. Ainda essas, sem perder-lhe o respeito, em curto respondiam, meio sem paciência, pareciam só pertencentes ao bando de todas. Não, ninguém lhe faltaria com o respeito, ali na Samarra ele era o chefe. Só que não percebia os espíritos do mulherío reunido; e aquele arremate para a festa tinha de ser de muitas mãos. Assim como não achava senso nas prendas que o povo aportava, para oferecerem à sua Nossa Senhora da capela. Eles eram espantantes.

Todos traziam, sorrateiros, o que devia ser de Deus. Ovos de gavião — cor em cor: agudos pingos e desenhos — esvaziados a furo de alfinete. Orquídeas molhadas ainda do mato, agarradas a seus braços de pau apodrecido. Balaios com musgos, que sumiam vago incenso no seco das madeixas verde-velho. Blocos de cristais de quartzo róseo ou aqualvo. Pedras não conhecidas, minerais guardados pelo colorido ou raro formato. Um boné de oficial, passado um lação de fita. Um patacão, pesada moeda de prata antiga. Uma grande concha, gemedora, tirada com as raízes, vinda parar ali, tão longe do mar como de uma saudade. E o couro, sem serventia e agourento, de um tamanduá inteiro preto, o único que desse pêlo já se achara visto, e que fora matado no Dia-de-Reis. Apareceu mesmo um jarro de estanho, pichel secular, inexplicável; e houve quem ofertasse dois machados de gentio, lisas e agumiadas peças de sílex, semelhando peixes sem caudas, desenterrados do chão de um roçado montês, pelo capinador, que via-os o resfrio de raios caídos durante as tempestades do equinócio. Deixados para o leilão, prestavam, junto com um frango-d'água sonolento — que um menino capturara à borda do brejo e atara pelos tarsos com fibra de buriti — e uma cabaça com mel de abelha urussú, docemente ácido, extraído de colméias subterrâneas. Assim a idéia da capela e da festa longo longe andava, de fé em fé, pelas corovocas da região. Manuelzão mesmo se admirava.

Que povo, o desse baixío, dum sertão, das brenhas! De onde tiravam as estúrdias alfaias, e que juízo formavam da festa que ia ser, da missa na Samarra, na capelinha feita? Esse cafarnaúm! As lascas de pedra-de-amolar, uma buzina amarela de caçador, um bacamarte boca-de-sino todo ferrugem, uma oitavada lanterninha, rosários de fava-vermelha, santa-rita e mariola; um *rabudo* — armadilha de ferro, de pegar tatú em entrada de buraco; punhados de penas de arara, um dente de gente com ponto de ouro, um frasco azulado, as velhas cartas dum baralho; e esteiras, cestos, sacolas, caixinhas, tapas — tudo que da folha do buriti se fabricava. E até um grosso livro de contas, todas as páginas preenchidas, a tinta descorável, e que de certo fora, em tempos, de algum grande fazendeiro lavrar em limpo seus negócios. E mais até uma mortalha de homem, de ganga roxa, que nunca servira, porque a tinham costurado com despropositada urgência, mas o corpo do defunto, afogado no rio, não se achara. Criancice duma bôa gente, que remexia em seus trastes, alguma coisa tinham de trazer, menos as mãos vazias. Será pensavam preciosos só para Nosso Senhor e a Virgem esses objetos fora de serventia trivial, mas com bizarria de luxo ou de memória? Talvez então eles também fossem espertos, ladinos demais, quando compareciam com aquela trenzada — por não ter saída em comércio, nem nenhum outro seguro custo? Manuelzão, em sutil, desconfiava deles.

Sobre que se sabia o mais forte, dava de ombros, entretanto, assoado. Sua animação o levava, crescente. Não que descuidasse, por uma hora sequer, o governo do mundo dali: determinar aos campeiros e agregados a fazeção de cada dia. Mas, desde uns dois meses, quando principiara, media rude impulso, o fervor que o influía era aquele. Primeiro, ter a capelinha pronta — uma ação durável, certa. Daí, gastando um prazerzinho, tomara fôlego. Mas não bastava. Carecia da sagração, a missa. A festa, uma festa! Por si, ele nunca dera uma festa. Talvez mesmo nunca tivesse apreciado uma festa completa. Manuelzão, em sua vida, nunca tinha parado, não tinha descansado os gênios, seguira um movimento só. Agora, ei, esperava alguma coisa.

Por tudo, mesmo sem precisão, ele não saía de cima do cavalo — estava com um machucão num pé — indo e vindo da capela, sol a sol vinte vezes, dez vezes, acompanhado sempre pelo rapazinho Promitivo. Não esbarrava. Não sabia de esforço por metade. Vai agorinha, um exemplo, deixava as mulheres na arrumação e tocava para a Casa, a ver a chegada de mais povo. Ativo e quieto, Manuelzão ali à porta se entusiasmava, público como uma árvore, em sua definitiva ostentação.

Embora dois dias para a véspera ainda faltassem, as pessôas de fora já eram em número. Gente de surrão e bordão, figuras de romaria. Alguns, tão estranhos, que antes de apear do cavalo invocavam em alta voz o louvor a Cristo-Jesus e esperavam de olhos quase fechados o convite para entrar com toda paz e mão irmã na hospitalidade geral. Outros, contando alguém doente em sua comitiva, imploravam licença para armar as tipóias ou latadas lá mesmo, na rechã descampada e ventosa, não distante da capelinha. Outros tangiam adiante cabeças de gado, sobradas para vender, pois também uma boiada estava-se ajuntando, devendo sair logo depois dos dias santos, conforme o grande aviso que Manuelzão difundira. — "*... Siô, siô, mesmo aqui mesmo que a Simarra é?*" — sempre sabiam. Pobres lazarados queriam ajudar em algum serviço, por devoção e esperança de comida. Até aleijados, até vultos ciganos, más mulheres, lindas moças — do rumo do Chapadão tudo é possível. Havia quem precisasse da caridade de agulha e linha, para recoser suas roupas, urtigadas contra os espinheiros, no atravessarem trechos de caatinga. Um ou mais de um, três vezes armado no cinturão e com chapéu-de-couro claro quebrado adiante, não ditava de esconder sua má menção de brabo sertanejo, capaz de piorar assuntos; e Manuelzão, tanto quanto conseguia disfarçar um desgosto, acolhia-os proferindo que não era bem ele, mas sim a Nossa Senhora do Socôrro, quem os agasalhava, aos que vinham para a respeitar e venerar. Principalmente mulheres, de trouxa à cabeça e pondo para a frente seus meninos, desciam a encosta — uma extensa encosta aladeirada, rachada de grotas de chuva roer, e pela qual se espalhavam, em quantidade, galhos verdes cortados de árvores, dos que os carreiros nas descidas usam para acorrentar à traseira de seus carros-de-bois, à guisa de freios. Aquém, no terço baixo dessa aba, era a Casa.

Sua casa. Sempre pudesse ser. Mas lá, a Samarra, não era dele. Manuelzão trabalhava para Federico Freyre — administrador, quase sócio, meio capataz de vaqueiros, certo um empregado. Porém Federico Freyre nem bem uma vez por ano se lembrava de aparecer, e Manuelzão valia como único dono visível, ali o respeitavam. Às horas, quando na bôa mira dum sonho consentido, ele chegava mesmo a se sobre-ser, imaginando quase assim já fosse homem em poder e rico, com suas apanhadas posses. Um dia, havia-de. Sempre puxara por isso, a duras mãos e com tenção teimosa, sem um esmorecimento, uma preguiça, só lutando. Ele nascera na mais miserável pobrezazinha, desde menino pelejara para dela sair, para pôr a cabeça fora d'água, fora dessa pobreza de doer. Agora, com perto de sessenta anos, alcançara aquele patamar meio confortado, espécie de começo de metade de terminar. Dali, ia mais em riba. Tinha certeza. E na Samarra todos enchiam a boca com seu nome: de Manuelzão. Sabiam dele. Sabiam da senhora sua Mãe, dona Quilina, falecida. Sua mãe, que, meses antes, velhinha, viera para aquele ermo, visitando-o. Pudera ir buscá-la, enfim, era a primeira ocasião em que se via sediado em algum lugar, fazendo de meio-dono. E ela pensara até que ele fosse dono todo. A mãe apreciara aquilo, o Baixío da Samarra, a Vereda da Samarra, o território. No tempo de adoecer, ela mencionara a mesa-de-campo como o ponto ideado para se erigir uma capelinha, a sobre. Ela estava a se pensar? Lá mesmo Manuelzão a enterrou, confechando quase à borda da chã um cemiteriozinho, razoável, cercado de aroeiras, moirões que podiam durar sem acaba, e coberto pelo capim duro do cerrado, no qual, no raiar das madrugadas, o orvalho é azul e mata a sede. Ao lado, ergueu a capelinha. Enquanto pôde uma folga, na lida. O principal da idéia da capelinha então tinha sido de sua mãe. Mas ele cumprira. E ele inventara a festa, depois.

Na Samarra, aliás, Manuelzão conduzira o início de tudo, havia quatro anos, desde quando Federico Freyre gostou do rincão e ali adquiriu seus mil e mil alqueires de terra asselvajada. — "Te entrego, Manuelzão, isto te deixo em mão, por desbravar!" E enviou o gado. Manuelzão: sua mão grande. Sua porfia. Pois ele sempre até ali usara um viver sem pique nem pouso — fazendo outros sertões, comboiando boiadas, produzindo retiros provisórios, onde por pouquinho prazo se demorava — sabendo as poeiras do mundo, como se navega. Mas, na Samarra, ia mas era firmar um estabelecimento maior. Sensato se alegrara. Mordeu no ser. Arreuniu homens e veio, conforme acostumado.

Aqui era umas araraquaras. A Terra do Boi Solto. Chegaram, em mês de maio, acharam, na barriga serrã, o sítio apropriado, e assentaram a sede. O que aquilo não lhes tirara, de coragens de suor! Os currais, primeiro; e a Casa. Ao passo que faziam, sempre cada um deles recordava o modo de feitio de alguma jeitosa fazenda, de sua terra ou de suas melhores estradas, e o queria remedar, com o pobre capricho que o trabalho muito duro dá desejo de se conceber; mas, quando tudo ficou pronto, não se parecia com nenhuma outra, nas feições, tanto as paragens do chão e o desuso do espaço sozinho têm o seu ser e poder. Daí, esperaram as grossas chuvas. Era a Casa, grada, com muitos cômodos de chão batido e só um quarto de assoalho; em dado não passava, bem dizer, de uma casa-rancho, mas com teto complexo, de madeiras, por sobrecima as talas e palmas de buriti. A rebaixa — um alpendre cercado —; o rancho de carros-de-boi; outros ranchos; outras casinhas; outros rústicos pavilhões. Contiguavam-se os currais, ante esse conjunto, dele distanciados por um pátio e pelo eirado, largoso, limpo de vegetação, porque o gado nele malhava, seu pisoteio impedindo-a. Ali e no pátio, onde os homens e animais formavam convivência, algumas árvores mansas foram deixadas — gameleiras, tinguís com frutas pardas maiores que laranjas, e cagaiteiras, ora em flôr. Os longos cochos, nodosos, cavados em irregulares troncos, ficavam à sombra delas. Enquanto os bois comiam, as florinhas e as folhas verdes caíam no sal.

Mas desde o começo Manuelzão conheceu que, para fundar lugar, lhe faltava o necessário de alguma espécie. Sentiu-o, vagarosamente. Só, solteirão, que ele era. Antes, nunca tinha pensado nisso com motivos. Pensou. Seus homens, mais ou menos velhos conhecidos, com ele vindos do Maquiné, para apego de companhia não bastavam? Ele calculou que não. E resolveu um recurso. A mãe, idosa, e que nunca aceitara de sair do lugarejo do Mim, na Mata do Andrés, no Pium-í, no Alto Oeste, não era pessoa para vir aguentar as ruindades dum princípio tão sertanejo assim. Mas Manuelzão se lembrou de um filho, que também tinha.

Esse, filho natural, nascido de um curto acaso, no Porto Andorinhas, e ali deixado, Manuelzão não o vira, ao todo, mais de umas três vezes. E ele estava agora com perto de trinta anos, se chamava Adelço de Tal, e era um rapagão cabeludo, escurado, às vezes feio até, quando meio zarolho remirava; com Manuelzão nada se parecia. A mãe morrera pontual, Manuelzão não se lembrava do nome dela. Mas esse Adelço se casara, tinha sete meninos pequenos, a mais velha com sete anos, e trabalhava para toda lavoura e gado, numa fazenda pompeana, beiras do Córrego Boi Morto, depois noutra, entre o Córrego Queima-Fogo e o Córrego da Novilha Brava, depois noutra no Córrego Primavera ou dos Porcos, lugar chamado o Barra-à-Barra; depois noutra, final, no Buriti-do-Açude. Pois Manuelzão foi buscá-lo. E ele veio, com todos. Os tempos estavam ruins em toda a parte, e não era fácil alguém resistir a um convite assim de Manuelzão, tão forte a ação dele prometia à gente lucro de progresso, seu ânimo arrastava empós seguintes e comparsas — era um condão, ele mesmo sabia disso.

Por que os trouxera? Talvez na ocasião tivesse imaginado que a Samarra ia ser seu esteio de pouso, termo de destino. E ele mesmo, nas entradas, se louvou de ter conseguido reunir para si aquela família de tardezinha. Estivesse, naquela hora, denunciando cabeceira de velhice? Não pensava. Nem agora chegava a mudar de parecer, do que tinha feito não se arrependia. Essas coisas ocorrem nuns escuros, é custoso de saber se a gente deve se aprovar ou confessar um arrependimento: nos caroços daquele angú, tudo tão misturado, o ruim e o bom. Mas ele não punha em pé o pesar. Estavam de bem, só que, em qualquer novidade, nesta vida, se carece de esperar o costume, para o homem e para o boi. Manuelzão era o das forças, não se queixava. Os meninos, bem-criadinhos, bonitos, uma cisma achar que dele não gostavam, pois que sempre estava no estatuto de ser o avô. A mal que não sabia os gestos, nem tinha habituação para a pequenez deles, o rebuliço; mas adiava vagos intentos: aqueles netinhos ainda iam crescer, dar-lhe distintas alegrias. Já o Adelço, esse, se encobria de não se conhecer sua propensão, criatura de guardadas palavras e olhares baixos. Mas não enganava a Manuelzão: era mesquinho e fornecido maldoso, um homem esperando para ser ruim. Só punha toda estima em sua mulher e nos filhinhos, das outras pessoas tinha uma raiva surdada. Sempre aquela miúda dureza, sem teta de piedade nenhuma. Por ora, obedecia a Manuelzão — de que outro jeito ia poder proceder? Mas obedecia soturno. Um dia ele chegasse a mandar, e ái do mundo. Tinha a maldade dum cão mau? Manuelzão se aborrecia, por fora do assunto. Não queria detestar o filho. Seria, porém, aquele, um saído de seu sangue? Se assustava quase, de ter gerado e estar apurando um sujeito assim, desamigo de todos. Sua culpa. Se então, mais valesse o rejeitar outra vez e enxotar para os passados — feito a gente está pescando e dá na peneira uma serepente: um cospe um nôjo e desiste logo aquilo no movimento das águas, ligeiro, no rio, de donde veio! A vida cobra tudo. Mas a mulher do Adelço, Leonísia, era bôa, uma sinhá de exata, só senhora. Aquela tinha sinal de um sabido anjo-da-guarda — pelo convívio que ela encorajava, gerência de companhia. Ela e seu irmão dela, de uns dezoito anos, vindo também, o Promitivo. Só que esse Promitivo era declarado em vagabundo. A ser, os desiguais: que o Adelço era mouro trabalhador, de aferro; era, isso. E, Leonísia, Manuelzão mesmo respeitava. Ela ficara sendo a dona-da-casa. Da Casa — de verdade, que ali formava seu conchêgo firme sertanejo.

Todavia, num senão, o situado escolhido não dera ponto. Por tanto, podia merecer nome outro: o de "Seco Riacho", que o velho Camilo falou. O velho Camilo tivesse idéia para esse falar, era duvidoso; e alguém acusara por ele. Mas Manuelzão sabia, o inventante tinha sido mesmo o Adelço, que censurava, que escarnecia. Por conta de um erro. E de quem tinha sido o erro? Mas que podia acontecer a qualquer um mestre de mais sertão, pessôa perita nas solidões e tudo.

Porque, dantes, se solambendo por uma grota, um riachinho descia também a encosta, um fluviol, cocegueando de pressas, para ir cair, bem em baixo, no Córrego das Pedras, que acabava no rio de-Janeiro, que mais adiante fazia barra no São Francisco. Dava alegria, a gente ver o regato botar espuma e oferecer suas claras friagens, e a gente pensar no que era o valor daquilo. Um riachinho xexe, puro, ensombrado, determinado no fino, com rogojeio e suazinha algazarra — ah, esse não se economizava: de primeira, a água, pra se beber. Então, deduziram de fazer a Casa ali, traçando de se ajustar com a beira dele, num encosto fácil, com piso de lajes, a porta-da-cozinha, a bom de tudo que se carecia. Porém, estrito ao cabo de um ano de lá se estar, e quando menos esperassem, o riachinho cessou.

Foi no meio duma noite, indo para a madrugada, todos estavam dormindo. Mas cada um sentiu, de repente, no coração, o estalo do silenciozinho que ele fez, a pontuda falta da toada, do barulhinho. Acordaram, se falaram. Até as crianças. Até os cachorros latiram. Aí, todos se levantaram, caçaram o quintal, saíram com luz, para espiar o que não havia. Foram pela porta-da-cozinha. Manuelzão adiante, os cachorros sempre latindo. — "Ele perdeu o chio..." Triste duma certeza: cada vez mais fundo, mais longe nos silêncios, ele tinha ido s'embora, o riachinho de todos. Chegado na beirada, Manuelzão entrou, ainda molhou os pés, no fresco lameal. Manuelzão, segurando a tocha de cera de carnaúba, o peito batendo com um estranhado diferente, ele se debruçou e esclareceu. Ainda viu o derradeiro fiapo d'água escorrer, estilar, cair degrau de altura de palmo a derradeira gota, o bilbo. E o que a tocha na mão de Manuelzão mais alumiou: que todos tremiam mágoa nos olhos. Ainda esperaram ali, sem sensatez; por fim se avistou no céu a estrela-d'alva. O riacho soluço se estancara, sem resto, e talvez para sempre. Secara-se a lagrimal, sua boquinha serrana. Era como se um menino sozinho tivesse morrido.

Dera de ser também nessa época que um argueiro, um broto de escrúpulos, se semeara no juízo de Manuelzão? Quem sabe não fosse. Se ele mesmo às vezes pensava de procurar assim, era mais pela precisão de achar um começo, de separar alguma data a montante do tempo. De todo não queria parar, não quereria suspeitar em sua natureza própria um anúncio de desando, o desmancho, no ferro do corpo. Resistiu. Temia tudo da morte. Pensou que estivesse com mau-olho. Pensou no riachinho secado: acontecimento assim tão costumeiro, nesses campos do mundo. Mas tudo vem de mais longe. E se lembrava. Um dia, em hora de não imaginar, falara à mãe: — "Aqui junto falta é uma igreja... Ao menos um cruzeiro alteado..." Dissera isso, mas tão sem rompante, tão de graça, que a mãe mais tarde nem recordou aquelas palavras, quando ela criou a idéia da capelinha na chã. Desse jeito, as coisas se emendavam. Depois, Manuelzão, quando era de estar esmorecido, planejava a capela, a missa; quando em outros melhores ânimos, projetava a festa. Muitos assuntos ele mesmo não sabia que neles não queria pensar. Mas aquela manância da grota, de ladeira abaixo suas águas, se acabara.

Secara, e, de agora, desde os três anos, toda manhã, cada por dia, o Chico Carreiro atrelava suas quatro juntas de bois, e desciam até às Pedras, o carro cheio de latas, para buscar a água do usável. Sempre as crianças o acompanhavam; e, às vezes, o velho Camilo.

Restavam as duas filas de pequenas árvores, se trançando por cima da deixa do riacho, formando escuro um tubo fundo, onde as porcas iam parir seus leitões e as guinés punham ovos. Não se podia derrubar aquela linha de mato, porque, um dia quem sabe, o riachinho podia voltar, sua vala ficava à espera, protegida. Mas, por ora, quem descia à noite, do espigão, do alto campo — quando sabiam que o vento não estava soprando no rumo de levar o cheiro deles ao faro dos cachorros — eram a raposinha rouca e algum ouriço predador; esses se encontravam, caminho em meio, com a miúda irara, zangada, e com o gambá-d'água, que subiam do valezinho florestal do Córrego das Pedras, por sede do sangue quente das criações do galinheiro. E, nas copas do arvoredo, as rolinhas fôgo-apagou pregueavam seus ninhos.

A rola fôgo-apagou cantava continuado, o dia, mesmo na calada do calor, quando dormiam os outros pássaros. Seu canto sabe sempre se fingir de longe, e ela está perto. Só a ser que deseje domesticar-se, mas lhe faltando um pouquinho mais de valentia necessária, ou conhecendo que não a irão aceitar assim. A mãe de Manuelzão gostava delas, das fôgo-apagou. Gostava de todas as criaturas inofensivas e vulneráveis — os meninos, a rolinha pedrês, o velho Camilo.

Por mesmo, se soube que o velho Camilo, sem contar a ninguém, tinha ido rezar na sepultura dela, levar flores, o que no comum nem era muita regra se fazer — flores do campo, pencas douradas do pau-dôce, e a do pacarí, que é a mais linda que tanto espanta, ou uns simples ramos de assapeixe, que agora em maio era quadra de se abrirem, o rosado e o branco, por toda beira de estrada. Manuelzão isso escutou, e no íntimo se agradara. Mas não o deu a entender, não disse palavra. Sua laia de chefe não o consentia. Ele tinha de ser sério severo nos exemplos. O velho Camilo podia estar com aquelas ações só por caduquice; os outros, a boca-do-povo, podiam não achar decência naquilo, mexer maldade, falarío; alguém tinha sobra para dizer que o velho Camilo estivesse solando de adulação, cada um caça e coça. Também ficava injusto aceitar com reconhecimentos aquela lembrança, assim diante dos outros, que na labuta do diário se cansavam, sem tempo nenhum para miudezas, enquanto que o velho Camilo era apenas uma espécie doméstica de mendigo, recolhido, inválido, que ali viera ter e fora adotado por bem-fazer, surgido do mundo do Norte:

— Ele asséste mais é aqui. Às vezes descasca um milhozinho, busca um balde d'água. Mas tudo na vontade dele. Ninguém manda, não...

A Samarra ia virando uma fazenda, e toda fazenda abrigava um coitado desses, raramente mais de um. Porquanto eles entre si geravam ódio, atreitos à tonta ciumeira. Ali mesmo primeiro tinha vindo um mulato surdo-mudo, a quem não se sabia chamar de que nome — como se descobrir a graça de um surdo-mudo? Chamaram-no então de José de Deus. E esse um era irritadiço e mandrião, mesmo sendo como sendo moço de porte, com arcado para trabalhar; por isso todos aconselharam Manuelzão a que o acertasse na lida mandada, bem podia. Mas, quando assim a nora de Manuelzão lhe deu a entender, o surdo-mudo se enfureceu, e rompeu embora, para o outro lado do rio, e daí para o real longe, a ponto de dele nunca mais se saber. Fora-se gesticulando, aos gungos e guinchos, entendendo-se dissesse que, para trabalhar, então seria em lugar outro, onde não o tivessem desfeiteado.

Tão logo depois apareceu o velho Camilo. Tempo entrante, já rodara pelo arredor, asilando-se em ranchos ou cafúas mal abandonadas no campo sujo. Era digno e tímido. Olhava para as mãos dos outros, como quem espera comida ou pancada. Mas às vezes a gente fitava nele e tinha a vontade de tomar-lhe a benção. Quando viu que o surdo-mudo se fora, chegou-se. Vinha só para poder receber o que lhe dessem. Mas mandaram-lhe que viesse definido e ficasse.

Ao que ficou. Deu o nome, que experimentou escrever, mas não soube, não se alembrou mais, experimentou atôa, com a ponta de um tição preto numa régua do curral. Parou triste. Camilo José dos Santos... E informou idade de oitenta anos para fora: tinha uns oito ou dez, na Alforria do Cativeiro. Nascera no Riacho dos Machados e acabara de se criar em Coração de Jesus de Inconfidência. À vista, não se percebia fosse tão idoso. Desde os pés espalhados, ele vinha para cima retaco, baixote, poucos fios de barba no queixo, poucas carquilhas nos cantos do rosto clareado austero, fundos olhos azúis, calvície nenhuma, e regularmente grisalho o cabelo, tosado baixo. Seria talvez de todos os homens dali o mais branco, e o de mais apuradas feições, talvez mesmo mais que o Manuelzão. A vida não lhe desfizera um certo decoro antigo, um siso de respeito de sua figuração. Quem sabe, nos remotos, o povo dele não tinham sido homens de mandar em homens e de tomar à força coisas demais, para terem?

Para a festa, tinham-lhe feito uma roupa nova, de riscado escuroso, paletó, camisa e calça do mesmo pano áspero, muito durável. Ele nada pedira. Mas apreciara-a, que nem que um milagre o tivesse envolvido. Ficou com as mãos sobrando, mudou o modo de sua seriedade, se alisava. Não sabia como se permanecer. A nora de Manuelzão mandara costurar a roupa, e tudo correntio, sem menção, sem avisos, como fizera para o marido, o sogro, os filhos, ninguém podia ficar sem terno novo para a festa, a caridade formava suas regras num estipêndio vezeiro.

Como podia, o velho Camilo ajudava. — "Minha gente, vães desapear, samo' chegar!" — convocava Manuelzão, acolhendo os forasteiros. Sem um sorriso, sem se ressair, o velho Camilo oferecia auxílio, no desarrearem a montada. — "Será dúvida?" — requeria sempre. A mesma fórmula, usava-a, um tom, às horas de comer, quando, deixando-se por último, se dirigia afinal à porta-da-cozinha, para receber seu prato feito: — "Será dúvida?" E os meninos não sabiam aperreá-lo, nem estimá-lo, nem o respeitar diretamente. Os vaqueiros também não. Riam sério dele.

Aos mais, pessôas chegavam, sendo a véspera. A casa e o pátio rebuliam de gente composta. Também, a cavalo, veio o padre, da Pirapora. O padre estrangeiro, frei Petroaldo, alimpado e louro, com polâinas e culotes debaixo do guarda-pó, com o cálice e os paramentos nos alforges. Homens seguiam-no, por muitos lugares, um afã em estradas, para demorar a virtude da séria presença, para ouvirem mais das primeiras-missas. O padre a pôr suas vestimentas direito, e os vaqueiros voltando do campeio, esses demitiam seus trabalhos, por dois dias. O eirado se acacheava de burros e cavalos. Num galho da gameleira, se balançava a raspadeira, pendurada para o pronto. — "Seo Camilo, o senhor dá conta de tirar aquele ferro ali, p'ra mim?" — "Com certeza." No aparecer a cavalgata do padre, a mando de Manuelzão o Promitivo tinha soltado seguidos três foguetes. A voz do povo levantou um louvor, prazeroso. Via-se, quando se via, era mais gente, aquela chegança, que modo que sombras. Gente sem desordem, capazes de muito tempo calados, mesmo não tinham viso para as surpresas. Apartavam-se em grupos.

Mas se reconheciam, se aceitando sem estranhice, feito diversos gados, quando encurralados de repente juntos. Todos queriam a festa. Manuelzão se esquecia do pé doente, desejava conversar os sublimes com o padre, que o padre fosse servido pelas mulheres, tomasse café, com muito conforto. Mas o padre não apresentava um encoberto de ser, nenhum ar de prestígios e penitências, que a gente estremecesse. Era um padre com sanguínea saúde, diabo de moço, muito prático em todos os atos, de certo já acostumado com essas andadas no sertão, e que tudo fazia como por firme ofício — somente indagava quantas crianças havia de ter ali, de bom batizar, quantos homens e mulheres morando em par, para irem logo no sacramento — e diligenciava de não perder tempo nenhum; o mais seria depois. Para ele o povo minúcio olhava; constantemente estavam se lembrando de Deus.

Mesmo tinha viajado de vir ali, estúrdio, um homem-bicho, para vislumbrar a festa! O João Urúgem, que nunca ninguém enxergava no normal, que não morava em vereda, nem no baixío, nem em chapada, mas vevia solitário, no pé-de-serra. Desde não se sabia mais, desde moço, quando o acusaram de um furto, que depois se veio a expor que ele não executara — tinha ido viver sozinho no pé-de-serra, onde o urubú faz casa nas grotas e as corujas escolhem sombra, onde há monte de mato, essas pedras com limo muito molhado, fontes, minadouros de água que sobe da terra aos borbos, jorra tesa, com força, o inteiro ano. João Urúgem, que morava numa choupana em árvores e môitas, que os degraus de sete lajedos — cada laje mais larga e chata — separavam da beira da lagôa, onde o jacaré-de-cabeça-azulada põe o focinho fora d'água, quando o sol sai tarde, e espirra mau-agouro e olha mau-olhado. João Urúgem fedia a mijo de cavalo. Viera de lá, por conta da festa da capela — isso se entendia. Ele não sabia mais falar corretamente com os outros, parece que chorava pensando que estava se rindo. Pegara por lá essa doença de malcheirar, quem sabe também o que ele não comia? Já não devia de se lembrar mais da culpa do furto, se esquecera. Olhado do jacaré. Quem se aproximava para ver o toco da língua dele, jacaré, ele devorava a memória da cabeça da pessôa. João Urúgem sentava no chão, punha as palmas das mãos abertas encostadas em terra, que nem para se esquentar ou esfriar. Tinha os olhos cor de água, igual os dos grandes cachorros onceiros de um homem na Vereda do Liroliro. Diziam que ele não saía daquele lugar no pé-de-serra, porque lá tinha achado uma mina de ouro, não queria que ninguém tomasse. Daquelas brenhas sai é o gavião-pé-de-serra, que é o maior de todos, rôxo-escuro, peito branco, muito grande, unhas grandes, se diz que é a águia; esse gaviãozão, ele roda por Gerais, por Baixío, mas mora mesmo é no pé-de-serra, em paredões de montanha: de lá vem voando, o corpo todo cheio de ar. E pois, aquele João Urúgem, por um assombroso, conseguira ter informação da festa, e agora estava ali, na Samarra, se aposentando no matinho para lá dos currais. Mesmo assim, os cachorros estranhavam o indício dele, iam para lá, latir. João Urúgem tinha ajuntado perto de si um monte de pedras, jogava nos cachorros quando precisava.

Manuelzão instava o povo para rezarem o terço, a mando do padre. As mulheres começavam. As mulheres sempre iam se acrescentar todas de uma banda do pátio, se desmisturando dos homens. A reza era mais delas. Houve um declarado de respeito, os outros abrindo espaço para caminho, quando chegou o senhor do Vilamão, de barba andó, o cabelo total embranquecido, trajado de vestimenta que não se usava mais em parte nenhuma, o *cavour* — sobretudo preto, com sobre-capinha que batia no cotovelo. Manuelzão sabia quem era ele, homem de muitas posses, de longes distâncias dentro de suas terras. Manuelzão o veio receber, levar pra entrar. O senhor do Vilamão já estava quase cego, tão velhinho para andar, parecia todo de vidro, pensava que os que falavam com ele estavam era pedindo esmola: respondia que Deus desse, que ele na hora não tinha. Manuelzão explicava que isso não era, convidava, pronunciava palavreado de mais escôlha, mais bem lembrado. Mas aquele se inteirara mesmo ancião, reperdido na palha de uma velhice. Assim mal enxergava as pessôas, só supunha. Mas representava os altos gestos, talento de sucintos, o estado-mór de fidalguia. Tão esvaziado de si, de ser homem, não tinha mais os temperos do corpo, o que ainda persistia nele era o molde do muito aprendido. E Manuelzão, que o acompanhara adentro da casa, alçantes estandartes, de repente sentia a dôr de uma ferroada no machucado do pé, esbarrava no instante, sem querer se abaixar nem soltar meio-gemido. Avistava o Adelço, perpassante no fundo do corredor — ah esse não dava préstimo de vir acomodar os hóspedes, nas coisas da festa nem ajudava em nada; por certo, o Adelço tinha sofismado sempre a idéia da festa, mesmo sem disso palavra dizer!

E chegava também o Lói, um Lói, que não era mais vaqueiro, da Vereda do Liroliro, uns tempos tinha vivido de caçar onças, tinha estado pago para matar onça até na beira do Rio Barra da Égua, Córrego Curral de Fôgo, que são do Paracatú; mas no atualmente ele negociava em mulas e burros. Esse Lói, vestido com a *baeta* — um capote feio de baeta, vermelho de dando chama, de espantar boi até. O Promitivo era que espiava para aquilo, com maior atenção de inveja, o Promitivo cada vez realçava mais sua exata vocação para vagaz, o vagável sem remédio; mas, pelo menos, ele era auxiliador nas pequenas coisas, gostava de ser agradável à gente, e demonstrava todo sentimento para o acontecer da festa, agora era o que se queria. E a gente ia rezar com o povo. Que rezavam a continuação do terço, cantado: as mulheres entoavam, os homens no cantarol baixinho, uns desferindo falsete, a vozeada junta semelhava linguagem de baiano, do Bom-Jesus. Esses que podiam, como o senhor do Vilamão, o Lói, é que tinham capotes, capas, agora que estava chegando o meio-do-ano, o vento mudando pra vir quase só dos nascentes, soão e suão, mais de cima ou mais de baixo — banda de Corinto, de Buenópolis ou de Montes-Claros — e forte com frieza, um vento que zune nos altos das chapadas do Gerais, e judia com a gente nas estradas, e corta: viajor, dá até vontade de chorar. Manuelzão mesmo pensava, carecia de se desfazer da dele, já velha, de baeta azul-clara, comprar uma capona gaúcha, honrosa. Mas — imaginava — aqueles já estavam chegados ali, não tinham precisão de ficar com os balandraus nas costas. Não eram o padre. Até ofendia aos pobres, que nem não tinham direito com o que se cobrir, com bom pano. Bom, mas que não se usava mais, era o cavú, como o do senhor do Vilamão: jeitoso para se montar a cavalo, porque se abria bem; e tinha o mantelete por cima, a capeta de abrigo, que se enrolava nos braços. Desde menino, Manuelzão sempre curtira vontade de ter um cavú daqueles, mas que não era vestimenta para gente pobrezinha, nem o pai dele Manuelzão nunca tinha conseguido possuir um. Agora, que ele para isso conseguira dinheiro arranjável, não adiantava nada, porque o cavú não existia mais, de nenhum jeito, para se comprar, nem costureira não fazia, nem alfaiate em cidades. Só o senhor do Vilamão era quem ainda alcançava competência de usar um, seu dele, resguardado em tão rica velhice, o derradeiro *cavour* que nesse mundo sobrara. E Manuelzão se extremava, achava nobre gentileza em insistir com eles para se porem à vontade, tirarem os agasalhos, que lá dentro tinha guardado onde se dependurar sobretudos. Davam demais na vista.

Nem também não era hora de vaqueirama chegar cantando abôio, em véspera de festa não se trabalhava. Tinha dado ordens. Quem era, quem, gritando assim, de ecôa-cão? Boiada chegava? Não, boiada nenhuma, só o Simião Faço, mais seu irmão Jenuário, e outros, voltando daí de rumos, depois de semana. Vadiavam. Traziam gente de fora. — "Eh, Manuelzão, já fomos, já viemos..." Tinham conhecido, de companhia, um sitieiro abastado, chamado seo Vevelho, com seus filhos, tocadores de música. Esse homem arribava de longe, passou o rio, com sua comitiva, muito em cima, no Porto-do-Pontal-do-Abaeté. Viera, por precisar de festa. Traziam seus mantimentos, não incomodavam: — "Refiro, refiro..." "— Pois é só se chegar, patrício amigo, vosmecê com seus rapazes. Fico muito satisfeito... A festa é da Santa... Aqui tem bebidas dôces e bebidas bravas..." Ah, todo o mundo, no longe do redor, iam ficar sabendo quem era ele, Manuelzão, falariam depois com respeito. Daí por mais em diante, nas viagens, pra lá do mais pra lá, passaria numa fazenda, com seus homens, e era a fazenda de um tal, ou filho dum tal, na quebrada dum morro, e o dono saindo na boca da estrada, para convidar: — "Viva, entra, chega p'ra dentro, Manuelzão! Semos amigos velhos. Eu estive lá na sua Festa..." Dinheiro era para se gastar. Sua mãe, saudosa velhinha, a melhor das de lá no Céu, havia de estar gostando, de muito aprovar. Era a festa dela. Aquele dia, ela estava juntinha com Nossa Senhora. E esses dois, Simião e Jenuário, por que tinham tido de demorar assim tanto, em animais bons, sãos de saúde, com paga na algibeira? — Manuelzão, a gente não puderam vir antes, este seo Vevelho dava testemunha: um boiadão que chegara e esbarrara, pra travessar o rio, três mil e seiscentas cabeças, boiadama dismensa, cortada em doze golpes, três mil e seiscentas reses, pra jogar n'água, na barra do Abaeté. Então até pediram ajuda, pagaram bem. Gado do Urucúia e gado goiano, dois boiadões que se tinham ajuntado, amor de viajar juntas, lá por entre o Cotovelo e a Forquilha, pra cá de Fróis. Tinham pedido ajuda. Cinco donos compradores diferentes esperavam, com seus automóveis, na barra do Abaeté. Depois de atravessar o rio, iam repartir o de cada um. Tinham pedido ajuda. Mas os vaqueiros deles tinham ido adiante, no Porto-Boi e no Porto-do-Cavalo, beira do Paracatú, encontrar com os outros, receberam o gado todo. Os vaqueiros do Goiás pegaram seu dinheiro ganho, fizeram os sinais-da-cruz e deram a despedida, botando os cavalos para trás, voltando pra suas longes terras. A moçama do Urucúia, também. Contaram que com esses estava o vaqueiro Uapa — o rei de todos, montado em seu mais bonito alazão. Tinha mais três outros cavalos, e todos obedeciam a ele, afalados, amadrinhados, sabiam o querer de seu assovio. Todos cavalinhos bons, filhos de cavalos e éguas de São Romão, cada qual mais faceiro, de crinas finas. Aquilo, ele tocava, montado num, ia cantando, a cara dele lumiava, o cavalo agradecendo; e os outros cavalos dele galopavam, vinham lá de trás, para em volta dele, num contentamento, pediam para dansar, até rinchavam! Boiada em que ele entrasse, não dava trabalho. Todo fazendeiro queria ter em sua fazenda ao menos um campeiro que já tivesse companheirado algum tempo com o Uapa. Mas, tinha coisas, lá de suas certas, que ele mesmo aos outros não podia ensinar. Os goianos falavam pouco, voltaram todos, da beirada do Paracatú; eles estavam com saudade das casas. Boiadão desconforme. Enchiam as várzeas, os bois todos andando, p'r'acolá, p'r'acolí, nunca se ouviu berraria tão bonita. Semelhava que iam comer para uma vez o capim dos pastos, rapar o verde dos campos. Estercavam o sertão todo. Na tombada de um morro, inda do lado de lá, mas depois de esbarrarem, a gente veio dar ajuda. E a apartação final. Diziam esse Uapa tivesse podido vir acompanhar, então nem se carecia de ajuda. Uma fartura duma beleza. Hora inteira, o gadame passando, não se acabava. E esse senhor fazendeiro, seo Vevelho, e os filhos, ficaram na beira da porteira, tocando os instrumentos. Seo Vevelho tocando a sanfona. Boi berrava, não berrava, e passava, escutavam quietos, sem toda tristeza. Os filhos de seo Vevelho com o bandolim e a viola. Boiada e mais boiada e mais boiada — passava adiante. Ô mundo grande! *Minrréis, mirigôis!*... Até a gente...

Manuelzão, como os dois campeiros escutava, não conseguia ser mais forte do que aquelas novidades. — "Estória!" — ele disse, então. Pois, minhamente: o mundo era grande. Mas tudo ainda era muito maior quando a gente ouvia contada, a narração dos outros, de volta de viagens. Muito maior do que quando a gente mesmo viajava, serra-abaixo-serra-acima, quando a maior parte do que acontecia era cansativo e dos tristonhos, tudo trabalho empatoso, a gente era sofrendo e tendo de aturar, que nem um boi, daqueles tangidos no acerto escravo de todos, sem soberania de sossego. A vida não larga, mas a vida não farta. Só se feito o João Urúgem, revertido ao sempre, cabelama caindo pelos ombros, o nú, as unhas. Para esse o tempo podia passar, que não adiantava. Quieto num canto, virado bicho. Mas um existir assim os olhos dos outros não mediam. Ele, Manuel J. Roíz, vivera lidando com a continuação, desde o simples de menino. Varara nas águas. Boiadeiro em cima da sela, dando altas despedidas, sabendo saudade em beira de fôgo, frias noites, nos ranchos. Até para sofrer, a gente carece de quietação. Para sofrer com capricho, acondicionado, no campo de se rever. Viageiro vai adiando. Só o medo da miséria do uso — um medo constante, acordado e dormindo, anoitecendo, amanhecendo. Já o pai de Manuelzão tinha sido roceiro, pobrezinho, no Mim, na Mata. Todas terras tão diferentes, tão longe daqui, tão diferente tudo, muita qualidade dos bichos, os paus, os pássaros. Mas o pai de Manuelzão concordava de ser pobre, instruído nas resignações; ele trabalhava e se divertia olhando só para o chão, em noitinha sentava para fumar um cigarro, na porta da choupana, e cuspia muito. Tinha medo até do Céu. Morreu.

De desde menino, no buraco da miséria. Divisou a lida com gado, transitar as boiadas. Mas, agora, viera bem chegado, àquele aberto sertão, onde havia de se acrescentar, onde esquecia os passados. — "*Lá é Cristo, e cá é isto...*" Tinha a confiança de Federico Freyre, era expedito no leal. Tinha vindo em oco: — "E desci cá p'ra baixo, como se diz, como diz o negócio: *pedindo e roubando...*" Mas ali trabalhava, lei de seu bom sentir. E prosperava. — "Nós já espichemos por aí uns duzentos, trezentos rolos de arame..." Mais havia de redondear aquilo, fazenda grande confirmada. Cerca de arame de três fios; e levavam gado. Com a banda bôa da sorte. Sorte: a Capelinha e esta Festa davam a melhor prova!

Sertão. O lugar era bonito. O céu subia mais ostentoso, mais avistado do que na Mata do Oeste, azuloso com uns azinhavres, ali o céu parecia mesmo o Céu, de Deus, dos Anjos. E o pasto reinava bom, sem carrapatos, sem moscas de berne, sem pragas. Ao bater daquela enorme luz, o ar um mar seco. Em setembro ou outubro, o gado aqui estava mais gordo do que no Maquiné; porque os fracos, mesmo, morriam logo. O frio se engrossava bom, fazia para a saúde. E a gente, bom povo. Não falavam mole, como os do Centro, nem assurdado remancheado feito os do Alto-Oeste, sua terra. Falavam limpo duro. Eram diversos. Povo alegre, ressecado. Manuelzão era que, no meio deles, às vezes se sentia mais capiau. E, no começo, ele mais sua meia-dúzia de pessoal trazido do Maquiné, quase que muita coisa não entendiam bem, quando aqueles dali falavam. Linguajar com muitas outras palavras: em vez de "segunda-feira", "terça-feira", era *"desamenhã é dia-de-terça, dia-de-quarta"*; em vez de "parar", só falavam *"esbarrar"* — parece que nem sabiam o que é que "parar" significava; em vez de dizerem "na frente, lá, ali adiante", era *"acolá"*, e *"acolá-em-cima"*, e *"p'r'acolá"*, e *"acolí, p'r'acolí"* — quando era para trás, ou ali adiente de lado... Estimavam por demais o nhambú, pássaro que tratavam com todo carinho, que diziam assim: "*a nhambuzinha*"... Gente de bôa razão, seja com o chapéu-de-couro seja com chapéu de seda de buriti — eles não se importavam muito com as maldades do tempo. Manuelzão nos usos deles já se ajeitava. Aquele poder de gente, por ali, chegando, para a festa, todos o olhavam com admiração e aspecto. Mundo grande! Mas, ainda muito maior, quando a gente podia estar em sua casa, e os outros vinham, empoeirados de sete maneiras, por estradas sertanias — e pediam um café, um gole d'água. Cada um tinha visto muita coisa, e só contava o que valesse. — *"Lá chove, e cá corre..."* A gente mesmo, na estrada, não acostuma com as coisas, não dá tempo. Para bem narrar uma viagem, quase que se tinha necessidade de inventar a devoção de uma mentira. E gabar mais os sofridos — que de si já eram tantos. — "*Eh, mundão! Quem me mata é Deus, quem me come é o chão!...*" — como no truque. Arre, o ruim, o duro da vida, é da gente. Não se destroca. Tudo tinha de ir junto. Como no canto do vaqueiro:

"— *Eu mais o meu companheiro*
vamos bem emparelhados:

eu me chamo Vira-Mundo,
e ele é Mundo-Virado...”

Que nem o velho Camilo, até vinha à idéia. Por que era que ele, Manuelzão, derradeiramente, reparava tanto no velho Camilo? Quem dirá, afora mesmo ele, somente o velho Camilo estaria advertindo em sua mãe, senhora, enterrada lá no alto, pegado à capelinha — mas a alma dela, seu entender de tudo, parava era no Céu. Embora, o sentimento por dentro, que Manuelzão pensava, era o de um sendo-sucedido estúrdio: que esse velho Camilo, no diário dos dias, ali na Samarra, se pertencia justo, criatura trivial; mas, agora, descabido no romper da festa, ele perdia o significado de ser — semelhava um errante, quase um morto. Porque, assim, clareada uma festa, o velho Camilo se demonstrava a pessôa separada no desconforme pior: botada sozinha no alto da velhice e da miséria.

Para lá, para a Capela, e parecia até que para o Céu, partia a procissão noturna, formada em frente da Casa, demoradamente, e subindo, ladeira arriba; concisos caminhavam. A lua minguava, mas todas as pessôas seguravam velas de sebo. Uma das filhas de Leonísia e Adelço, a menina mais velha, vestidinha de branco, toda francesinha, se divulgava de mais longe, carregava a imagem da Santa. Ia perto do padre. Ninguém ainda não sabia se aquela imagem tinha destino de ser Santa milagrosa, nem se o lugar da capelinha dava para prestígios. Era o que o povo pedia. De lá da frente — já à distância de uma pedrada de Manuelzão — uns inventavam um canto, ensinado por Chico Bràabóz, o preto da rabeca. Chico Bràabóz, que tinha feições finas de mouro, nariz pontudo. Ele recendia a aguardentes, mas tinha muitas memórias: as músicas, as dansas, as cantigas. Os outros acompanhavam, sustendo, o coro estremecia aquela tristeza corajosa: — "… *À Senhóoora do Socôôo-rrù…*" —; o restante era um entôo sem conseguidas palavras. Até os cães vinham ladeando, disgramados, sarapulando, escrapulando, em confusão de correria. Passou-se resvés de um curral, donde se escutava o sopro surdo dos zebús, o bater de suas imensas cartilagens. Embolavam as cabeças, no escuro, num rude aconchêgo. Cheiravam a fazenda enriquecida. Gado apartado, à-mão, para se suprir na boiada somante. …*À Senhora do Socôrro*… Quando se interrompia o cantar, os cachorros zangados latiam. Daí, então, os grilos enchiam com seu griliríu os espaços. Ladeira acima, no corpo da noite, a dupla fila de gente, a voz deles, todos adorando o que não viam. Primeiro as mulheres, em seguida os homens, as chamazinhas tremeleiando, o cortejo ia aos altos, trançando as curvas. A poeira saía da escuridão, correndo uma neblina amarelada. Assim aquela procissão, ela marcava o princípio da festa? Mas Manuelzão, que tudo definira e determinara, não a tinha mandado ser, nem previra aquilo. Quem então imaginava o verdadeiro recheio das coisas, que impunham para se executar, no sobre o desenho da ordem? Não embargando que ele Manuelzão fosse acolá adiante, acelerado, nem se importava que o pé doesse, mas devia de vigiar o seguimento de tudo. E agora tinham esbarrado, para o padre baixar comando. Uma mulher carregava no colo uma criancinha toda nua, só trespassada no peito uma fita azul — por devota promessa. No frio apertado da noite, a menininha esperneava, que nem sabia falar, choramingava. A momento, encostou a mãozinha no fôgo da vela que era da mãe, se queimou, rompendo um choro mau. O povo cantava, a mãe da meninazinha cantava. Rogavam para o rugoso Céu, com estrelas, mas cheio de sobrolhos, se serenando na estrada-de-santiago. Manuelzão se retardava para trás, deixava que seguissem sem ele. Retomava seu posto, na culatra

— conforme cumpria nas boiadas — os costumes de responsabilidade. Pudesse, sem falta de respeito, e ele teria vindo a cavalo, para se saber, para sentir aquilo melhor. Arrastava um pouco a perna, arfava um pouco. Chegava-se à Capela. Sem ninguém mandar, só somente, cada um ia colocando sua vela acêsa no topo de cada mourão do cemitério. Tudo alumiava. Entoava-se o Bendito. Louvado Deus seja, que só tira de mim, só me dá o porfim. Manuelzão se apressava adiante, por ali, de estabana mas se precatando — o inflamado do pé doía um pouco, nele não esbarrassem —; carecia de estar perto do padre! O povo lhe dava caminho, à sua altura, à sua pessôa. O povo esperava, inteiravam a festa, a festa eram essas necessidades.

Mas, sob um súbito, Manuelzão não queria, não podia entrar no estreito da Capela: ele estava afrontado na boca dos peitos, aquelas ânsias. Arquejava, da subida? Tomou fôlego. Não, nada não de ser. As más idéias passavam. Só — quem sabe — não seria mesmo melhor ele renunciar de sair com aquela boiada grande, que iam pôr na estrada, logo uns três dias depois da festa — para a Santa-Lua. Aconselhável era deixar de lado a opinião de orgulho, e voltar atrás no arrazoado com o Adelço, mandar o Adelço ir em seu lugar. Enquanto isso, ele ficava ali em Casa, em certo repouso, até a saúde de tudo se desameaçar. Podia? Ah, mas nisso, consigo mesmo não concordava. Saúde bôa, de sempre; só que, nos derradeiros dias, ele tinha dormido pouco, pensar em todas as minúcias da festa deixava a gente numa nervosia. Sabor disso, de rogar ajuda e voltar atrás num trato, ele ao Adelço não dava. Onde era que o Adelço se amoitava, naquela hora? Não devia de estar dentro da Capela, com o padre, o sacristão, Leonísia, o senhor do Vilamão, seo Vevelho e os filhos, as outras pessôas de primeira vantagem. O Adelço era o contrário da festa. Mas a festa se merecia. Por ora, hoje, ainda era a véspera. Mas, amanhã, com a missa, a festa em verdade começava. Para respirar mais a solto, e descansar o pé, Manuelzão se afastava um espaço do resto do povo. Enternecia um pouco, assistir às chamas saltantes, que aguentavam a aragem, nos paus da cerca do cemiteriozinho. Manuelzão não o procurara ver: mas, à luz, redondã, de uma daquelas velas, a cara do velho Camilo se descobria, dobrada sua palidez, diferido. Sem ser forte, mas com voz conhecível, ele também cantava.

Nem era de não se saber que ele podia cantar e competia, por si, os assuntos — que era só alguém pedir, e ele desplantava de recitar, em qualquer dia de serviço, ali no eirado, à beira de um cocho: — "*O bicho que tem no campo, o melhor é sariema: que parece com as meninas, roxeando as cor morena...*" Sempre não sorria, nunca, e mesmo rir não ria; teria constantemente receio de que o tomassem por menos. Repetia ligeiro as coisas demoradas: — "*Suspiro rompe parede, rompe peito acautelado; também rompe coração, trancado e acadeado...*" Um que ouvindo, glosava: — "Isso ele decifra de idéia..." Mas não tirava de idéia, não, não desinventava. Aprendera, em qualquer parte. Aqui e ali, pegara essas lérias, letras, alegres ou tristes, pelas voltas do mundo, essas guardara, mas como tolas notícias. — "*Aí vem um rapazinho, calça preta, remendada: é bestagem, rapazinho, que aqui não arranja nada!...*" Por umas e outras, em nenhuma não se sentia que elas assoprassem da lembrança cenas passadas, que fossem só dele, velho Camilo — que já tinha sido moço, em outras terras, no meio de tantas pessôas. — "*Minha cabeça tá doendo, meu corpo doença tem. Quem curar minha cabeça, cura meu corpo também...*" Aquilo era como se beber café frio, longe da chapa da fornalha. O velho Camilo instruía as letras, mas que não comportava por dentro, não construía a cara dos outros no espelho. Só se a gente guardasse de retentiva cada pé-de-verso, então mais tarde era que se achava o querer solerte das palavras, vindo de longe, de dentro da gente mesmo. — "*O bicho que tem no mato, o melhor é pass'o-preto: todo vestido de luto, assim mesmo satisfeito...*" As quadras viviam em redor da gente, suas pessôas, sem se poder pegar, mas que nunca morriam, como as das estórias. Cada cantiga era uma estória.

Como as compridas estórias, de verdade, de reis donos de suas fazendas, grandes engenhos e mais muitos pastos, todo gado, e princesas apaixonadas, que o canto da mãe-da-lua numa vereda distante punha tristonhas, às vezes chorando, e os guerreiros trajados de cetim azul ou cor-de-rosa, que galopavam e rodopiavam em seus belos cavalos — as estórias contadas, na cozinha, antes de se ir dormir, por uma mulher. Essa, que morava desperdida, por aí, ora numa ora noutra chapada — o nome dela era a Joana Xaviel.

Ela recontava a estória de um Príncipe que tinha ido guerrear gente ruim, trêis longes da porta de sua casa, e fora ficando gostando de outro guerreiro, Dom Varão, que era uma moça vestida disfarçada de homem. Mas Dom Varão tinha olhos pretos, com pestanas muito completas, o coração do Príncipe não se errava, ele nem podia mais prestar atenção em outra nenhuma coisa. Vai daí, foi perguntar ao Pai e à Mãe dele, suplicar conselhos:

"*Pai, ô minha Mãe, ô!*
estou passado de amor...
Os olhos de Dom Varão
é de mulher, de homem não!"

A Rainha ensinava ao filho seguidos três estratagemas, astúcia por fazer Dom Varão esclarecer o sexo pertencido. Quando sucedia esse final, o Príncipe e a Moça se casavam, nessas glórias, tudo dava acerto.

Joana Xaviel fogueava um entusiasmo. Uma valia, que ninguém governava, tomava conta dela, às tantas. O rei velho rei segurava a barba, as mãos cheias de brilhantes em ouro de anéis; o príncipe amava a moça, recitava carinhos, bramava e suspirava; a rainha fiava na roca ou rezava o rosário; o trape-zape das espadas dos guerreiros se danava no ar, diante: a gente via o florear das quartadas, que tiniam, esfaiscavam; ouvia todos cantarem suas passagens, som de voz de um e um. Joana Xaviel virava outra. No clarão da lamparina, tinha hora em que ela estava vestida de ricos trajes, a cara demudava, desatava os traços, antecipava as belezas, ficava semblante. Homem se distraía, airado, do abarcável do vulto — dela aquela: que era uma capiôa barranqueira, grossa rôxa, demão um ressalto de papo no pescoço, mulher praceada nos quarenta, às todas unhas, sem trato. Mas que ardia ardor, se fazia. Os olhos tiravam mais, sortiam sujos brilhos, enviavam.

Se somava que a Joana Xaviel tinha vindo para a festa. Sonsa entrava ali, no relento da cozinha, com Leonísia e umas das mulheres de vaqueiros, ensinando as estórias. Retornadas da procissão e da reza na Capela, essas não podiam ir dormir, aguardavam que o padre apagasse a luz do quarto-da-sala. De lá, depois do portal do corredor, o padre não alcançava escutar. Nem o senhor do Vilamão, noutro cômodo, com seus dois camaradas de fiança, que dele cuidavam. Nem seo Vevelho e os filhos, dormindo na sala. Ouvia-as Manuelzão, já deitado, aqui, atrás de parede, quase encostado na cozinha. Não conseguia pegar no sono.

Sus, sus, no vão entre duas estórias, Joana Xaviel se arapuava, questionando o caso dum veredeiro, que queria vergonha com ela e, escopado, sem os favores — somenos segundo ela dizia — saíra por meia redondeza a difamá-la a mal. Morreu, sobre o depois, sua alma veio assombrar. Mesmo agora a ira de

Joana Xaviel não se fingia. A mais, vibrava em seu falar, que se expedia num resoluto:

— "...Ele me fez muito falso. Morreu e veio me representar. Veio andando de quatros patas... Que todos me ôiçam! Que todos me ôiçam! P'r' amò-de perdão... Mediato, veio logo me ver. Por conta dele, eu tinha contravindo de sair de minha casa. Onça comeu porca, leitãozinho morreu de fome... Enquanto eu tiver raiva, eu não perdôo! Eu? Não perdôo. Por qual razão que eu destravei com ele. Aquele homem, quando vivo, sabia rezas pesadas. Três dias despois de morto apareceu. Era a alma dele. Eu não tive medo nenhum, tive foi mais raiva... A cachorrinha é que ficou uinvando. Ficou assombrada. A mesmo despois que a visonha daquilo tornou a se desaparecer, a cachorrinha não teve paz. Ela não podia olhar a luz da candeia, não queria de jeito nenhum virar a cara para a banda do fôgo na fornalha..."

Que quem foi que tossiu, lá fora da porta do terreiro? O velho Camilo. Leonísia perguntou por quê que ele não entrava: há de entrasse pra dentro, vir beber um coité de chá de cagaiteira, com as pessôas. Leonísia prestava gentil a caridade — mesmo com tantos cansaços do dia, ela por suas bôas mãos tinha botado água na bacia, tratou do machucado no pé dele Manuelzão, sem o desdém. À mente, a mãe de Manuelzão reconhecia o tamanho da alma de toda pessôa, no disparo de um olhar. Sobre Leonísia, ela redisse: — "Esta procede produzido de si, certa no esquecível e no lembrável..." —; e não dosou o bem-querer, que era para uma neta, para uma filha. A ser — e o que era que ela estudou, do Adelço? Nada. Lei que não dava opinião, nunca, em assunto de homem. Às entre-vezes, semelhava ela tivesse pena do Adelço, quem sabe por ser trabalhador na tristeza. Todo modo, o Adelço condizia qualquer obrigação, na coragem acostumada. Mas ele obscurecia na gente toda novidade de animação, as influências, toda graça de entusiasmos. A mãe de Manuelzão, se viva, também havia de ter falado com o velho Camilo para entrar, vir ouvir cá dentro. A noite seroava fria, até fazia mal, na idade dele. Velho Camilo agradecia, estava a cômodo, sentado no toco, na boca da escuridão. Só um menos apartado, feito os pobres cães cachorros, que se deitam, satisfeitos, perto das pessôas. Não adiantava encalcar, com ele porfiar. Mesmo permanecia ali porque gostava de Joana Xaviel. Gostava, de amor? A Leonísia tinha falado bondosa, mas a sério, seu respeito. Devia de ser via disso que a Joana Xaviel não apôs palavra. Às artes, começava outra estória:

— "O seguinte é este..." Aí, uma vez, era um homem doado de rico, feliz de rico, mesmo, com extraordinárias fazendas-de-gado. Tinha um amigo, que era vaqueiro, muito pobre, pobre, pobre. A mulher do vaqueiro se chamava a Destemida...

Sensato normal não havia de ser — ponto que o sono regateava de não vir — que então ele Manuelzão imaginasse só na festa? Na idéia da festa ele não estava navegado, a tudo? Quieto, devia de aproveitar para repensar mais os arranjos, escogitando meios. Verdade, que bem não carecia — cada apreparo terminara disposto, cada providência em ordem. Antes ela mesmo mesma já tinha rompido em movimento, o rojão de suas partes se sucedendo: crente que a gente já estava no meio da festa festejada. Amanhã, raiava o diazinho, a festa recomeçava mais... Mas, então, o lucro seria de não esperdiçar a espertina destas pequenas horas, e deixar de ouvir aquelas estórias — o vago de palavras, o sabido de não existido, invenções. Tomar a ocasião para presumir os benefícios do serviço do campo, o negócio de sempre. A boiada que ia sair. À Santa-Lua. Não, não carecia. A gente não estava em folga de festa? Ness'horinha, não devia-de.

Desmerecia, até estragava o avêjo da festança, se ele pegasse a refletir na viagem da boiada, no procedimento do Adelço. Aborrecia. Deixava para depois, quando a festa estiasse. Aí, resolvia. Ah, não tinha preguiça de si — mas também não assumia receio de ninguém! Era homem de ponto. Só o trunfo de rebentar as durezas — não perdia retreta de vadiação. Agora mesmo, não era por querido querer que estava ali escutando as estórias. Mais essas vinham, por si, feito no avanço do chapadão o menor vento brisêia. A bem ele tinha decidido o cálculo de botar o pé jazendo na cama, ali, para ajudar que o machucado melhorasse. Se não, estaria em pé, sobre-rondando, vigiando o povo todo se acomodar. Só que o sono se arregaçava. Se furtivava o sono, e no lugar dele manavam as negaças de voz daquela mulher Joana Xaviel, o urdume das estórias. As estórias — tinham amarugem e docice. A gente escutava, se esquecia de coisas que não sabia.

— "O seguinte é este..." O homem rico prezava toda a confiança no vaqueiro, deu a ele a melhor maior fazenda, pra tomar conta. O vaqueiro podia comportar lá o que por si entendesse, mas tinha de zelar cuidados com a Cumbuquinha, uma vaca que o homem rico amava com muita consideração. Foi quanto foi para a Destemida exigir do marido, a sentido rogo: que queria comer carne da Cumbuquinha, que precisava, porque era um desejo e ela estava grávida de criança, mesmo precisava. Até os meninos choravam: "Nha mãe, não mata a Cumbuquinha..." Mas a Destemida tinha o relógio de não ter nenhuma piedade. Não atendia, por mais prazer. O vaqueiro pobre matou a Cumbuquinha...

Não, não foi o velho Camilo quem tossiu. Foi o papagaio, o cravo — o Cravo. Dormitando em sua placa, no umbral da porta, toscanejou de resmungar e cochichar as contracoisas. Aquela hora, podia-se pôr nele a mão, coçar-lhe o cocoruto, ele se alongava, sempre em surdina refalando. Bobéias e parlendas. Que o el-rei foi à caça, real, real, por Portugal, e os cães correndo o veado: "*Au, au, au: pé!... — Matou, compadre?*" O couro era dele, Cravo, para fazer carapuça p'ra o sandeu, e depois remedar o gruziado de um perú e o choro de meninos, e o ralho da Leonísia batendo nos meninos, e cantar o *Sererê-Sererá*, parlendas dele mesmo, outras canções:

"*Menina, segura*
seu papagaio!
Senão ele foge
me dá trabalho..."

Ele sabia sisudo até o imoral. Era um papagaio-verdadeiro dos Gerais, e macho: com muitos amarelos na cabeça.

Manuelzão não se ria, de espírito afastado. Mas carecia de se ajudar imaginando todos os outros rindo, rindo, com barulho. Se o velho Camilo não entrava para a cozinha, tivesse ou não vontade, decerto tinha, não entrava era porque falhava ao jeito, se vexava sendo de amor. Joana Xaviel sabia mil estórias. Seduzia — a mãe de Manuelzão achou que ela tivesse a boca abençoada. Mel, mas mel de marimbondo! Essa se fingia em todo passo, muito mentia, tramava, adulava. Nem era capaz de ter chegado simples para a festa, como os outros, mas postiços manifestava: — "Vim soprar arroz p'ra sa dona Leonísia..." Por que havia de ser que logo as pessôas tão cordatas, tão quietas, como a mãe de Manuelzão ou como o velho Camilo, é que davam de engraçar com gente solta assim, que nem Joana Xaviel?

— "...A Destemida era doida varrida..." "Mas até os meninos, enquanto teve carne, muitos dias, pediam: — "Nha mãe, me dá um taquinho da Cumbuquinha, pra eu assar?" A senhora mãe do homem rico escutou essa conversa dessa, por uns acasos; o vaqueiro pobre tinha informado falso, o minto de que a Cumbuquinha rolara num barranco e se morrera, quebrados os quartos. Então a Destemida, mediante venenos, matou a mãe do homem rico, antes que ela fosse poder delatar ao filho os e-xatos. O Homem Rico chorou um pouco, sem sofismar, daí pois mandou se fazer o enterro mais bonito que se pudesse. — "... Quando acabaram de aprontar a defunta, ela ficou um preço enorme... Os apreparos dessa mulher..." Mas a Destemida ainda se encaprichou de conseguir roubar as todas alfaias, e tochou fôgo na casa onde se guardava o corpo da velha, pra o velório. A estória se acabava aí, de-repentemente, com o mal não tendo castigo, a Destemida graduada de rica, subida por si, na vantagem, às triunfâncias. Todos que ouviam, estranhavam muito: estória desigual das outras, danada de diversa. Mas essa estória estava errada, não era toda! Ah, ela tinha de ter outra parte — faltava a segunda parte? A Joana Xaviel dizia que não, que assim era que sabia, não havia doutra maneira. Mentira dela? A ver que sabia o resto, mas se esquecendo, escondendo. Mas — uma segunda parte, o final — tinha de ter! Um dia, se apertasse com a Joana Xaviel, à brava, agatanhal, e ela teria que discorrer o faltante. Ou, então, se vero ela não soubesse, competia se mandar enviados com paga, por aí fundo, todo longe, pelos ocos e veredas do mundo Gerais, caçando — para se indagar — cada uma das velhas pessôas que conservavam as estórias. Quem inventou o formado, quem por tão primeiro descobriu o vulto de idéia das estórias? Mas, ainda que nem não se achasse mais a outra parte, a gente podia, carecia de nela acreditar, mesmo assim sem ouvir, sem ver, sem saber. Só essa parte é que era importante.

Manuelzão aceitava de escutar as estórias, não desgostava. De certo que não vinha nunca para a cozinha, fazer roda com os outros; ele não gastava lazer com bobagens. Mas, se ouvindo assim, de graça, estimava. As estórias reluziam às vezes um simples bonito, principalmente as antigas, as já sabidas, das que a gente tem em saudades, até. A mãe de Manuelzão também apreciava. Só pelo desejo dela, foi que se deixou a Joana Xaviel vir, de tempos em tempos, contar. Joana Xaviel não era querida nas casas. Mesmo porque vivia de esmolas, deduziam dizer que era mexeriqueira, e que, o que podia, furtava.

Joana Xaviel demostrava uma dureza por dentro, uma inclinação brava. Quando garrava a falar as estórias, desde o alumeio da lamparina, a gente recebia um desavisado de ilusão, ela se remoçando beleza, aos repentes, um endemônio de jeito por formosura. Aquela mulher, mulher, morando de ninguém não querer, por essas chapadas, por aí, sem dono, em cafuas. Pegava a contar estórias — gerava torto encanto. A gente chega se arreitava, concebia calor de se ir com ela, de se abraçar. As coisas que um figura, por fastio, quando se está deitado em catre, e que, senão, no meio dos outros, em pé, sobejavam até vergonha! De dia, com sol, sem ela contando estória nenhuma, quem vê que alguém possuía perseveranças de olhar para a Joana Xaviel como mulher assaz? Todo o mundo dizendo: que Joana Xaviel causava ruindades. Se não produzia crime nenhum, era porque não tinha estado, nem macha força, e era pobre demais. Nem nunca fora casada mesmo com ninguém. Culpavam que matara o veredeiro, de longe, só por mão de praga de ódio, endereço de raiva sentida. Por isso que, antes, o veredeiro tinha ficado era com embirrância, com ciúme, levantou o falso... E o velho Camilo? Com margens de oitenta anos, podia ainda como homem? Mas, mesmo sem ser por resposta do corpo, sem os fogos, diversas pessôas procediam a inocência de gostar dela — a mãe, mesma, de Manuelzão, outros, até as crianças... Ensalmo nenhum; súo de malícia. Suas lábias... Mas — o que alguém ali tinha dado a entender: que o Adelço, próprio, alguma vez usava o selvagem do corpo dela! — isso havia de poder ser? Manuelzão duvidava áspero daquilo, depois se compunha para o descrer. Não, o Adelço nem era competente para essa astúcia. Nem havia de ter coragem: e a Leonísia sendo tão bonita — mulher para conceder qualquer felicidade sincera.

— "...Diz que era um Rei, tinha uma filha por casar..." O senhor do Vilamão, miúdo mansinho de tão caduco, o pai dele tinha sido o maior de todos os fazendeiros, no rumo de Paracatú. Um faraó de homem, dono de quinhentos escravos, fazenda de toda gala. Ainda ele mesmo, o senhor do Vilamão, persistia rico no que herdou, também com fazendão, quantidade de vaqueiros, enxadeiros, malados e meeiros, e assistia numa casa enorme, com capela por dentro — mas espaçosa, possuindo nobre altar, com douração, com os ornatos todos — onde cabiam bancos de jacarandá, de recosto, e a gente admirava a cruz e os instrumentos do martírio, repintados, em amarelo e azul, no forro branco do teto. Lá, naquela fazenda Atrás-dos-Môrros, se servia vinho comercial, bebidas de sala; mesmo em dias sem festa se comiam eram iguarias. Só as riquezas que guardavam em arca de roupa! O senhor do Vilamão ainda vestia camisas de holanda, que prendia com botão de brilhante, e aplicava os punhos, duros de goma. E agora estava ali, hóspede dele, Manuelzão, tinha vindo para a festa! Depois que embora fosse, alguém perguntando, ele por caduquice podia desprezar no dizer: — "A Samarra? É uma capelinha branca, com tanta parede e janelas nenhumas, tão pequenina cruz, piando de pobre..." Mas tinha vindo. Estava sendo um convidado de festa do Manuelzão.

O que mal dissesse, ninguém se importava. Ah, manhã cedo a missa ia se sobressair em azo de fama, com tanta gente no contemplar! Por onde estaria agora recolhida para dormir aquela gentaria, não se escutava maior rumor nenhum, era uma noite como as outras, perpassada. Só o grilolim dos bichinhos do campo, um cachorro vez latia. Todos deviam de estar querendo dormir com aferro, por um amanhecer mais frescos dispostos. E ele, Manuelzão, não pelejava no caminho de poder ficar rico, também, um dia? Deus emprestasse a ele de chegar aos cem anos, com resistida saúde, e ele completava comprando para si até a fazenda em pompa do senhor do Vilamão, que a todas desafiava. Para teimar e trabalhar, se crescia, numa coragem de morder os ferros. Ah, tanto dava barra no impossível. Supunha a morte? Carecia de um filho, prosseguinte. Um que levasse tudo levantado, sem deixar o mato rebrotar. Não o Adelço — ele sabia que o Adelço não tinha esse valor. Doía, de se conhecer: que tinha um filho, e não tinha. Mas esse Adelço saíra triste ao avô, ao pai dele Manuelzão, que lavrava rude mas só de olhos no chão, debaixo do mando de outros, relambendo sempre seu pedacinho de pobreza, privo de réstia de ambição de vontade. Desgosto... Como ter um remédio que curasse um erro, mudasse a natureza das pessôas?

A estória da Carolina: — *"A preta chegou nos agrades da cadeia, e deu o recado: que ele pudesse ir, que a Princesa chamava. Quando voltou, arengou à Sinhá..."* Agora a gente ouvia a risada alegre do Promitivo, ele também na cozinha, escutando as estórias. Esse Promitivo se parecia demais com a Leonísia, um o retrato da outra. Só que ele era valdevinos, no tanto que ela era trabalhadeira. Aprontara tudo para a festa. Manuelzão tinha pensado que dar uma festa custasse mor trabalho. Não era. Cada um fazia, de lado seu. Até o Promitivo. Até o Adelço. Mas mais trabalho para Leonísia, e p'r' as outras que ajudavam, agora nem iam se deitar pra dormir. O padre ainda devia de estar com a luz acêsa no quarto, rezando sempre, podia chamar, carecer de alguma coisa? — "*Era uma mulher muito fazendeira... Deixou o filho se criar na lei da habituação...*" O rapaz foi trabalhar para o Presidente. Entrou em batalhão. Fez um grande malfeito, ele foi preso. Mandou atrás de sua mãe. Ela chegou, saudaram:

— "*Minha senhora dona,*
que milagre é um?
que milagre é um?
A senhora por aqui?"
....
— "*Me puseram preso no pelourim...*"

Leonísia era linda sempre, era a bondade formosa. O Adelço merecia uma mulher assim? Seu cismado, soturno caladão, ele encabruava por ela cobiças de exagero, um amúo de amor, a ela com todas as grandes mãos se agarrava. Nem a gente podia aquilo moderar, não se podia repreender, com censuras e indiretas; pois não era a mulher dele? Mas o Adelço só tinha prazer na mulher, afora o trabalho e os filhos só via no mundo a mulher; avesgo, lambuzado. Não tinha afeição para mais ninguém. Por conta disso, para não se separar da Leonísia, o prazo de um mês, era que o Adelço remanchеara, não declarara firme desejo de conduzir a boiada, não se oferecera insistido para chefiar a comitiva da boiada — deixara que a ele mesmo, Manuelzão, competisse aquela ida. O Adelço tinha-se feito peso-mole de melhor não ir: pois queria era ficar, encostelado, aproveitando os gostos de marido, o constante da mulher, o bebível, em casa com cama. Nada, não — dei'stá! — ele, homem, ia! Ele,

Manuelzão. Quisesse, não ia, isto sim; não era ele sozinho quem mandava, amo, na Samarra, em tudo?! Era só querer, decidir, e falar determinado: — "Adelço, eu resolvi, eu fico. Há-de-o, arruma a trouxa, sela o cavalo, e vai!" Ah, e fosse, sem rosnar, de bôas-vontades. Não me vem com reflagidos! Dito que ele era quem mandava — por ser o pai, o dono, por ter as custas do dinheiro. Mesmo, por um capricho legal, não estava no poder de mandar aumentado? Assim: que, depois da boiada entregue, ainda o Adelço carecesse de ir mais para adiante, mais longe, mais tempo, — levar por exemplo um bilhete, em mão, na Sete-Lagoas, no Belorizonte, no lugarejo do Mim, na Uberaba! — então tinha de passar não era um mês, não, mas dois, três, seis meses, sei lá, longe da Leonísia. Pra ver o que é bom...

Não, esse perigo não tinha, não. Não tinha, porque ele Manuelzão era alto para sustentar toda ordem, toda decisão dada. Falou que ele mesmo ia, ia. Sorte do Adelço, escapado de lição, e que lucrava. Brios da vida: —*"Eh, Manuel J. Roíz não bambêia!..."* Havia de descorçoar? Só o não-sei-o-que que estava meio quase sentindo, que principiava a não-querer sentir, dessa viagem. Será que estava mesmo cansado nos internos, desnorteado com a festa? Porque, incertamente, dessa vez, ele dissaboria de ir, desgostava daquela boiada em jornadas, a idéia dela era pesada; e não aceitava um palpite ruim, o sussurro duns receios. Na saúde? As dormências, os arroxeados nos beiços, o retorto da canseira — e também, a qualquer esforço, com mais demora, logo lhe subia uma supitação. Ah essa falta-de-ar, o menos apetite de comer; umas dores... Suspeitava fosse via de morrer. A alma do corpo põe avisos. Desar disso — ei, então, gente, estavam achando que ele, Manuelzão, levava a breca, no bom repente ia bater com o rabo na cerca?! De primorosa! E, imagine só, logo agora, com tanto emprazo de serviço para empurrar, capela e festa feitas, e braças e braças de campo por se fechar, e os gados... Nem pensava. Primeiro, tinha querido mesmo ir, em vez do Adelço, para depois, no fim da boiada, pagar consulta com um médico, no Curvêlo. Agora não queria, não. Toleimada. Carecia de médico não, saúde é mesmo isso, que para lá e para cá varêia, no atual; ele estava substante de bom. Sim, se sabia bom, pau-e-pedra, pronto para destaques. Só o que estava era assarapantado com essa festa. E o pé-me-dói, aquela maçada. Pudesse logo sarar do pé, isto sim. Amanhã é que ia ser mesmo a festa, a missa, o todo do povo, o dia inteiro. Dião de dia!

Ao depois, nos acabados, essa gentama se espalhava, indo-se embora. Uma festa é que devia de durar sempre sem-fim; mas o que há, de rente, de todo dia, é o trabalho. Trabalhar é se juntar com as coisas, se separar das pessôas. Ele Manuelzão nunca respirara de lado, nunca refugara de sua obrigação. Todo prazer era vergonhoso, na mocidade de seu tempo. Tempos duros, que o Adelço de certo não tinha conhecido. Agora, Leonísia era uma fonte-d'água de bonita, o Adelço não se desamarrava de perto dela. Casar, assim, era fácil! Ah, mas fosse querer saber dos passados. Antigamente era antigamente. Ali mesmo, na Samarra, estava um velho amigo companheiro, Acizilino, esse tinha exemplo para dar. A quando Acizilino se casou, ele e Manuelzão trabalhavam pra Nhô Acácio, nos Algodões. Acizilino, depois do casamento, podia ter tomado folga, de gala de repouso; se tanto, se duvidar, uns dias. Mas fez questão de sair com a gente, ele casou num sábado e se saíu na segunda, com o gado, esse trem, que se ia para o Capão das Almas, por fora de uns mais de quarenta e cinco dias, ida e volta só. Não queria que o patrão e os outros pensassem que ele estava gozando a vida. Tinha vergonha de saberem que estava lá, em sua casa, em lùademéis, casado por um divertimento. Tudo se castigava comedido assim —

quem cantava não dansava. Coisa bôa, a gente come é em pé, às pressas, nos intervalos. Ah — *alegria do pobre é um dia só: uma libra de carne e um mocotó...* — como se diz! Por mesmos, ele Manuelzão não tinha se casado. Macaco não tem dois gostos: assoviar e pular de galho... Pegara o agrado de mulheres acontecidas, para o consumo do corpo: esta-aqui, você-ali, maria-hoje-em-dia — eram gado sem marca, como as garirobas, sem dono, do cerrado. Nem não moravam dentro das terras de seu serviço. E ele nunca se descuidara de não gostar demais delas. Isto é, às vezes, tinha gostado. Tinha até chorado, lágrimas, dessas que violão toca. Mas a roda da vida empuxava. Carecia de estreitar os desejos, continuar seus caminhos. O destino calça esporas. Tantamente, agora, já estava melhorado de vida. Surgia com uns fiozinhos brancos se entremeando no baixo do cabelo, que muito aumentavam. Mas, ali na Samarra, ele feito se fazia. Separava suas cinquenta vacas, e uns oito entre burros e cavalos, só dele. De bom alarde. E cumpria bem tudo para servir Federico Freyre, leal. Supria a Samarra: os campos vividos, berro de bom gado, o arame das cercas tomando conta do Baixio, e terrenos agrícolas, terras lavradas, o arrozal como flôr; o saco aberto, cheio de feijão. Diversidade grande de quando de primeiro se tinha vindo, se dormia ali, no arrancho, e os macacos manhaneiros gritando juntos matinavam, dependurados das árvores, quase que podendo bulir com as mãos nas cangalhas da gente! Sempre fora homem firme. E agora estava hospedando o padre. O senhor do Vilamão, seo Vevelho, pessôas de posse. Mais ainda havia de melhorar, e muito, tudo. Por ora não se podia uma laranjeira, nem bananeira, nenhum pé de fruta — formiga desmanchava; espera, que a gente ia acabar com as formigas que amolecem o chão, e com o macacume de mato-dentro. A ver, aquela boiada ia ir. Tudo em ordem. Trem bom, enchendo os pastos. Tinham de sair em sul, serra acima, avançando com cautela, tocado de um mês de viagem, por aí ããã, reses mais de novecentas, até umas vacas com os bezerrinhos. E havia de se cumprir certo. Aquele Acizilino ia junto; e, engraçado de se pensar: ele Manuelzão nunca se casara, mas, agora, constituía de patrão. E o Acizilino, mesmo velho companheiro amigo, como sendo, para ele trabalhava de empregado. Boiada! Mas só para se raciocinar depois da festa. Agora, o que se estabelecia era a festa. Uma festa terrível. Até para fazer festa, a gente carece de estar acostumado.

Joana Xaviel não terminava nunca de acabar aquelas estórias? O padre não esbarrava de rezar no quarto, não se adormecia? Hora de Leonísia e as outras irem para a cama, tomarem algum repouso, na rompida do dia tudo tornava a começar, aquele movimento de povo, povo. Gente dormindo por aí, homens e mulheres. Até onde é que aquele pessoal todo ia, fazer suas necessidades, só se via gente abundando pra debaixo dos arvoredos, na grota que tinha sido do riachinho. Ali havia plantas que ainda guardavam viço muito verde, de por águas corridas naquele cavo chão. Joana Xaviel decerto ficava para pernoitar na cozinha. O velho Camilo morava num canto, no quarto dos arreios. Mas, por esta vez, tinha demais outras pessôas, também dormindo lá. Joana Xaviel, no dar da meia-noite, não se trasmarcava? Mas não seria verdade que o Adelço aos os olhos bodejasse, querendo com ela. O Adelço só tomava calor com Leonísia... Mas, ele, Manuelzão, que não possuía mulher formosa no canto da cama, então não estava livre para assim-e-assado, alguém poderia debicar e reprovar? Seguro que ela não passava de uma chapadeira percebida feiosa; mas isso era negócio pessoal, desde que ele mesmo quisesse, para um variamento, ninguém não tinha que confrontar, por ele não pôr os pontos altos. E o velho Camilo? Triste de um, soez sujeitado, nesse sertão. Resumo que vivia, por esmola. E logo ali, nos desmandados lugares... Quase todo o mundo tinha medo do sertão; sem saberem nem o que o sertão é. Sertanejos sabidos sábios. Mas o povo dali era duro, por demais. Mais, então, as mulheres. A gente perguntava: — "Vocês não têm medo de onça?" Essas respondiam: — "A gente tem remorso delas não..." A que duas mulheres de campeiros estavam buscando lenha no cerrado, de tardinha, hora do escurecer, elas tinham levado os cachorros. Em certo repente, os cachorros delas deram de guerra, e a contravulto avançaram num outro cachorro, no semiscuro elas não podiam notar bem, só ouviram o refunfo, mas baixaram o porrête no outro cachorrão, o bicho era mais forte, os cachorrinhos de casa estavam perigando. Deram, de derrubar. Mataram. Daí, então, foram ver, era uma onça-vermelha: uma suassurana-do-lombo-preto, das que são grandes... O couro da sússua estava ali, desespichado. Joana Xaviel também era assim. Gente esperta, remacheada, sem trava no cabo da mão. Mas ele, Manuelzão, podia com eles.

Agora, tinham acabado de contar as estórias, ido se deitar, não sobrava mais conversa na cozinha. Leonísia já devia de estar em cama, junto com o Adelço, só ele tinha o direito de olhar a formosura alegre de Leonísia. Mesmo de pensar, mesmo de reparar no rosto, no descanso de Leonísia. Deus de lei. Maus pensamentos. A Leonísia devia de ter permanecido sempre exata donzela formosa, não se casado com ninguém. Ele queria pegar logo no sono, para poder levantar cedo, não estar o dia inteiro da festa desdormido, com vencimento de cochilar. Mas não estava vigorando adormecer. Havia de ser o nervoso da influência, tanta gente em vago, tanta coisa. Festa remexia. Essas graças: ele podia ter feito tudo ali, o que fez, que gastou os dentes da boca — trabalho retesado, semeando bem o dinheiro de Federico Freyre — e com aquilo não abria poder de chamar aquela arribação de gente, de uma vez, visitando. Agora, aprontou a capela, prometeu a festa, o povo vinha. Só a festa. Sua mãe, mesmo, não devia de ter imaginado assim, quando a idéia da capela ela disse forte. Semelhantemente, ele havia de mais progredir. Não estava com sonhice, não cuspia para cima, não despautava. Mas ele sabia os seus e vossos. Deus desse saúde! Assim ele ia investindo, a todo seu poder, nos antebraços do tempo. Trabucava. Se a rasgo não se lida, todo santo dia, com vontade de abrir um adiante, então tudo desmerece, desanda, de pior, pior, pra trás, as coisas ganhas começam a escapulir, vão não estando nas mãos da gente. Trabalhar, até alcançar a firmeza de uns assim, de quem o nome vale. O senhor do Vilamão. Trisavô, tataravô dele, tinham desbrenhado os territórios, seus homens de arcabuz sustentando de guerrear o bugre, luta má, nas beiras de campo — frechechéu e tiroteio. Mas, esses, podiam simples cantar:

Montado no meu cavalo
eu abri este sertão...

Agora, o senhor do Vilamão, velhinho, quase cego, nem tinha filhos, nem tinha parentes, mas todo o mundo o prezava. Não tomavam dele o que era posse em seu nome, e que estava mais garantido do que a lei. Mas, o pequenino, o pobre, sofre, sofria sempre. O preto Zé Grosso, campeiro do Major Adagmo, do Atoleiro, costumava roubar alguma rês dos outros. Umas duas vezes, já consumira gado da Samarra, novilhos com o ferro dali. Se a gente reclamava, era questionado. Já tinha dito declaração: se o preto não tem responsabilidade de patrão, que honre para as regras, então era ladrão atôa, safado, podia se pegar e fazer corda de justiça. Ou era na boca do revólver: — "Eu mato, mesmo. Visto isso, ele sabe, não me dê prejuízo..." Tudo coisas. Tinham espancado um veredeiro meio bobo, pra cá do Nhão. Tomaram os trens dele. Era preciso a gente possuir base do seu, com volume. Ter dinheiro, muita terra e gado, e braços de homens pagos, e dar-se ao respeito, administrar política. Sempre esse susto de se vir a cair outra vez na pobreza. Era como ferrão de carreiro, espicando aguilhada nas moles costas.

Uns, pobres de ser, somenos como o velho Camilo, esses nem tinham poder de nada, solidão nenhuma. Viviam, porque o ar é de graça, pois. Velho Camilo tinha vindo p'r'acolí, nem se sabia de donde. Pegara a viver com a Joana Xaviel, na mesma cafúa. Como havia de ser a vida deles dois, lá, na casinha sem dono, na chapada? Como era que eles conversavam? Réles tinham nada de seus, nem trabalhavam. Um saía para uma banda, o outro por outra, pedindo coisas de comer pelo-amor-de-deus, tiquinho de mantimentos. Como é que duas criaturas assim se gostavam? Vê-se em mundo cada coisa!

Como o João Urúgem, caso assim até depunha, apoucava o espírito do arredor. O certo, de cristão, havia de ser terem ido pegar aquele, no cujo mato, no pé-de-serra, logo depois que se decidiu que ele mesmo de nada era que não tinha sido o furtador. Ir buscar o João Urúgem, dar banho nele, rapar os cabelos, cortar as unhas das mãos e dos pés, tratar direito, dar preceito... O lugar carecia de progressos. Os meninos do Adelço, os netinhos dele Manuelzão, iam crescer, criar ali. Mas, como filhos de fazendeiro, recolhendo as comodidades, tendo livro de estudo. Criaturas feito o João Urúgem, não podia mais haver, era até demoniamento. João Urúgem, no caminho do pé-de-serra — uma rua, uma grande estrada morta. Se as pessôas não fossem lá levar, vez, vez, alguma peça velha de roupa, o homem se prazia nú, na bronca. Manuelzão só tinha espiado aquilo numas duas chegadas, campeando gado fujão. Boi bravo ganhava para aquelas brenhas, amontavam, ficavam comendo de folha de árvore no excesso do mato, só para não se dar pra vaqueiro ver. Consoante que o zebú, esse sabia até se erguer em pé, a mor de colher folhagem alta. O lugar era da mãe do demo. Manuelzão tinha avistado um corujão lá — espedaçando uma cobra com as bicadas — era uma jararaca-verde, venenosa, não se esquecia. Mesmo por isso aprovava que o João Urúgem viesse. Pois às vezes imaginava se, com afinco, se não tinha algum jeito de se aproveitar no útil aquele ser: ensinando o Urúgem a zelar, que nem um meio-posteiro — para informar notícias e tanger de volta para a Samarra qualquer rês que arribasse no pé-de-serra? João Urúgem guardava raiva antiga de todo o povo dos lugares do Baixío, por conta do falso que contra ele tinham em outro tempo acusado; mas Manuelzão era de fora, estava fazendo fazenda, o Urúgem achava que ele ia mudar tudo por lá, e castigar os outros. Sandice. Quem castiga nem é Deus, é os avessos.

Velho Camilo se sabe tinha morado mais de uns seis meses, na cafúa, com a Joana Xaviel. De lá pegara a vir, dias em dias, à Samarra, pedir um feijãozinho, um sal. Daí muito se disse que aquilo não resultava bem, os dois, não dava. Somente se vê: eles necessitando da caridade, e vivendo assim num bem-estar? Nem não eram casados. Tinham de se apartar, para a decência. Mais o velho Camilo e a Joana afirmavam, que no entre-ser não tinham as malícias. Pois então, melhor, aí é que não precisavam de estanciar juntos. A gente ou é angú ou é farinha. Se apartaram. O velho Camilo veio para a Samarra, teve de vir: se deu ordem. Por maldade, não, picardia nenhuma, que ele Manuelzão não era carrancista. Mas, tinha lá alguma graça aquela estória de amor nessas gramas ressequidas, de um velhão no burro baio com uma bruaca assunga-a-roupa? A de menos que ele, Manuelzão, como chefe, como dono, é que ia ter mãezice de tolerar os casos, coisa que a todos desapraz? Procedeu. Se penavam por conta disso, era a vida em seus restantes, não se carecia de ter escrúpulo — caducagem dum, vadiação de outra — nem de se conceder, a tal. Agora, quando aparecia, a Joana socorria sempre um ensêjo de conversar com o velho Camilo, quando ninguém estava por próximo, de notar; porque ela era levada. O velho Camilo, retreito, vergonhoso. Não facilitava de caçar a outra, de xodó, parava olhando, adiado, pateta, esquecido de si. Seja, às vezes, nhenhém salivava e engulia, repetido, com os fechados beiços; ria sem formato.

Sobreestava a festa. Tudo virava outro, com o mundo de povo de fora, principal. Há-de, quem devia de vir, para exaltar a longe os festejos, era esse Uapa, com seus cavalos companheiros, vaqueiro maior do Urucúia e de todas as partes. Manuelzão tinha vontade de confirmar. Contavam que ele regia o dôido correr da boiada mais aos azúis, igual só se estivesse brincando de prenda em salas. Vai ver, nem era. Não havia de ser mais atirado, no vaquejo, do que o Casimiro Boca-de-Fôgo, o Zazo Minas-Novense, o Higino, o Hilário do Riacho do Boi, João Xem, João Vaca, Terto Tertuliano, o José-José do Ipipe. E, afora o primeiro, já dado em alma, os outros todos estavam vivos ali, festantes. Mesmo ele mesmo, Manuelzão, ainda podia ensinar as várias aos mais moços: o tanto ser, os tamanhos de Minas Gerais! Seriam pra conhecer o que era um indivíduo boiadeiro-gadeiro, teso feito um jequitibá-legal. Por festa. Festa devia de ser assim: o risonho termo e começo de tudo, a gente desmanchando tudo, até o feito com seu suor do trabalho de sempre;

e sem precisar, depois, de tornar a refazer. Que nem com as estórias contadas. Chegava na hora, a estória alumiava e se acabava. Saía por fim fundo, deixava um buraco. Ah, então, a estória ficava pronta, rastro como o de se ouvir uma missa cantada. Ou era: assim, às vezes, a gente acordava, no meio da noite, perdido o sono, parecia estar escutando outra vez o riachinho, cantar em grota abaixo, de checheio. Não era. Mas era mais do que quando a gente se alembrava da mãe; porque, para se lembrar do riachinho, não era preciso ocasião, nem motivos, nem conversa. E porque a gente não se esquecia — d'ele sendo como sempre. Na hora, era. Mesmo, essas estórias: briga e festa é por mor de se aceitar o avanço das tristezas. Ele, Manuelzão, gostava das estórias, mas não naquela noite, não estavam no próprio de ser. Tempo de festa, era só para a festa, não p'ra o comum, cabeça da gente não dá pra tantas coisas. Não dava para o amor. Por certo ainda podia se casar, tinha forças e parecer para isso? Soubesse de achar uma moça da igualha de formosura, da simpatia de Leonísia, sim, casava. Mas — doideiras! — idades passadas, emperro, falta de costume — já estava desconsentido para casamento. E... *era uma vez uma vaca Vitória: caíu no buraco — e começa outra estória... e era uma vez uma vaca Tereza: saíu do buraco — e a estória era a mesma...* Um amor está no descampadal do ar, no itê das frutas, no duro do chão onde minha boiada pasta. O de-vir, que não se sabe. Queria saber de mim? Errou a vida? Ia seguir trabalho de ser, adiante viver para os netinhos, esses cresciam tendo mais, conhecendo. O meu, em meus melhores! Mesmo achava, devia gostar do Adelço; mas ainda não conseguia reunido, na prática. Tencionou; pelejava. O Adelço teria ódio a ele? Tudo se passava desgovernado, ficar rico era o que era o seguro. Rico, para não precisar de se ter medo de que todo o pouco que fosse da gente não estivesse sempre salteado

— a casa, a mulher, a vaquinha de leite, as galinhas, a espingarda, o cavalo, o cachorro. Cada vez a gente tem mais medo. A coragem era só para se avançar mais longe, ir fundar lugar noutra parte. Só isso, ah, sempre. Tivesse de tornar a fazer a Samarra, não, ali o caminho se estreitava para ele. Mas, em outro lugar, desdemente. Soendo que, chegava uma hora, tudo se queria, mas quase tudo, por metades, da gente se afastava. Não é que até a festa? Ou ele tinha inventado a função dessa antes do tempo, demais? Havia de compor outras, maiores festas, ali na Samarra. Ou em lugares. Aumentação. Ir, por caminhos de caatinga e de Gerais, semideiros, cortar matos, queimar campos, levar gado de cristão, dizer seu nome. Pra que? Só estamos repisando o que foi do bugre. Quem picou as primeiras terras? Além, além, de aviso, sempre jogando de mão, mas sobrerrestado — senhor seu sem valadio... Um desânimo? Sério não sendo: mais só estados passageiros, dúvida de saúde. Pôr freio em si mesmo. Onde era que o riachinho estava, agora? A gente queria o ser do riachinho, para água, de verdade; e ele se fora. Desconfiava da morte. Mas ia sair com a boiada. A festa ia se acabar, ele ia ir com a boiada — sentia que para morrer, no caminho, no meio. Desmaginava.

Agora, não se podia nem dormir, o dia-de amanhã já estava querendo se trançar desde já, tomando conta de como havia de ser, na cabeça da gente. Onde estaria dormindo o João Urúgem? Esse não entrava debaixo de casas. Assumia no pé-de-serra, surgia e vinha ver festa. O mundo achava natural o João Urúgem assim. Cada um podia viver como queria, fazer o que haja, com o tempo tudo era igual, todo o mundo se acostumava. Trabalhar ou não, a gente nasce para o que faz. Cada um é um. Tudo se podia. No pé-de-serra: que tinha enormes sapos quadrados, cheirando a enxofre forte — uns sapos que piam como pintos.

A ver, o jacaré, jababão, sem sonos espichado na lagôa — lagôa tão terrível feito essas, de beira-rio, onde piranha morde até os pés dos marrecos, das aves. Mesmo os célebres que o João Urúgem aprendia a conhecer, dos matos, dos bichos, ele sabia era de um modo diferente do que as outras pessôas. Ele Manuelzão não pagava tempo para manifestar uma estoriada. João Urúgem conversava com os entes do mato do pé-de-serra — se dizia. Não possível. Esses, bichos e pássaros, do desmentido. Mas se sabe que cada pássaro fala, diz uma coisa, no canto que é seu, e ninguém não entende. Um passarinho, que há, de vereda, aquele que é pardo pedresado, e com umas pintas, e é do tamanho de uma juriti, mesmo um pouco menor, mas de bico comprido — por exemplo; fica em beira de poço, beira de vereda, não canta de dia, nem de dia ninguém não vê: ele canta de boca-da-noite até à meia-noite, os veredeiros gostam dele lá, porque canta esprivitado: — *"Água só!... Água só!..."* Bonito ele não é. Mas, nas águas, quando está vesprando chuva, ele canta muito, e viaja pra fora, vem até no duro do Gerais, nas chapadas. E os geralistas não gostam, porque dizem que ele canta é: —*"Reza, povo! Reza povo!..."* E então, também tem vez, mas muito em raro, que esse pássaro dá de aparecer mesmo até cá no Baixío, e a gente ouve que ele não fala nada, de juízo, ou então perdeu o significado, o que ele diz é assim: — *"E tiririririri-chó-chó-chó, cháo-chó, cháo-chóo!..."* A ver: ô mundo, esta vida, quando descansa de ser ruim, é até engraçada. A festa? Sua era, dele, Manuelzão. Mas, de agora, por tudo, ele não queria mais mandar no governamento dela, sua razão. A lá era ele mordomo de festa?! Nenhum algum. Ora, mais, queria era apreciar aquilo, agora solto livre assim no meio, um, que nem não fosse o dono... O sono vinha dizendo. Uma ave-mariazinha por sua mãe, para a Santa do Socôrro. Galo que até aqui não cantou, não conte mais com meu ouvido. Ô vida, bem dormida... De vagar.

Acima, até ao de manhã; não, o de-madrugadinha, ou em antes. O povo, um povoão supra, enchia o pátio. Paravam em frente da Casa, calados, os vultos, retardando no dia clarear. Até os cachorros não latiam. Só era como se aquela multidão de gente já estivesse na porta de uma igreja.

Manuelzão acordara com a primeira grita do papagaio, que avocava as vacas: — *"Tou! tou! tou! tou!... Eh, boi!..."* — altíssimo, no diapasão dos vaqueiros — se alargando para conseguir mais forte, reteso, asas todabertas, no quase que quase. Por aí, cada aurora, ele bramava, depois descia de sua alcândora, pisava no chão, pegava a caminhar. A pressa dele, de andar o pátio, e parte do eirado, esguelhando uma reta — xingando os meninos, arrenegando para os cachorros, sem temer — umas sessenta braças, até ao curral coberto, onde se costeava. Papagaio de muitas energias. Grimpava para uma das travessas, se assumia lá em riba; o que ouvia, piscava. Todo momento da manhã, quando passavam os papagaios bravos, voando certo e poetando, o Cravo mirava, exclamava também, perguntas em respostas, mas não estudava vontade de se fugir na companhia. Nem não tivesse a asa aparada, queria não. Era manso, de salas. Manuelzão chupou os três goles dum café, principiou o pito, abençoou Leonísia e Adelço na cozinha, e saíu para o povo. O inchado do pé estava doendo melhor.

As barras do dia quebrando, em cima da Serra dos Gerais, o roxoal da sobrealva abrida, os passarinhos instruindo, vinha por tudo o bafo de um dia que ia ser bonito. Que-queriam os periquitos. As fôgo-apagou, se dizendo alto, e os pássaros-pretos, palhaços, na brincação. Bandos de juritis, tantas, tão junto de casa. Nem eram só juritis, eram pombas-verdadeiras. E cheirava a muito boi.

Vaqueiros tiravam um leite, de quinhoar com todos, as crianças, leite de graça. O sol na serra, a luz da manhã clareando por entre as pernas das pessôas, ao simples de contentes, no frio bom. Manuelzão se acontecia, repondo o posto, andava no meio, saudava, salvava, respondia, abraçava, dando muita conta de sua cortesia. A festa ia começar. O padre estrangeiro sabia se rir a siso, com mocidade, cavalo dele se chamava *Sansão*. Seo Vevelho já amanhecia de sanfona a tiracol. O mulherio rezava. — "P'ra mais para a frente as crianças fêmeas que estão de branco!" O senhor do Vilamão tremia as mãos farinhosamente, mas estipulava um rosário preto de bagos grandes. Até a sustância da Samarra cheirava bem de si, era um gosto aquele ar se exalar completo — terra pastada, estrume já calcado, desorvalho, os capins, frutos de flôr. Mulheres diziam quando tudo estava pronto. Toada de todos, rumo da capela, subindo a encosta; já havia gente adiante. De desanimar de contar, o mundo desses, caminhando. Suspendia cós, aos peitos, essa fé de movimento, essa valentia de religião. Então, era a festa. O borborinho, povo, meu povo.

O pessoal para o morro, para a missa, ao fim de lá da rechã — alteada naquela belavista, redobrável, o belorizonte. Tantos sendo: os vaqueiros, as famílias; barranqueiros, vazanteiros, veredeiros, geralistas, chapadeiros, total das mulheres e crianças; moços e moças; ramo de gente da outra banda do Rio; catrumanos de longe. Os amigos dos vaqueiros, os parentes. Os do mundo. Iam como para uma tomação. Aonde a Capelinha, no lugar que a mãe soube que era próprio, mas que ele Manuelzão aperfeiçoara, roçando, construindo, pondo pronto, o chão lido de limpo.

A Capelinha estava só de Deus: fazendo parte da manhã, lambuzada de sol, contra o azul, mel em branca, parecia saída de um gear. Dentro, eram servidas de caber, de joelhos no batido, as pessôas primeiras — o padre, o sancristãozinho, Leonísia e o Adelço, o senhor do Vilamão e outros respeitáveis; e a menina mais velha de Leonísia e Adelço, que segurava na fita. Manuelzão no princípio aceitou a honra de entrar, à frente de todos, admirado por tantos olhos, pompa de ir direito ao altar, beijar a Santa, dito um padre-nosso. Mas daí tornava a sair, a capelinha era tão pequena, o aperto dava aflição, ele receava faltas-de-ar. O povoame enchia a chã, sem confusão nenhuma. Mesmo aqueles com os revólveres na cintura, armas, facas. Ao que Manuelzão, cá bem atrás, ficou, no côice. Gostava todos aprovassem essa sua simplicidade sem bazófia, e vissem que ele fiscalizava. Ajoelhou na hortelã-do-campo. Queria rezar. Mas o coração crescia. Perto, estava um gado, um touro e as vacas, que pastavam. O que era de Deus, não se enxotava, por ser. O sol esquentava, aos tantos; o touro, que coçava a testa e o pescoço num mourão do cemitério, ia-se afastando. Passavam os periquitos, o oscilo de gritos, emplanados. Joãozim o vendeiro, do porto do rio de-Janeiro, mandara armar o cômodo de uma latada, com prateleiras, vasilhas, bebidas, comidas, cigarros, frutas — de tudo ia vender, até espelhinhos, até vidros de cheiro. Trouxera um carro-de-bois cheio de coisas, em duas viagens. Num cercado, tinha as novilhas, as porcas, um bode e as cabras, para o leilão. Leilão abastado, sortido, com muitas prendas. Os preparos e dôces, garrafas de pimenta, enfeitadas com papel-de-seda, garrafas de conhaque e cachaça. Cada lance se prometia com instâncias, afrontando. O lucro havia de dar para se comprar um sino, sinozinho, para os ares. Muita gente, de ver, forte rezava. Quando era pelos grandes momentos, o menino do padre tangia a campainha, três em três vezes, o povo batia nos peitos. Tudo igual em igreja mestra. Era um silêncio espalhável. A gente ouvia as sariemas, no espinhaço da serra, retinir seu canto emendado. Ouvia o barulho das vacas arrancando o capim e dando bufo curto. Saía da gente toda ali uma vontade de respeito, um suor de paz, de roupa nova e dia diferente, uma aragem de virtude. O povo — estavam como as árvores do cerrado, respingados de sol. Cada um longe de si. A porta da capelinha carecia de ser pintada de verde. No caso que a Santa do altar não demonstrasse mercês para milagrosa — então, mais para diante, se podia trocar por outra, mais cara: mas que fosse das maiores, uma Santa com os cabelos pintados e os olhos azúis, e vestida, os trajes com beira de ouro, as jóias de pulseira, colar, moçambiques e arrecadas. A gente punha os olhos para mais longe: a Vereda do Calabá — o buritizal provinha das neblinas do fundo, mas as pontas das palmeiras se amarelavam. Um cavalo solto dava um rincho comprido, da banda da Cambaúba. Até o João Urúgem estava ajoelhado, ou não se sabe se meio deitado, só que longe de todos. Assim era como nos Santos Evangelhos. Era um serenado sozinho, uma limpa de idéia, um conselho sem palavras que se recebia, tudo abençoava. Por em volta, de uma banda ou de outra, ainda se subia poeira de cavaleiro atrasado chegando. Inda tinha marchas de gente a pé, roceirama. Primeira missa ali; e este lugar da Samarra havia de crescer os cornos. Ah, feito o arraialzinho do Arzão, onde se possuía uma igreja de pedra.

Dando de repente, a missa já tinha se terminado, todos levantavam, nessa mistura, função do povo — era a festa. O padre tinha pronunciado o casamento de trêis casais, deu-se um afino nas violas. O leilão principiava. O leilão ia bem. Uma festa é para se gastar dinheiro, sem fazer conta. Os violeiros deusdavam. Seo Vevelho, mais os filhos. A sanfona. Chico Bràabóz, preto cores pretas, mas com feições. Ô homem da pólvora quente! Se chegava, animante, simples social, o mundo inteiro pregado na ponta de seu nariz. Até todo apelido ele aceitava: Chico dos Alvores, Chico da Sorte, Chico Seja, Chico Praz — e o que por aí se quisesse. Vinha vindo já todo inventado, saramicujo, fazendo muita serenância. As lábias lérias. Já estava meio chumbado, bebeu mais do que o copo manda. Chico Bràabóz tocava rabeca, sua rabeca sarafina escura, como de um preto zinco, de folhão: — "Isto é coisa de daí de riba..." Se divertiam às ásperas. Gente essa do sertão, como sabiam gastar dinheiro atôa, direito, dinheiro ganho duro, a poder de si, seus aforros. Ninguém ali não amouxava. Manuelzão também não era ridico. Tinha dado ordem de um almoço, despois, em quantidades. Somente galinha e carne, e arroz; outros manjares faltavam. Mas em enorme fartura. Hoje não era a festa — sinagoga de pagode, conforme o razoável? Carecia que todos festassem, com cantos e dansas, no geme ema, e comessem e bebessem, em seguir! Capaz que se riscar a viola a noite inteira. E agora o leilão lavorava. Arrematavam, escarapelados — sabendo ser festa. A leitôinha ruiva, pêga de pendura pelas orêlhas, deu cento-e-cinquenta. A outrazinha, leitôa piáu, amarrada por um pé de trás, estava mordida dos cachorros. Peste! O caim dos cachorros, que se entremetem, sempre maltratados. E aí alguém tinha arrematado uma garrafa de moça-branca, para ele, Manuelzão. Tinha de recompensar. Fazer como vira uma vez o seo Sejasmim, do Andrequicé, homem soberano se servindo. E entrou no lanço. Outro, por graça, licitava: — "Mais quinhentos-réis, p'ra ser pra o Manuelzão!" — e estavam leiloando à hora era um frango-d'água... Leiloeiro era o Joãozim da Venda, segurava e mostrava ao povo o estafermo de bicho de asa — o frango-d'água azul e verde, bico de tantas cores, os pés enormes esparramados. Era até bonito. Mas ninguém não queria; fazer o que com aquilo? Só em louvor da Santa. — "Mais cinco, para ser pra o Nhão das Três-Veredas!..." — gritou, até viu que tinha gritado demais. Não queria — com força. E outra pessoa relicitava: — "Tanto, pra não ser!..." Sotaque das violas despercebia de se ouvir o mais, e muito era o povo aglomerado. Deu sobrelanço. Mas, enfim, já tinham judicado, no dou-lhe-três. Para outro. P'ra quem? Ah, pra o velho Camilo tendo de receber o frango-d'água, e existindo com o bicho carregando, por ali... Mas o velho Camilo recebia em mãos o pobre pássaro, sem se quebrar o respeito, com senso de um dever. Riam, sem poder com ele. — "Tu vai criar, Camilão? Faz uma canja..." "— Dá pra o Urúgem, que devora! Esse Urúgem comeu o cachorrinho de um vaqueiro... Pode ser até que come gente..." Velho Camilo pigarreava. — "Dou para a Santa. É dúvida?" — ele dizia, sobre rebaixado. Tinha seus ares. A gente se alembrando — o pau-d'alho: que em certas árvores dessas, na idade, a madeira de dentro toda desaparece, resta só a casca com os galhos e folhas, revestindo um oco, mas vivos verdes! Mas, por que era que a gente havia de tanto reparar, tanto notar, no velho Camilo?

— "Manuelzão, sua festa está supimpa! Está de encher os meios..."

— Qual, seo Filipinho d'Anta... Roscofe... Mas folgo que o senhor me declare...

Só de se ver, no realegre, o Pruxe, o maior violeiro, com seu sobrinho Maçarico, o maior dansador. Desabusavam. Um abriu:

"É deveras, companheiro,
vem cantar aqui mais eu!"

Todos, em grito, forçavam o cantador a mais:

"— Olerê, canta!..."

Diabo cantava:

"Sucedido o ano inteiro:
dinheiro não era meu..."

Os homens dansavam. O Pruxe formava o lundú, feita grande roda. O Maçarico, José de Cima, Zé Arioplêro, Xandrim, o Ciço, o Lói, sem a baeta vermelha, João Polvilho, o filho dele Aquiles, todos da outra beira do rio. O lundú era de lá. E outros, não conhecidos, que vinham chegando. Os tocadores tomavam grupo, perto. Seo Vevelho, seus filhos, uma porção de mais outros, o Caolho da Vereda do Jém-Jão, o primo do Compadre Terto. As violas nos toques, retintavam. O Pruxe, instrumento no peito, relou o dedo, entrou de entôo numa arromba. Chico Bràabóz dansava e tocava a rabeca, e a todos falava. Mas estreito, por detrás, o Pruxe, era o mestre, regia:

"É deveras, minha gente,
quem souber pode dansar!
— Olerê, canta!
Ao meu Rio-de-São-Francisco,
capitão deste lugar!..."

O Maçarico era rapaz de uns quinze anos, mirrado, caxexo, magro, com cara de gafanhoto, a pele seca nos ossos, os olhos fundos. Ele era todo duro, de pau, mas sabia se espiritar no corpo como ninguém, no fervo da dansa. Se destravava do espaço do ar, até batia os queixos, fungava de estúrdio gosto, nem via, nem falava. Esse nem fazia outra coisa. Só dansar. Não se ria, nenhuma beira, não barateava um passo. Parecia pago de ofício. Devia de doer. —*"Olerê, canta!"* Ele dansava as seriedades:

"Se mandar chorar eu canto,
se mandar cantar eu choro,
se mandar m'embora eu fico,
se mandar ficar vou-m'embora.

Se não mandar nada, eu esteja
no bojo desta viola!
Saio de fora pra dentro,
entro de dentro pra fora."

Manuelzão não sabia, nunca em sua vida tinha dansado. Também, aquela era custosa, dansa de poucos. Um, de cada um, sua vez, pulava no meio da roda, e pega rapapeava, trançava as pernas, num desatino de contravoltas, recortando os lances. Cada qual diferente, cada um por seu modo, próprio desenho, seguindo a rapidez. Nem se sabe como podia. Em redor, os outros batiam palmas:

"Eu subi p'lo céu arriba
numa linha de pescar:
preguntar Nossa Senhora
se é pecado namorar!..."

— Olerê, canta!

"O Rio de São Francisco
faz questão de me matar:
pra cima corre ligeiro,
pra baixo bem devagar..."

— Olerê, canta!

Só eram as violas com o silassol, a sanfona fem-fem, os bandolins, a rabeca do Chico Bràabóz. A música não esbarrava de tocar de carreira, o do meio se escorria, maneiro de juntas, leviano, dansava de agachado, de ajoelhado, de todo jeito, sempre mais. O Pruxe e o Chico Bràabóz governavam. No fim do seu, o dansador assinava o derradeiro passo e já tinha escolhido um dos da roda, pulava por esse, invocando, intimando-o a vir tomar seu lugar. Dava o sinal: *atirava*. Cada qual tinha seu sinal. O Maçarico atirava: se ajoelhava, de surpresa, repulava feito, sobre em seguida, batendo mão na coxa do outro. A música não relaxava na galopeira. O Ciço atirava invocando era com palmada em ombro. O Xandrim estalava os dedos. O Lói, fazia que ia riscar o chão com a mão. As violas fuzuavam. Esse Maçarico perturbava os olhos da gente, sério zurêta, pé de pé, estique se debulhava, leve, um pau-de-imbaré sangrado do leite. Dansava feito urubú-tinga, e como garrixa faz, dansava a dansa do rabo da onça. A rabeca do Chico ringia relinchos. A sanfona tomava conta. Os de fora da roda cantavam também. Historiavam:

"Travessei o São Francisco
numa canôa furada:
arriscando a minha vida,
sempre assim não vale nada..."

— *Olerê, canta!*

"Travessei o São Francisco
numa casca de cebôla:
arriscando a minha vida,
sendo assim, que coisa atôa!"

— *Olerê, canta!*

"Travessei o São Francisco
montado numa cabaça:
arriscando a minha vida
por um gole de cachaça..."

— *Olerê, canta!*

"Travessei o São Francisco
pés pra cima, mãos pra baixo..."
....

O pessoal da outra banda. Os moços vinham de lá, buscar serviço de ganho, nas terras deles era um atraso, feio vazio, a pobreza. Depois, pegavam a ter saudade. Mas vinham, atravessavam, quase todos. Da outra banda, desde a Pedra Lavrada, o Braço Grande, o Ribeirão do Gado, o Nazaré, o Extrema, o Boqueirão, o Água-Suja, os córregos todos.

"Eu nasci no Capim Branco,
na vertente do Formoso..."

No Formoso, entre o Chapadão-dos-Gerais e a Serra do Morro Vermelho. Os que ficavam eram os pais-de-família com suas famílias, e os velhos. Manuelzão conhecia aquilo. Consoante o remexer da vida, o caminho do mundo, sem igualação, sem sossego.

"Casar sério lá é triste,
namorar só é que é gostoso..."

Isso era isso. Tinha moças à vontade, para casamento e pra namoro. Aqui, nesta banda de Baixío, eram muitos a uma: — "As bonitas? O povo vive tudo às gatas, por elas, p'ra tomar..." Namoração. Mas, outros, com coragem, bobeavam e se casavam, desatravessavam então, toda a vida, indo por mais longe, duras distâncias, procurando terras bôas, matas para roçar e plantar, subiam até para trás do Urucúia exato.

"Cascavel tem me mordido,
mas a dentada não dói..."

— *Olerê, canta!*

A festa, no começo, cansava um pouco. Embaraçava. O povo trançando, feito gado em pastos novos. O padre, fazia tempo que tinha descido, para tomar café. O senhor do Vilamão, também, levaram, muito não aguentava. O senhor do Vilamão costumava guardar na algibeira certa quantidade de dôces ou quitandas, mesmo uma vasilha com torresmos na farinha um criado carregava, ao alcance da mão dele; qual estava revertido a roer sem esbarrar alguma coisazinha, lambareiro com o paladar aflito da velhice; mas, aquilo, podendo, ele disfarçava. Festa. Para se distrair assim, de verdade, só mesmo quem soubesse — um dansador, tocador, cantador — competente. Até lá dum lado, os vaqueiros quase todos também não atinavam justo. Ficavam se apartando, brincando de caçoar ou de pular uns por cima dos outros, espírito de meninos. Alegria, sim. Todos deviam de tomar divertimento. Os cachorros, instantaneamente, corriam para a alegria. O sol quente, a hora do almoço. O preceito dele, Manuelzão, era estar perto das personagens: homem fidalgueiro, consegue honras e dinheiro... O Nhão, Joaquim Leal, seo Filipinho d'Anta. Devia de voltar para casa, assistir o padre, ou permanecer com o povo, ali gerindo? Não sabendo, se chegou, com uns, para a barraquinha do Joãozim da Venda. Queria beber uma januária. O Joãozim ofereceu cerveja, era por sua honra. Tudo não estava animado? Um jubileu, um forte de feira! De tudo, sem maior pudor, cantavam:

"Minha mãe era a raposa,
meu pai o caxinguelê:
minha mãe morreu de fome,
meu pai de tanto comer..."

— *Olerê, canta!*

"Sipituba foi meu pai,
Solavanco meu avô:
eu sou eleitor de voto,
entendido de doutor!"

Olerê canta! A festa era o a-esmo, um acontecido de muitos, os espaços, uma coisa que não se podia pegar. Assim correndo bem. — "Seo Leovigildo, compadre Cupertino: estão gostando?" "— Demais." "— Vamos abeirar, beber qualquer braba?" "— Já se bebeu, Manuelzão, Deus lhe saiba..." Todo o mundo se associava ali, estavam gostando, pelo esperado. Mas, para Manuelzão, a festa como que se desmanchava desde as cabeceiras, alguma coisa, muito miúda, devia de estar faltando. — "Seo Manuelzão, quem hoje está no Céu eu sei quem é: senhora sua mãe, que haverá de estar contente..." "— Deus dá, Deus deu, amigo Osés..." Solta, a festa não era entendida dele Manuelzão, não correspondia às alças. Muito mais seria de Leonísia, das outras mulheres. Do padre? Seria de seo Vevelho, trazedor do saco de alegrias. Mesmo os dansadores de lundú eram os prestes, afalados naquilo desde meninos, de onde.

"Fui lá
no Indaiá,
pra comprar, ah,
roupa nova, suspensório, enxoval...

E vi moça
em janela
a chamar, ah:
— Ôi, vem cá, p'ra nós, já, se casar!

Tem gente
diferente
da gente,
ái,
tem gente, no Indaiá, tem gente..."

O Promitivo mirava, da dansa não arredava os olhos. Queria aprender? Ele, aprendia. Tinha os sinais, tinha a lã. Vadio. Mas não era de uma vadiice que apendoavam as simpatias? A idéia que veio: e se levasse, por companhia só, aquele Promitivo, com a boiada, que ia ir? Alegre para alegrar, mesmo pouco ajudando. A boiada, que ia sair — daí a uns três dias. Danadas estradas. Somente por notar a pouca-vontade do Adelço, era que tinha decidido: — "Nada, não. Desta boiada eu cuido, eu mesmo!" Isto o ar de um dizer, estas coisas. Mas, o Adelço, fosse outro, não podia retemperar? Que ao menos encarecesse, com sinceras palavras: — "Meu pai, o senhor dá as ordens. Mas o meu gosto era eu passar esse boiadão — o senhor ficava em casa, por um merecido repouso...” Não. Água disso, que não foi. Será que a vida da gente assenta bem com festa? Aquele rapazinho o Maçarico cumpria um caráter no dansar, uma sina. O que cantassem, ele nos pés transformava:

“Se a baiana foi-s'embora,
a baiana chorou choro!
A baiana chorou choro...
A baiana chorou choro.”

— *Olerê, canta!*

Devia de ter comprado mais umas dúzias de foguetes, bombardos. Os que dansavam, cantavam e tocavam instrumentos, levantavam no ar a animação. Sempre era preciso. Há-de a vós! Não vinha o velho Camilo, trazendo uma lata d'água, para as mulheres? Naquela branca roda, estava a Joana Xaviel. —“Qu'é do frango-d'água, seo Camilo?” “— O frango d'água? Senhor Manuelzão, o frango-d'água eu soltei para os matos, de volta. É dúvida?” Levara-o até à descida de uma grota, o pássaro não tinha podido correr, quando de repente solto. Meio voou, tornou a pousar, daí garrou vôo novo, se escondeu em baixo de arvoredos, em caminho para fileira de buritizal.

O velho Camilo depunha a lata d'água e o caneco, para as mulheres. Para a Joana Xaviel — com olhas e queres. De avistar um noivo, de braço com sua noiva, nas alvuras — dos que tinham acabado de se casar — o Promitivo perguntava: — “Seo Camilo, o senhor também não se casa?” “— Já passei do rumo...”

Assim respondia. Ao que podia ter respondido torto, repontado. Não o fazia, nunca; falava amansando as palavras. Mas tinha o queixo longe do umbigo. Até onde um podia se lembrar, o velho Camilo parava não bem uma parecença, mas o avultado de maneira, que tirava com o de seu pai, dele Manuelzão, recordado de longo muito, porque era ainda menino quando aquele tinha morrido. Como era que tanta composição de respeito aguentava resistir em miséria tanta, num triste desvalido? De sombra, se vislumbrava que a Joana, sua parte, dele velho Camilo não fazia pouco-caso. Olhos que olhava, parecia que parecia. Às dãs! Remedavam namoro? Acontecia isso? Ah, mas desse jeito, assim, então até ele, Manuelzão. Ou se havia de ver: o senhor do Vilamão para si catasse, do meio daquelas mocinhas bonitinhas, ali, donzelas sensatas... Alguém imaginava? Impossíveis. Quem não tem dente, não toca berrante. Sucinto da vida dá o cumprimento, não dá largura. — "Dansar o lundú, Manuelzão?" — o Lói perguntava. — "Quem me diga! Mocidade de vosmecês. Pra aprender, já passei do rumo..." Sucediam outros capítulos:

"*Sererê, sererê, sererá!*
Te esconder e te encontrar...
Sererá, sererá, sererê!
Te encontrar sem te esconder..."

— *Olerê, canta!*

Aí a hora de se almoçar. A festa se movia por muitas partes, a todos obrigava. Assim era: as mulheres, os homens, essas rodas de conversa, as moças e os rapazes que punham olhares, os meninos que não brincavam, os pares de noivos que passeavam, encolhidos de gala, os dansarinos de lundú com a viola harpejada, o pessoal lambiscando e bebendo na latada do Joãozim, o sol do céu, a capelinha terminada, o Chico Bràabóz, rabequista, o Maçarico; e a Samarra — e ele, Manuelzão. A moinha de música bambêia qualquer coisa na gente, é um rompido sem razão, com o pouco em pouco. Mas apontavam dois cavaleiros, em feito galope, no desafasta. Tivessem novidade para expor.

— Com' passou, Manuelzão... A festa ainda peguemos!

Sendo que os dois eram Jão Orminiano e o Queixo-de-Boi, que aproavam, sobrechegados. Jão Orminiano e o Queixo-de-Boi, vaqueiros de Federico Freyre em sua Fazenda Santa-Lua, no Rio das Velhas, de donde. Traziam recados. O Queixo-de-Boi buliu na algibeira, tirou um envelope — carta de Federico Freyre, sobrescritada. Mas uma carta de setenta vezes se ler! Nessas mal traçadas linhas, Federico Freyre participava condições que não podia vir para a festa da missa; mas tudo com singulares, correto afeto, até desculpa ele pedia. Dava gosto. Uma carta missiva, para alto se soletrar, todos ouvissem — Leonísia, o Adelço, os vaqueiros, os convidados, os vizinhos de todas as veredas, o mundo. Agora e em já, ele endireitava para casa. — "Vai no meu matungo, Manuelzão. Me deixa me satisfazer um golinho desta sua festa..." — servia o Queixo-de-Boi. Manuelzão logo montava no formoso estreleiro cascalvo, bom de bralha, enquanto Jão Orminiano, que também queria ficar, menos sabia o que arrumar com o cavalo seu. — "Meu filho, acode aqui, adjutóra..." — Manuelzão chamava o Promitivo. O Promitivo subia no baio claro de Jão Orminiano. Procuraram nas esporas, assim emparelhados, no seguir. E — *retentém, tintim, retentém, tintim: retintim, témtém...* — até bôa distância, porseguindo Manuelzão, vinha o vibro das violas, era seo Vevelho se abrindo e fechando na sanfona de muitos baixos, o Chico Bràabóz como se faz: que raspa que o refe na rabeca. O Promitivo se virava na sela, para ainda espiar. — "Então, está apreciando que tais?" —"Ah, seo Manuelzão, eu acho que devia de ser é uma festa só, os dias todos..." Ladeira descida, iam outras pessôas, para a Casa, procura de almoçar. Mais outras, que voltavam. Era esse recruzar de dia-de-festa, imponente era. — "Sei dizer, um para estar aqui era um, muito conhecido, por nome o Uapa, vaqueiro no Alto Sertão. Que se diz — vaqueiro fiel no real, que vive em mágica com os bois e seus mestres cavalos... Ah, esse Urucúia tem muito gado..." — Manuelzão ponderava. O Promitivo assentia; em tudo ele achava as nobrezas da vadiação. E, de repente, Manuelzão tranqueou o cavalo: — "Meu filho, você já é crismado?" — ele perguntou. — "Pois, seo Manuelzão, não é que eu mesmo nem não sei?"

Aqueles verdes galhos, que os carreiros dos carros-de-boi esparramavam na encosta, semelhavam coisa de floresta. E os meninos. Meio mundo dos meninos, no eirado, correndo por entre altas bostas de vacas, sabugos de milho e sujas palhas que o vento leva e traz. Os grandes cochos, entortados, ásperos, guardando as curvas dos troncos das árvores que foram. Ao enquanto, livres, os bois bovejam, os porcos crogem, sotretam os cavalos, as galinhas fuxicam, os cachorros redormem, e as dúzias de angolas se apavoinham selváticas, com seus catafractos. Os meninos dos vaqueiros, nos quais, por via do sol quente, as mães impunham os velhos chapéus-de-couro dos maridos, atados firme e estreito nos barboqueixos, do modo que não podiam ser tirados. Uns meninos pequenos, de dez anos para menos, e que, debaixo daqueles chapéus grandes demasiados, brincavam — passeavam um bobo baile de cogumelos. Eles pediam a benção. E Manuelzão abençoava, gostava de procurar que com eles estivesse algum de seus netinhos. Mas a distância do eirado e pátio era a que uma mosca verde-azul do sertão leva metade de um dia para pervoar, com seus pairados e estalos de vai-e-vem.

Desamontaram. Se surgia para a sala, sendo a hora. Se abancavam. Sumo sussurro, do padre, em oração, obsequiando a Deus a bondade de comer.

A fartura do almoço se movimentava — era para um contentamento demorado. O senhor do Vilamão, seus companheiros, o Padre, o menino do Padre que sacristava, o Nhão, Joaquim Leal, seo Filipinho d'Anta, o preto Nicanor dono de um grande retiro, os demais. Manuelzão acertava de falar a uns e outros, com competência de civilidades. A todos que entravam ou passavam, na barafunda, ele oferecia seu lugar, obrava com insistência. Não consentiam: ele, dono, convidador da festa, devia pessôa de se permanecer ali, na gerência. Deus abençoasse aquela mêsa de tábuas de canela-póca e aquela bôa casa, onde nunca dessobrassem de faltar a caridade e os mantimentos. Para seo Vevelho mais os filhos, que repontavam com retardo, suados, vermelhos, sempre com seus instrumentos sobraçais, se achou assim mesmo jeito de caberem, os já sentados um pouco se apertando. A comida era sustimada, gostosa. Todos puxavam o eito, bem, com os apetites. Também se bebia. As cervejas — a outra e a preta — e o bom vinho de buriti, rososo, o qual feito em princípios de setembro, quando o coqueiro lateja mais encorpado de caldos e o fermento tange mor virtude. Mastigavam e tomavam, nas alegrias. Até o senhor do Vilamão, no comum calado, mas que sorria para a gente e respondia às perguntas, às vezes se desencontrando, mas quando não seja por um aceno de homem de manteúda criação, sem nenhum ar às altas aragens. Dava cômodo, supria regalos. E de lá, depois da boca do corredor, por cozinha e quintal, o vozío e rumor das mulheres se escutava, balançado.

Sobrevinha o seo Lindorífico, do Andrequicé, valioso fazendeiro, mas homem amigo, sensível no sentimental. Ele já tinha se almoçado repleto, agradecia, não se sentava. — "Não faz isso comigo, compadre Lindôr, isso vosmicê comigo não faz... Ainda que seja provar um bocado, tomar o gosto..." "— Eh, posso não posso, compadre Manuelzão. De comi, às fartas..." "— Mas não me faz isso, compadre Lindôr, por espera... Isso só, espera..." "— Não posso..." "— Espera..." Tanto o outro se defendia, mas Manuelzão sabia ser homem de gestos. De estudo, era que se desempenhava: já tinha visto ação garbosa assim, feita pelo Major Mercês, cidadão que tinha bôas salas, o Major Mercês, da fazenda do Enxú, em terras da Mata. E se levantava, social, com um bocado espetado no garfo, e se acercava do compadre Lindôr, punha-lhe o bocado na boca. O compadre ria e comia, aquele sinalzinho de resumo um não podia rejeitar. Todos aplaudiam, essa fineza, admiravam. Rompia nova satisfação. Mas já terminava a labuta do de sal, da primeira mêsa, os dôces vinham. Manuelzão espiou em redor, limpou a goela, ele tinha pensado aquele momento, decidido segurava um copo de cerveja. Mesmo, porém, tirou a carta de Federico Freyre da algibeira, que não seria conveniente fosse ele a pessôa a ler. Disse: — "Amigos, refiro uma mensagem, que hoje se recebeu, e que pela valia do enviador merece nesta hora bôa honra. E que, por glosar minha pequena pessôa, rogo seo Filipinho d'Anta para pronunciar..." Seo Filipinho d'Anta, no ouvir, suspendeu a cara, desamontado. Se absolveu de não poder, sua vista não concedia. — "Não truxe os óculos, Manuelzão. Assim, não deletrêio..." — ele compunha; mais estava era com receio de ser analfabeto. Meante que o Nhão, no desassossego também, se apurou de definir: — "Eu cá leio escasso, minhas letras, Manuelzão, mas é só jornais e garrafais..." Então Joaquim Leal aceitou o papel em mão, e se levantou para ler, conforme devido.

Leu. Esse Joaquim Leal era um bom amigo, de pessôa. Leu correto, os pontos das palavras, mas menos leu: porque faltou dar na voz o rompante fraseado — o ser do sido, a fiúza de Federico Freyre, alta amizade, esclarecendo o acato a ele, Manuelzão, fazedor da Samarra, lugar de gado com todo funcionar, e que tudo se agradecia era a ele mesmo, só a ele, Manuelzão... — faltou o em-tom encarecido. Mas, mesmo assim, os outros entendiam e mais escutavam, aprovando com as cabeças. Até o senhor do Vilamão, no lustroso paletó preto de alpaca — o significado da carta devia de varar o sebo de sua caduquice e ir remexer no centro de sua mocidade, já tão encoberta pelos tempos. Aquilo eram proezas para com respeito se dizer: o valer dele, Manuelzão; a Samarra, lugar de bases; Federico Freyre — o poder do dinheiro moderno! Todos, exaltados, falassem: — *Este é o Manuel Manuelzão J. Jesús Roíz Rodrigues!...* Mais falassem. Um pouco, esse respeito, se falou.

Mas o padre solicitava tomar seu café à pressa, precisava de ir-se embora — os cavalos já estavam selados? O padre tinha de sair, sem falta, para ir mais adiante, chegar ainda em outro lugar com a entreluz da tardinha. À saída do padre, todo o mundo no pátio, para darem a despedida e ajudar no que carecesse, era um rebuliço de abreviada tristeza. Era um bom pedaço da festa que se tirava, dessas coisas que não devem de ser. Mas, por isso mesmo por isso, consolava consoante saber que os outros ainda ficavam — o senhor do Vilamão, seo Vevelho, Joaquim Leal, quase todos. O que aquietava — alegrava como o preenchimento de uma regra justa, noção bem sucedida. Todos deviam de ficar, comer e beber, tocar instrumentos, cantar e dansar, todos no semblante de suas vontades. A festa seria só para acabar exata, na manhã seguinte. Agora, era se arrumar o quarto assoalhado, para o senhor do Vilamão, por direito de idade, tomar seu sestém de repouso. E correr pelo povo os garrafões da azulzinha beijadeira — negócio como se diz: esses palhaços no palhiço. Eta, festa! Como se queria uma alegria.

Esta festa, Jesus Cristo no alto louvado, não tinha produzido nenhuma discussão, nem um começo de briga, por deslei. O mundo de gente, pretejando, povoando, feito mutucas na chapada. Tanta criatura estranha, aqueles cabras valentões, cintura total de armas, e arremenos em paz, uns com os outros. Vinha a ser mesmo milagre. Avistado por sua mãe: que o lugar, na chã, podia se marcar e prezar — que era merecível. Nem não por falta do que se beber. Tinham sovertido, aos litros, a delas-frias, a-do-ó, e conhacada, espumaral de cervejas. Mesmo, no seguir, o esperdiçamento: tinham aberto garrafas, despejado um-conto-de-réis de cerveja, uns nos outros, a rapaziada quente, falavam que era preciso, para o regozijo da festa, esvaziavam por cima das pessôas, cervejama, molhavam as roupas, o Joãozim Vendeiro tudo animava, a ser.

No terreiro, os músicos paravam comendo. Todo o mundo comia, na porta da cozinha, no quintal, em toda a parte. Graças a Deus. Aquela quantidade de latas vazias, sempre guardadas — latas que tinham sido de marmelada, de goiabada, de tudo — prestavam agora sua serventia. Mas muitos, pobres, traziam pendurada na cintura sua cuia de receber. As grandes panelas de barro preto cozinhavam gordo, sem esbarrar. Pessôa, por mais desconhecida que fosse, não deixava de ganhar seus dois pedaços de galinha e um montezinho de arroz; a farinha estava pública. Toda água que o Chico Carreiro carreasse das Pedras, mais fria ou mais quente logo se bebia. Ah, estava fazendo mais sua ausência o sutil riachinho, que por um simples erro se tinha errado, e havia tanto tempo, ali à porta. Desconsolava. E o preço daquela toda despesa, bebes e comes, não resultava apoucado. Dinheiro para isso botado de parte. Mas gastando em bom empenho pela Santa, pelo povo — para a festa. Sempre não devia de ser? Até para um rapaz, que vindo com a mãe das beiras margens e grave da febre enfermara na véspera, no rancho do lado estava, não faltou o amor-de-deus de um bom caldo. A Samarra era a Samarra. Gente, pois, ainda havia de haver, continuada, lá na chã? Sim, ao certo, de repimpo, folgueando. Dando honras, derredor da latada do Joãozim. Mas a chave da Capelinha estava ali, já guardada, final, em sua algibeira. Manuelzão andava um giro, chegava até a um ponto da cama do riachinho seco. A parte sagrada da festa já tinha terminado.

Retornava os passos. De dedilho, ali no pátio, os homens dos instrumentos ensaiavam outra vez a chirimia. Todo um queria reluzir o seu, porfiavam as conversas da profissão, antes do recomeço, tasteavam. — *"Eu não tenho assunto de tocar sem cantar..." "— Sola, aí. Sola, que eu acompanho... Mas, nessa afinação, eu não acompanho, não." "— Se outro cantar, eu ajudo..." "— Abre a roda, pra ver sacudir!"* Manuelzão observava as máquinas daquela combinação, como conseguiam. Casa diversa, que queriam fazer, casa de ar? Ao não entender, assim o Aquíles entoando uma comprida cantiga, de mais de umas dez pegadas-de-viola, para relatar o rodopio de uma descrição sem resumo! Ou, então, outro, o trivial cantava, o que agora de repente a gente aí sentia mais, mas que era o mais verdadeiro, de sempre:

"Nem não sei o quê eu canto
no meio de tanta gente,
eu trouxe muita vergonha
minha cara é muito quente...

É deveras, companheiros,
sertanejo do sertão
eu vinha nessa boiada
não sabia da função...”

Manuelzão gabou: — “Bem trovado!” Pelo que era de sua obrigação. Indagou se todos tinham almoçado, se a gosto. Mais não quis saber. Antes estava por outros quilates, para outros rumos. Sobre a carta de Federico Freyre, que vinha ponderando. — “Eh, este Manuelzão é muito influente, ele gosta de dansa e festa...” — escutou um dizer. Resposta que quase deu: — “Há-de-o! Eu não sei festa, não. Eu sei é carecer de trabalhar...” Mas não disse. Pensava. O Maçarico, mesmo, causava uma trabalhação, do baticúm do lundú. A música, o inteirado da música, às vezes cativava: bonito como dinheiro... A música derretia o demorado das realidades. Mas dava receio. Assim a música amolecia a sustância de um homem para as lidas, dessorava o rijo de se sobresser. Talvez ela merecesse para se ouvir de noite, em cama deitado — quando as coisas da vida, um pouco da feiúra do corriqueiro, se descascavam, e o pensamento da gente tinha mais licença. Agora, agora, porém, a festa era bobagem: a festa era impossível... Agora, aquela confiança de Federico Freyre, pelo melhor, aumentava na gente o dever de dobrar os esforços, de puxar quatral. Soante que a Samarra carecia de todo avanço, reproduzindo e rendendo, forte, até tomar conta da faixa do Baixío. Um era um homem para isso fazer! Duvidavam?

Nem não era ele só, mas uma quantidade dos outros, também, que mais queriam era tratar de seriedades, mesmo ali na festa. Agora, percebia. Como que de propósito, passeando no eirado, no pátio, ele vinha direito àquelas pessôas, por roda. Escutava, falava, reperguntava. Ouvido de boiadeiro, ouve o bufo e o berro inteiro. — "*...Distância de dois, três litros de planta... De resto, o São Francisco ainda pegou muita roça...*" As enchentes. Convinha se comprar arroz da banda de baixo, das Três Veredas. — "*...Aumentemos ainda a roça, de uns quinze litros. Fedia a largata... A largata da borboleta-rajada come, leva tudo a eito...*" Esse pessoal do Baixío labutava o que podiam. Dos duros. Mas sabiam ser daniscos de espertos. Tinha-se de estar sempre com um olho no prato, o outro no mato. — "Seo Purcino, está com muita farinha bôa?" "— Nenhuma, seo Manuelzão. Este ano nós vamos fazer é mais no fim da seca. A mandioca é pouca..." Terras bôas, do vargedo, as vazantes, de melhor não se querer. Mesmo que, por lá, por aí, ainda reinava dessa febre-de-maresia, adoecia muita gente.

— "Manuelzão, minha cana está frechando. Umas já têm pendão..."

— "Mas está tarde, uê, então!" Carecia de se deixar p'ra esperar um bocado mais, comprar a rapadura mais em conta. Carecia de se pôr tento em tudo, cada dia, para se poder comprar mais favorecido. O feijão e o milho pioravam. Principal era o boi, que vinha da outra banda:

— Seo Joaquim Polvilho, tem desse trem pra me vender, boiada do Morro Vermelho?

— Lá é uma larga grande. E a ajunta do gado lá é dura...

— Sendo "brabeza", não vale. O que eu posso pagar é menos. Mas a viúva do Antônio Mendes não tem boi?

— Não sei. O que eu divulgo lá é gado de criar.

— De verdade?

— Ponho a mão nos Santos Evangelhos.

— O costeio lá, então, é um costeio bom?

— É um costeio grande.

— Mas, pra aonde estão vendendo o creme?

Para o Jongõ deviam de estar vendendo o creme, que era mandado, pelo rio, até a Pirapora. Ele, Manuelzão, com algum jeito, podia combinar de pagar um preço melhor — e ainda lucrava, revendendo para um Goldimão, que vinha com o caminhão toda semana, de Corinto... Mas compadre Cupertino era um homem astuto, sabia se aproximar:

— Uai, uê, compadre Manuelzão, arrumando negócio no meio de sua festa?

— Compadre, veja. Mais antes trabalhar domingo do que furtar segunda-feira. Mesmo digo. Aqui a gente olha a garapa ainda na cana.

— A qual! Um é o mais solerte... Será, a sua boiada, há já pronta para sair?

— Com Deus, compadre. De hoje a uns três dias ela balancêia, nos rumos da Santa-Lua...

— É meio mil?

— Ara, mais.

— Boiadão, então?

— É quase mil.

— Deus que me valha!

Mas as violas repenicavam:

"O galo cantou na serra
da meia-noite p'r' o dia.
O touro berrou na vargem
no meio da vacaria.
Coração se amanheceu
de saudade, que doía..."

O dia andava. Em tanto, rulavam as fôgo-apagou. O velho Camilo, entre a Casa e o quarto-dos-arreios, vinha com um caneco d'água. Veio amolar a faca numa pedra, para consertar sua alpercata. Se ocupava nisso com um suspender de tristeza, caçava de sair fora da festa? Sua roupa nova continuava. — "Nhor?" "— Termine de efetuar esse serviço, seo Camilo, e depois venha, me acompanhe. P'ra o que seja preciso..." Aí, sem se esperar, aparecia Leonísia, saindo do rancho coberto, ela carregava menino no colo, Manuelzão evitava de olhar-lhe o rosto, e de ver que o menino mamava. Leonísia avisava que o rapaz doente já estava melhorado, a febre mermara nos assaltos, a poder do suador. — "O rapaz?" — Manuelzão se recordou. Nesses dois dias ele quase não tinha tido coincidência de conversar com a Leonísia, nos estados daquele remoinho de gente.

Dentro, o doente sossegava, em sombra. Meio dormia, no jiráu, e uma galinha se conchegara ali no canto, pegada nele. A galinha se alertou e escapou-se pulando por cima da parede divisória, no rancho sem forro, e já do outro lado soltava seu cloclo de ovo posto. O doente despertava, saudava Manuelzão com o acanhamento de um sorriso: — "Deus lhe pague, seo Manuelzão, com Santa Ana na garupa. Suas bondades são grandes..." O rapaz tinha singelos francos olhos, a cara de ser uma bôa peça. — "Amém, moço. Deus é quem ajuda: que manda a doença antes da saúde..." Enfermidade dele era só a febre da beira-do-rio. Que fosse primeiro para o Corinto, por acabar de sarar, depois podia vir pra trabalho na Samarra, aqui valia mais, ficava forro daquelas mazelas.

Manuelzão saía de lá, queria estar mais simplificado. Mas, debaixo de tão curtas horas, e sentia que estava caído de alturas — das alturas da festa. Tudo era diferente do que devia de ser. Mesmo enquanto se festava, a gente carecia de sofrer também o ramerro dos usos, o mau sempre da vida: uns adoeciam com moléstias, outros se entristeciam, alguém tinha de cuidar das necessidades de todos, rompe reinavam as maçadas, e a gente tinha de precatar os perigos do amanhã, que subia armado contra os fundamentos de hoje. Os outros aceitavam o misturado disso, entravam nús na festa, feito fossem meninos. Mas, ele, Manuelzão, não. Não conseguia. Para ele, o apreciável das coisas tinha de ser honesto limpo, estreito apartado: ou uma festa completa, só festa, todamente! — ou mas então a lida dura, esticada, sem distração, sem descuido nenhum, sem mixórdia! Mais uns enganos. Homem, não suspirava. Mesmo, competia de demonstrar cara satisfeita, não dessem de reparar e falar, desfazendo em sua bôa fama. Por pouco, quem sabe até iam dizer: — Festa de Manuelzão, todos divertem, ele não... Não queria.

Como vindo se apresentava o Chico Bràabóz, parece que adivinhava. Chico Bràabóz tudo falava abocabaque, em pé-de-verso: — "Meu repertóro, eu tenho ele no cocóro..." — e batia com a mão fechada na testa. — "Vai um tome-juízo, seu Chico?" "— Pois até não desaceito, Manuelzão. Quando bebo um gole, fico mais prazido..." Ele mesmo dizia que era reprechinho, sujeito meio acêso. Escorropichava, e ia rabecando e descantando:

"Quando eu era rapazinho
que via os outros casar,
ficava muito reprecho
só querendo experimentar..."

Chico Bràabóz era até trabalhador. Plantava seu prato de feijão. Mas, com a rabeca, ele puxava toda toada — a gente não se escorasse, ele mandava na gente — "Outro gole, seu Chico?" — "Escorre. O mundo acaba é pra quem morre!" Tomava. — "Pois a gente senta aqui. Um dia só, é a regra..." Tomava. Estavam na sala, de vez em quando povo passando, falando. — "E a vida, seu Chico?" "— É isto, que se sabe: é consolo, é desgosto, é desgosto, é consolo — é da casca, é do miolo..." — "Mas, hoje, o consolo é maior?" "É assim como o senhor está dizendo..." Aquela alegria era forte, mas falseava. Toda tirada expressamente, da patrícia da garrafa, que nem um remédio bravo. Mais do que isso o Chico ia poder ensinar? E, mesmo de propósito, o velho Camilo surgia aparecido. Ele vinha beber água, do pote. O pote ficava ali no canto, esquecido. Todos que tinham sede iam pedir água na porta-da-cozinha, água das porungas grandes de barro, toda hora renovada. Aquela do pote parecia até coisa abandonada, água antiga, só o seo Camilo estava vindo beber dela; tão natural de humilde, o velho Camilo era ali, entre todos, o que sembrava ter mais fineza e cortesia, de homem constituído, bem governado. Bebia com medida, jogava o resto fora. — "Sede, seo Camilo?!" "— É por uns calores, aqui no interior..." Tristeza dessa, do velho Camilo, cachaça qualquer não empapava? A Joana Xaviel devia de estar agora no meio dos cantadores, aceitando graças de homem, quem sabe. Ou, então, era só o penar de não residirem mais juntos, na cafúa da chapada. Velho assim não podia gostar de mulher? A decência da sociedade era não se deixasse, os dois sendo pobres miseráveis, ficarem inventando aquela vida. Regra às bostas. Mas, ele, Manuelzão, era que podia mãezar? Podia socorrer de sim um caso desses, tão diverso? Mais triste que triste, triste. Tinha lá culpa?! Todos não viviam falando contra, depondo que aquilo era uma estória feia, que apropriava escândalo? Mais quem repetia censura era o Adelço. Assanhavam, estumavam que ele, como chefe, désse cobro à menos-vergonha. Pois deu. Aí então? Não tinha culpa das responsabilidades. Mesmo Leonísia o aprovara. Mesmo sua mãe, tão de caridades, não achou o que falar, quando veio para a Samarra, os tempos, e do havido soube informação. Culpa, não tinha. Esta vida da gente, do mundo, era que não estava completada.

Chico Bràabóz, quando ia tomando, carecia de se apresentar, de ciente, em qualquer conversa. Especulava: — "Seo Camilo, escute, o Manuelzão aqui está indagando umas coisas, ele quer negociar com a vida. O senhor me responda, o senhor que já viveu o de outros e o seu: quais são as horas melhores?" Velho Camilo respondia, com seo sério, suas palavras de teor: — "De verdade. Horas melhores, quando acho o que comer, e o que vestir. Horas piores, quando acho alguma malquerença, que não posso atalhar..." Assim respondido. Achavam que ele era meio sandeu, e ele estava a limpo na sua tristeza. A gente perguntasse: — *E hoje o desgosto é maior?* — e vai ver ele dava: — *É assim como o senhor está dizendo...* Ele tinha seus olhos.

Tirando conversa quieta com o velho Camilo. O que é que não se faz, na grande desocupação assim, de dia de festa? — "Vamos consumir uma jenuária, seo Camilo?" "— Será dúvida? Já estou bebido, por sua bondade..." "— Pois mais, seo Camilo. Hoje é festa..." Tinha de tomar. Tomava. Assaz vagaroso, fechando meio os olhos. Seo Camilo — era o velho delicado.

Tempão, todo. Entardecia. Da Serra, sombras sendo jogadas, dos lugares mais em cima, conforme na encosta o chão de sol se reparte. No pátio, estavam se dansando, mazurca, dansa de par, os rapazes com as moças... *"Mazurca mais a polca fizeram combinação: mazurca deita na cama, a polca deita no chão..."* Mas a gente se afastava dali, os pastos mais de perto estavam cheios de reses que iam formar a boiada, algum boi-touro rompia mugido. A fôgo-apagou mais chamava. O dia esfria. Triste é a cigarra cantando nas árvores baixas e nos arbustos.

Jantar, jantar se jantava. Manuelzão não tinha fome nenhuma. Tomou um gole de café, outro gole de aguardente; pitou um cigarro. A cozinha, confusa de mulheres. Parava ali, lerdeando, estadonho. Tempão, que estava. Atinando — queria ver Leonísia. Requeria alguma palavra de estima, de consolo? Que era que se envelhecia? Mas, quando Leonísia com ele defrontou, deu más surpresas, nos olhos que abriu, mesmo no dizendo, com aquela voz escolhida de gentil: — "Pai, o que o senhor está sentindo? A não está bem? Não estou gostando dessa sua cor, isto é cansaços da festa, tamanha lufa. O senhor preza um chá?" Não. Que estava subido de bem. Era o que ele garantia. Leonísia era de beira do Grotão do Abaeté, de que família que na roda do tempo havia podido ajuntar tantas canduras? Assim aprazível de coração, assisada uma filha. Ela, para o Adelço, era a melhor companheira. Sina de mulher, sina de homem. —"E esse seu pé, Pai? Não terá agravado? O senhor querer um banho de ervas, que faz bem?" As parvoíces. Nem não estava mais lembrado daquela dúvida no pé, o dia inteiro não tinha esbarrado de andar, e agora ainda ambicionava de andar mais, nada não lastimava. Agradecia a Leonísia, e saindo tornava. Não era homem que tivesse o coco por fora da casca.

A mocidade dansava. Seo Vevelho não se abrandava no tocar, era a mazurca "A Caninha", ou "Cana Caiana". — "Seo Manuelzão, aqui se tem de serenar e valsar, até se produzir ao menos outros dez pares de noivos pra casamento!" Como se poder conversar com esse seo Vevelho? A sanfona sombraçava, as violas no redobre. Mais avante, também, Chico Bràabóz referia a rabeca, com seus outros. Os violeiros. Os do lundú, que sério se dansava. Dois chefes músicos não combinam. Ver era o Maçarico! Escrapeteava. Rompiam dansa-de-máscaras, o reprechume do Bastião, de Folia-de-Reis:

"Eu desci p'r'aqui abaixo
no meu
macho mar-
chador...
Vou-me embora,
ei!
ai!"

Sempre as violas sustentando. O Pruxe expedia, as velocidades. Maçarico sapateava:

"Eu dei um tapa na rédea:
foi a roxa
que
mandou...
Vou-me embora,
ei!
ai!"

Manuelzão havia de andar. Vigiar o volume todo da festa, os contornos. Ia até lá na chã, acabar de visitar a mãe, aquele dia, no cemiteriozinho, só? Passava de hora, e era longe, e sobressaía tristeza. Mas atravessou um curral, ia em direito. No nascente, se via o cerrado das Pedras, batido de sol: mas depressa vinha se estreitando a parte ensolada, amarela, bela. O céu era o igual. O fim do sol ainda dava nas paredes dos ranchos dos vaqueiros — nas beiradas delas estavam pendurados os sacos de sola — as "borrachas", os bogós. Nesses ôdres de couro, tinha-se de levar a água para a gente beber, na travessia dos grandes desertos de lugares, nem gota d'água, se viajavam dois, três dias, até desde Fortaleza e Salinas, e depois, sem encontrar. Sair com a comitiva, até o diabo sofresse. Sobre os nortes de Montes Claros, tudo rareava, nas securas desse vale do Verde-Grande, nunca nenhuma fumacinha em choupana de morador...

Dois vaqueiros proseavam, deviam de estar sentados atrás da cerca, nuns pontos mais escuros. Aqueles descansavam, um bocado, da festa? Senão que estavam jantando. Manuelzão entreouvia o que um deles falava, o outro dizia mal percebido. Ao que esse outro era o Acizilino.

— "É lá que ela estava, naquela serra, pra fora daquela serra, estava até com um boi do seo Sejasmim. É velhaca. A bezerra dela é que é desgraçada de brava.

— ... amojando?

— Não, amojando, não. Ela está apartada, com bezerro grande. Mas, amojando, não. Isso é contar miséria.

— ...

— Eu sabia que ela por lá, na beira das Pedras. Mas quando campeei lá, não achei. A que eu achei, eu peguei e truxe... O que eu não posso agora é campear ela... Porque temos de ir levar o gado. Temos de ajuntar, separar os machos, os do João Herculino. Não podemos campear ela, não..."

A tarde passava. Manuelzão escutava aquelas frases, a um modo esquipáticas, soavam como um relato de outros tempos. A feio o berro do gado é na estrada, em desde cedo, a gente molhado de orvalho, feito se estivesse debaixo de chuvas. O sol esquenta, a lazeira, o gado naquele rém-rém, vagaroso demais, sempre no muito de poeiras. Em horas de comer, a carne-seca mal limpada, com farinhas: os bichos dela saltavam... Tudo se sofria. Maus pastos de pernoite, o arrancho nos descampados, os frios no serros... Mas, sempre tudo não tinha sido assim, toda a vida? Nada nenhum. Por que era, então, que, desta vez, repelia de ir, o escuro do corpo negava suas vontades, e depois a alma se entristecia?

Sair, daqui a quatro dias. Da Samarra à Tralha, primeiro dia, subida da Serra, quatro léguas, mau cômodo, mau pouso. Segundo, da Tralha ao Andrequicé, corda de morros, cômodo regular, três léguas e meia, bom pouso, pasto regular, desdemente. Do Andrequicé à Vereda-do-Enforcado, razoável. Fazenda São-Manuel, da viúva Pedro Donato. Riacho-do-Chumbo. Fazenda Jequitibazinho — esses paraísos de agradável. Ribeirão Branco. Lagôa do Caramujo. Riacho da Vaca Magra. O resto. Meio de dar volta, de longe do Curral-de-Pedras, faltava de todo a água, para a boiada beber, o vento perfazia muito, o frio muito. Trem de trem ruim, negócio de pegar a estrada, pajeando boi. Algum dia ele podia deixar esses excessos de lado, enriquecido. Ah, os netos haviam de não carecer do burro serviço! Varar os sem-fins de cerradão de árvores altas, o dia inteiro não se via o sol, não se via o céu direito, e era o perigo de os bois se espalharem aos lados, se perdendo no mato do mundo. Com os dias, sobrava uma saudade de mulher, das comodidades de casa, uma comidinha mais molhada, melhor. Vontade de se ter mulher no pé da mão, para esquecimentos. O corpo formoseava essas sedes. Cachorro que verte em qualquer pé-de-pau — os bons companheiros, vaqueiros, queriam pandegar. Bem divertidas horas, isso dizia. A gente saía, com pouco já se degozando o voltar, o dia da chegada de volta era o melhor. Antes, tinha sempre sido assim. Agora, não. Agora não se sentia o aviso do cheio, que devia de vir depois do vazio. A mais, ouvia a pergunta do outro vaqueiro; mas, da vez do instante, reconheceu também a resposta do Acizilino:

— "Oé, viu e não viu, causa do escuro?

— Não, não. A lua só estava meio embaçada. Eu é que não estou enxergando nada de noite... No o sol entrar, o dia escurecer, então, não vejo mas é nada. Nem não estou servindo mais p'ra trabalhar... Ao que veio o desânimo. A gente afrouxa..."

A ser, o que se dava. A gente afrouxa? Os desalentos, o amontôo. Acizilino — amigo, de sua mesma idade, velho companheiro. Assim mesmo, esse tinha se casado, ainda na mocidade legal, agora estava no meio de sua família acostumada, somente que no peso da vida... Manuelzão retornava dali, no ante-pé, acautelando que aqueles dois não o pressentissem estado lá de escuta. Andou. Esbarrou. Quem barulhava era um macho de galinha-d'angola. Acolá, surpreendendo em sombra, o velho Camilo — feito um bugre, assim sutilmente. De espera, queria falar alguma coisa? — "A ver, o que é, seo Camilo?" Desejava dizer nada. Vinha, porquanto ele mesmo Manuelzão tinha dado ordem, que acompanhasse, pelo que fosse preciso. Dessa ordem, ele já se esquecera. Mas, pois, viesse, viesse. O velho Camilo, soturno. Rabujava? Bebeu o fel-vinagre? Podia perguntar: — Seo Camilo, está mal com alguém? Sendo de soer: os agastamentos com a Joana Xaviel — uma estória de amor. A graça! Indagou:

— Seo Camilo, o senhor está gostando da festa?

O outro descobriu o ser de seu rosto, mesmo no meio-escuro. O que respondia:

— Eu não divêrto, não. Eu só intéiro e semêlho...

Isto disse, o demo de velho. Parecia repetido, um eco, quantas vezes. Um velho, que merecia estima. Ele, Manuelzão, não se dava a culpa do que o outro vinha suportando. À lei, não tinha procedido por embirra, por ruindade. Mas a gente quase somente faz o que a bobagem do mundo quer. Agora, o velho Camilo viesse, sempre junto, sem arredar de sua companhia. Chegavam na beira dum curral. Manuelzão, por um lazer, se amparou nas réguas da cerca.

— O senhor sentiu um ar, seo Manuelzão? O senhor está assim agoniado...

— Nada não. Canseira, que me deu...

Soava forte, no viro do vento, o reprechume do Bastião:

"Companheiro, me ajude
a contar a minha vida...
Vou-me embora,
ei-ai!

Eu não tenho amor aqui,
minhas queixas são perdidas...
Vou-me embora,
ei-ai!"

A música repartia as tristezas por todos, cada um seu quinhão. Descansadamente, de um certo modo, a festa era coisa que molestava. Também, não se arma festa todo dia. Acabasse, a gente repousava, em dormir um dia cumprido. Daí, três, para se ajuntar e apartar o gado bravo. A duro, a boiada ia sair bem, subir a serra com gente de ajuda. Federico Freyre ficava correspondido. Ao menos, se servia; o que um faz, se faz. — "Vamos voltando, seo Camilo, para o meado da festa."

Dava aquela idéia — que o velho Camilo não carecesse de falar alguma coisa? O que pressentia. Assunto podendo ser nas máximas, importante real. Não falava, quem sabe coragem não tinha?

— Seo Camilo, o senhor estará por me dizer uma coisa?

— Particular nenhum, seo Manuelzão. É dúvida? Fio que não terei.

Assim o outro mesmo se admirava, sem maldar. Mas que, de todo, quisesse dizer uma coisa — no coração de Manuelzão, parecia. Então, por simples encobrir, perguntar:

— Seo Camilo, se sabe desse João Urúgem? Se disse passou o dia dormindo, debaixo do arvoredo?

— Seo Manuelzão, sei que ele noite-vaga. Diz-se que fede feito raiva de gambá. Doença de loucura.

No pátio, na festa, estavam essas alegrias. Todo o mundo espaçado. Tinham levantado as luzes que servissem — as lamparinas de folha. Acendiam o candeeiro, velas. O Adelço oferecia bebidas. O Adelço discorria, senhor; ah, no meio de outros, longe dele, Manuelzão, o Adelço não se vexava. Traziam tamboretes para as pessoas, uns caixotes. A rede armada, para o senhor do Vilamão, esse em tudo se aprovava. O senhor do Vilamão, composto no cavú, um chapéu na cabeça branca. No que tinham feito também umas fogueiras, temperando o fresco da noite. De um lado se dansava salão, do outro todo lundú lavrava. Mesmo Leonísia veio chamar o Adelço — porque o lampião novo não queria pegar — Manuelzão via os pés dela, aquele instante, na soleira. O velho Camilo tinha bebido mais? — "Bota abaixo!" —; ao cão. Velho Camilo estava ralhando enérgico com os cachorros, ou dando ordem. Velho Camilo indicara desgosto grande. Teimas que ele nunca falava, somenos, olhando turvo, nem se sabia que fosse capaz. Joana Xaviel devia de estar lá na cozinha, hoje não relatava estórias. Mas vinha para a frente de casa, para as dansas, o mulherio todo vinha. Amanhã, começavam a ir s'embora. — "Dona Leonísia, a gente tem de voltar p'ra casa, dar de comer às galinhas..." — falava cada uma. Até a Joana Xaviel, que nem devia de ter galinhas, para cuidar. Elas pegavam as trouxas, pegavam os meninos, encosta acima, se sumiam na virada, outras para o lado do das Pedras, todo o mundo ia-se embora. Pesar do velho Camilo seria esse. A legítimo, ia dar uma pena. Mesmo a música já alembrava que a festa havia de se acabar. O céu derramava de estrelas. Daí, o riso de todos: o papagaio aparecia, a pé — escutara muita gente falando, cantando, gostava da música — e se chegava no meio das pessôas, xingava, queria ficar perto de violeiro; tinham de pendurar a placa dele na parede.

Manuelzão se sentara na roda dos hóspedes principais, o banquinho baixo encostado numa árvore, ele precisava, hoje não estava muito conseguido com o corpo. O Nhão, seo Filipinho, Joãozim da Venda do Porto, Compadre Lindorífico, Joaquim Leal, o Nicanor, falavam com louvores a respeito de Federico Freyre. Manuelzão preferia menos dizer. Ele sossegava por detrás do som das músicas. O senhor do Vilamão cochilava suposto. Os mais, vez um, vez outro, vinham, passavam, palavreavam. João Xem contava uma graça. Do lado dos sociais, estavam dansando a guaiana, de oito pessôas. O Lói era um, influente, de vermelho diabral, vestido com seu baetão. Mais antes tinham dansarado um gamba, o uso antigo, como valia. — "Manuelzão, ficamos, pra ajudar, na traga do gado..." — eram o Queixo-de-Boi e Jão Orminiano, satisfeitos. Mas, da banda dos do lundú, era sempre aquela alegria forte, cantando e dansando os assuntos de tristeza:

"Eu entrei na mata escura:
piado de um caburé.
Ele piava que redobrava:
quereré, quereré, quereré!

Eu entrei na mata escura,
piado de dois mutúns
— piava que soluçava:
tururúm, tururúm, tururúm...

Eu entrei na mata escura,
— piado de dois quem-quem;
piava que saluçavam
— tererém, tererém, tererém...

Eu entrei na mata escura,
piado de um pavão:
piava que redobrava:
pararão, pãrarão, panrarão!..."

Chico Bràabóz e seus companheiros. As amarelas caraíbas iam dar flôr em junho, em novembro o roró de uma chuva, o canto do narcejão. O curralejo. Um rio curto. No começo, na Samarra, os macacos — aquele grito de velho. O que semelha grandezas, é coisa. O engrandecer das sombras, na hora de manhã do sol saindo. A gente ia pelo ramal de uma serra — se pensava. O vento voaz, levando nuvens. Rôxo quando a ipecacuanha nos campos secos. A quando a lua cresce, quando míngua a lua. Ao de cada mão um morro, um mato. Uns feixes: as árvores, ao luar. Olhos profundos do mundo. A gente seguia, sempre, feito picapau andador. Tapejara.

Seo Camilo ali estava? Sensato, consabido, para essa espécie de cisma: de que tivesse um segredo, com guardar. — "Manuelzão, uma festa da extração desta sua, é que eu estou quase querendo gostar de dar, algum dia incerto, nas Três-Veredas..." — era o que dizia o Nhão, serioso. — "Manuelzão, ao que a Santa merece: mas bom dinheiro se gastou, hem não?" — estava o que dizia o Nicanor. Ali perto, sobre assim, outros davam pergunta e resposta: — *"Oi, Aquíles, cê rompe na roça?"* "*— Agora, não. Amanhã eu fico, vou ajudar o povo a tirar o gado...*" Joãozim da Venda era o que muito ria. Algum gabava o bem-feito de corpo de uma das moças que dansavam. A conversa apreciável do Joaquim Leal se passava baixinho, de um pra um, com medido sossego, ele noticiando o aumento de seus negócios. Amiúde visava de lá o senhor do Vilamão, transitório, corujante, os olhos meio mortais, o rosto roseando suave no desde-luz, celheado geoso. Outras horas. A daí, de repente, o Adelço chegando, em direito, por dizer: — "Nho pai..." O Adelço limpou a goela. Que? O Adelço tinha chegado fixe, saudador, como no cumprir duma lição...

— "Nho pai, o senhor não supre bem, do pé... Seja melhor eu ir, levar esse trem de boiada, nos conformes... O senhor toma um repouso..."

Disse. Não se acreditava.

Manuelzão pôs bem o peito, dos ombros, nas pressas de um sentir, como, de supetão, demais se felicitava. Um sentir de bom poder, um desagravado, o aluído de um peso — e ele se clareando do que aquilo fosse: glórias de estar tudo em sua mão, o resoluto; ufano de ser generoso e senhor; honras fortes de não quebrar a palavra. Aquele — um prazer — prazer antigo não havido: que estava dando um doado ao Adelço, um benefício. Dádiva que quanto mais certa e grande conseguisse, que se pudesse. Balançou a cabeça.

— Ah, não, meu filho. Decidi que vou. Careço mesmo de ir. Me serve...

Assim estava — árvore sobranceira ao caminho. O belo angico, que gasta armação para se enfolhar tão pouco. Cipó não trepa em pau morto! O angelim sobe, sobe, sobe, e se abre para o lado do céu; não é qualquer passarinho que irá ninhar lá. Um cerne. Na árvore, o cerne não vive: só aguenta. Manuelzão não podia prestar atenção exata na conversa do seo Filipinho. A vago, anuía com a cabeça. Tudo o que tinha a fazer — os apreparos para a viagem. Chegado na Santa-Lua, agradecia a carta a Federico Freyre. Encomendava o sino para a Capela? Ali estava com o dinheiro no bolso, resultado do leilão. Joãozim da Venda ainda faltava entrar com o óbulo estipendiado. A Capela principiava os progressos, na faixa do Baixío. Ele tinha respondido bem ao Adelço? Melhor devia de ter acrescentado: — "Você fica, aguenta o rojão aqui na Samarra, toma conta de meus netos, toma conta de Leonísia..." Ia levar o Promitivo. Ah, engraçado, pensar — boiada adiante, os companheiros aboiando ou cantando — e da banda de lá aquele Maçarico, da banda de cá esse Promitivo. Ia, queria ir, não tinha vontade de ir, nenhuma. Como se tocam, se cantam, se dansam essas músicas, como o Cravo parlotêia. Uns bailavam outra vez o gamba. Os do Chico Bràabóz e do Pruxe nesse coco-galopado:

"Lava a roupa na vereda
dependura pra secar:
um suspiro, um lenço branco,
um soluço, um avental.
Rala!
Eu vou no buritizal...

O buriti veio de cima,
ouricuri deu de baixo.
Rala!
Se encontraram nos umbigos...
Rala coco nesse tacho!"

Não tinha o ânimo de ir. Ansiado, aborrecido, malfirme naquela festa. Sensabor que tinha de sofrer, até às alvas da madrugada. Até ao sol. Que era que esse velho Camilo havia de pensar e dizer — ele, idoso a mais, homem de ruim cabeça, miserável de roupa — teria medo da morte? Estória! Os olhos de Joana Xaviel vigiavam os da gente, lá do meio das mulheres. Assim olhavam, de um modo de gosto para a vida. Saúde de homem é que nem honra, vergonha. Mas o triste mais sucede, quando o tempo fecha a mão. Havia de ser abençoado a gente viver ainda muitos anos, residindo, um dia tornar a escutar, ladeira abaixo, o sissipe do riachinho. A Samarra. Aqui o gado aumentava. Mesmo mais do que a carne de sustento de se comer, e o de vendido de dinheiro, aquele trem, aqueles bois, formavam um consenso de respeito, uma fama. Triste que aquilo tudo não pertencesse — pois o dono por detrás era Federico Freyre. A ver, ele, Manuelzão, era somenos. Possuía umas deze-dez vacas, uns animais de montar, uns arreios. Possuía nada. Assentasse de sair dali, com o seu, e descia as serras da miséria. Quisesse guardar as reses, em que pasto que pôr? E, quisesse adquirir, longe, um punhadinho de alqueires, então tinha de vender primeiro as vacas para o dinheiro de comprar. Possuía? Os cotovelos! Era mesmo quase igual com o velho Camilo... Agora, sobressentia aquelas angústias de ar, a sopitação, até uma dôr-de-cabeça; nas pernas, nos braços, uma dormência. A aflição dos pensamentos. Parece que eu vivo, vivo, e estou inocente. Faço e faço, mas não tem outro jeito: não vivo encalcado, parece que estou num erro... Ou que tudo que eu faço é copiado ou fingimento, eu tenho vergonha, depois... Ah, ele mais o velho Camilo — acamaradados! Será que o velho Camilo sabia outras coisas? O que mal pensava, mal sentia. Porém, porém, ia passando além. A festa não existia.

Ia, com a boiada, estava a ponto. Assim, sabendo os pressentimentos. Amargava, no acabado. O fel de defunto — se dizia. Vezes que sucede de um adormorrer na estrada, sem prazo para um valha-me. Tinha não, tinha medo? Essa era de primorosa! Perguntasse ao velho Camilo. Assim, todo vivido e desprovido de tudo, ele bem podia ter alguma coisa para ensinar... Mas o velho Camilo, o que soubesse, não sabia dizer, sabia dentro das ignorâncias. A ver, sabia era contar estórias — uma estória, do pato pelo pinto, me conte dez, me conte cinco. A gente olhava aquela lamparina se esprivitando no arder, no umbral da porta, e daqui a pouco, no empretecer das estrelas, era o fim da festa se executando. O Adelço ficava, na Samarra. Ao melhor modo, ao menos, ele Manuelzão, antes da boiada sair, havia de dar uma ordem: — "Mas não desrespeitem o velho Camilo!..." Adiantava? Assim o que a gente quer, e o querer não fica em pé, mas se desvém no ar. Que nem quando se adoece, o corpo não obedece mandado. Que nem ele tomasse empenho, rogasse ao senhor do Vilamão: — "Meu senhor, eu careço desse seu cavú, o senhor me ceda, faça preço!" E depois? Ia ter coragem cidadã de revestir o cavú, que não se usava mais, mas que tanto se usou, no tempo em que ele teve aquele desejo? Agora nem em ninguém podia pôr culpas, o Adelço tinha vindo, falado, em branco se desarreando das faltas — ele Manuelzão perdia os desafogos, e no meio de vazios restava, conseguido só de desfazer em si, acusado contra si mesmo. Os seus pontos mais altos. O que podia era perguntar ao velho Camilo algum renovame, algum pedido que ele tivesse de ter. Mas não avantajava. Velho Camilo não ia dar resposta. Um tinha que se resilir, sem querer nenhum. Aquele estado de noite de meio maio, agradável friazinha, e sufocava feito o ar antes de trovoadas, peso pondo. Ah, árvore sozinha, em morros, chama raios. Iam judiar mais com o velho Camilo? Tinham judiado? Daí, pois, perguntava. Perguntava? — "Seo Camilo..." Que era que ia indagar? Só se mandando. Mandava. — "Seo Camilo..."

— Seo Camilo, o senhor conte uma estória!

O que era para se dizer e não se crer. Pois, então, era? Assim de só ser, sem razão. Uma estória. Mais o velho Camilo entendeu, obedeceu. Alguns ainda riram dele.

— Caso eu tenho, por contar...

O velho Camilo estava em pé, no meio da roda. Ele tinha uma voz. Singular, que não se esperava, por isso muitos já acudiam, por ouvir. Contasse, na mesma da hora. Ele, assaz, se começou:

A estória do velho Camilo.

— "Em era um homem fazendeiro, e muito bom vaqueiro. No centro deste sertão. Tinha um cavalo — só ele mesmo sabia amontar. O homem morreu. Seu filho, seu herdeiro primeiro, que ficou sendo de posse-dono da fazenda, não aguentava tomar conta do cavalo. Só o cavalo era bendito. Só esse cavalo do finado homem..."

De daí, ô gente, agora me venham, para perto, e queiram, todo o mundo a escutar. Ao velho Camilo de gandavo, mas saído em outro velho Camilo, sobremente, com avoada cabeça, com senso forte. Venham, minha gente, e os outros, pessôas, meus bons vaqueiros de campo, hóspedes de minha seriedade.

— "Diz-que-direi sucedeu... Nas terras do homem real... Os que experimentavam poder amontar no cavalo, logo frouxavam ele pelos campos. Eles não guentavam carreira dele... O cavalo ficou gordo. O cavalo do finado homem — que era encantado..."

— É o *Romanço do Boi Bonito!*

— É a *Décima do Boi e do Cavalo!...*

A vir, venham, gente e gente, para rodear, pra escutar. Aqui quem ainda estiver faltando: João Xem, Hilário, Recesvindo, Zazo, Zito, Duvirjo, Turtuliano, João Vaca, Gregório, Simião,

José-José. Venham o seo Vevelho, os filhos. As moças. Deixar também esses meninos. Chico Bràabóz, com a rabeca preta. Povo, povo, trazer um assento de tamborete, para o velho Camilo se acomodar. Maranduba vai-se ouvir! Aí, toquem as violas sereno, de cinco e seis cordas dobradas, de mississol-remilá. O violão tem os mil dedos, fez-se o violão pra se gemer. Seo Velho Camilo em fim de festa, carece de recomeçar. Venham o Pruxe, o Maçarico, o Lói, Acizilino, o Queixo-de-Boi, Jão Orminiano, Jenuário. Com facho, tocha, rolo de cera acêso, e espertem essas fogueiras — seo Camilo é contador!

— "Quando tudo era falante... No centro deste sertão e de todos. Havia o homem — a corôa e o rei do reino — sobre grande e ilustre fazenda, senhor de cabedal e possanças, barba branca pra coçar. Largos campos, fim das terras, essas províncias de serra, pastagens de vacaria, o urro dos marruás. A Fazenda Lei do Mundo, no campo do Seu Pensar... Velho homem morreu, ficou o herdeiro filho...

...Nos pastos mais de longe da Fazenda, vevia um boi, que era o Boi Bonito, vaqueiro nenhum não aguentava trazer no curral...

O sinal desse boi era: branco leite, cor de flôr. Não tinha marca de ferro. Chifres de bom parecer. Nos verdes onde pastava, tantos pássaros a cantar.

Que todos me ôiçam, que todos me ôiçam: o seguinte é este. Grande tempo há já passado... O fazendeiro raivava. E depois se entristecia. Vaqueiro no campo, todo dia. Achavam maloca de gado, traziam. Trabalhavam o Boi, ele não vinha. Espaço de um ano, dois... Achavam em beira nos matos, malhando, rodeavam as reses todas que havia. Trabalhavam o Boi — o Boi partiu no mundo...

O cavalo, cavalão, que engordava, só nos pastos, noite e dia. Desesperação do fazendeiro, filho do finado homem. Mais aquelas corridas vãs, a fama do Boi crescia. Sertão longe, se falava, nesse Boi, que se prazia.

Deu vez, veio um vaqueiro, de fora. Saíu na Fazenda. Pediu serviço.

— Beija mão, meu vaqueiro.

— Vosmecê é meu patrão.

Vaqueirama existente veio ver:

— Deus vos salve, companheiros!

— Deus o salve, camarada!

O nome desse vaqueiro, ele mesmo não dizia: — O meu nome a ninguém conto, pois o tenho verdadeiro. Se o meu nome arreceberem, sina e respeito eu perdo. Me chamem de nada, até saberem: se sou tolo, se sou ladino. Enquanto eu não tiver nome, me chamem só de Menino...

Sutilmente se passou: que escolheu um cavalo, que montou, veio vindo, palaciado. — "Montou? Esse montou? Mas é o assombrado, cavalo que não é possível!..." O Menino reconheceu: — "Relevem, que eu não sabia..." Sabendo agora já estava.

De jeito, que esse vaqueiro de fora montou no cavalo em que ninguém não amontava. *Campeão*, cavalo-de-fábrica. Pegou numa vara de ferrão, muito bôa, que era do finado homem derribar. Andava só pelos campos, se calando com o Cavalo. Era aventurado nisso. Até se dizia que ele podia ser de seu tanto perturbado... Tempo cedo virá, que se saiba.

Vai, um dia, se disse ao Fazendeiro: mandasse arreunir vaqueirama, os mais de todas as partes, dando um bom prometimento, com recadistas e embaixada. No tempo do trovoar. Viessem os vaqueiros que quisessem — dar campo ao gado e correr o boi. Que sim — que o Fazendeiro disse: que essa usança era bôa e justa, em sua casa-da-fazenda alpendrada, com janelas avarandadas, com sua baixela de ouro e prata, com sua filha por casar.

Teve mundo, deu mundo. Mas então veio aquela vinda de gente, sem esbarrar, de toda banda, e só vaqueiros de fiança, com nomes de pronta fama, produzidos no campejo. Teve rebuliço de festa. Correu voz.

Ser esses. Foi mais de muito. Lá vem seo Pedro Calungo, montado em seu Papa-Léguas, zâino castanho cabos-negros, redondeiro e bebe-em-branco. Lá vem Quirino Quincota — sobre o amame aquartalado — guarda-pé de couro de onça, flôr de rosa no gibão. Lá vem Jerônimo São Juca, montado de marialva, em seu baio douradado, transtravado e rinchador. Lá vêm da Cava da Grota, em sete pretos melroados, todos sete encapotados, clinudos, ventrilavados, os sete irmãos Beladôr. Lá vem um vaqueiro magro, outro gordo, outro mais magro, outro de cabelo comprido, da Fazenda do Rebôo. No seu arlequim Merépa, lá vinha João Anacleto, com Pixo e Pingo Anacletos, dois filhos do sobredito, todos três do Siará, só. Merêncio, filho de Firmino, vem num ruão argel e lhalvo, cantado noutras estórias, chamado Amigo-de-Deus. E os que não vi e não sei. Os cavalos dos vaqueiros...

Por mais de mil se ajuntaram, ali na baixa vertente, fervença de tanta gente: — "Rendam armas, companheiros! Vamos derribar esse Boi!"

Alvroçou, aquilo, aos altos. Se engrossou com mais milheiro, e dúzia e grosa e milhão. Mundo que gente pariu. Várias presenças e praças, sortida regra e nação. Os vindos por puxar gado. Todos queriam certar. Que queriam não sofrer. Cada vaqueiro de nome devia de se arreconhecer. O senhor gritava um nome; tinha! Tomaram o abecê desse alardo. Dou, por volta:

Antônios; Ascenço; Aroeira e Agarra-a-Tabica; Aziano, filho de Ázio; Arrudão; Alamiro Jó de Freitas. O Bó; Birinício; Bastião, do Brejo-Preto — montado num lionanco. Cérjo de Souza

Vinagres. Duque; Dativo; Doêz; Domitilo Sem-Cabelo. Estanislau das Marias. Fagundes, velho serrano; Farroma e Ferreira Figo; franciscos — chicos chamados. Graciano Mão Comprida. ("— É do Rio Pandeiros! Bebe água sem razão: é do Rio Pandeiros!"); um gustavo. Helias, pardavaz maludo, groteiro e filho de padre. Ilídio, Irino, Idalino; Inácio Vidú do Guedes. Jordão de Tal, sem costumes; mais de cinquenta josés! Caciquinho; Carapeba. Laerte, com altas botas: couro de sicurijú; Landolino; Laurentino; Luiz da Silva Safado. Miguéis, manuéis, Mandurino; Menelão e Milicão; Mendonço será que estava? Nolasco; Noêncio, grande aboieiro. Olavo; Ogão; Olereno; e Orozimbo, separado — por ser de marca maior. Protásio; pedros (quarenta-e-cinco); Ponciano. Quins; Quintino — homem agreste, bom vaqueiro de jornal; quarteado era o rucilho que João Quitério amontava. Os raimundos; Rodemiro; mais o Reinério, urucúio, e o Rogoso, urucuião. Sisnando Corre-nas-Lajes; Silurino; Sás — vaqueiro gorotubano, que se feito nas Jaíbas. Totó da Fazenda Arcanjos; Tio-Í — vaqueiro vaqueal. Ursulino mais Uzante — vermelha cinta de lã, uma cruz no arção dianteiro. Vaz; Vicente Galamarte. Xisto, velho topador. (Ypsilône — não tinha.) Zorô, Zé Sozinho, Zusa. Til que dê para atilar: setenta joãos e joães!

E os que não vi e não sei.

O fazendeiro arrumou festa, tinham vindo violeiros, assavam carne de capados. Matou cento e dezoito bois, a cebôla se acabou, não havia sal que chegasse, mandaram providenciar. As negras no almofariz. Pediram auxílio de alegria. Os mundos reverdecidos, desde as chuvas criadeiras. Hora chegava.

A pois.

Aí, todos naquela prepa, terminou-se o bota-sela. Cada um pegando o laço — de vinte e sete rodilhas. Cada um pegando a vara — como um soldado piqueiro. Os cavalos pateavam. Os berrantes já tocavam. Povo por aí aboiando. Mas coragem para ser usada — a lei na lua da sela. As varas, que davam sombras, florestal de tão enormes — de três metros a menor, a maior braças-e-meias! Os cavalos tinham caras. Cavalos abornalados, arreados e desarreados, desbenziam e se empinavam, dando chaças cracolavam, enfreavam, escarceavam — mal careciam de espora. Me ôiçam bem?

Dos pontos mais altos de sua Casa, o fazendeiro deu salva de ordem:

— Tento, tento, vaqueirama! Hoje é o dia desse Boi? O galardão que falei, é em honras e dinheiros. A quem der conta de derribar e passar por riba — me trouxer esse boi, no curral. E por casar tenho minha filha...

Os vaqueiros davam grita, vivas davam e já queriam.

Fazendeiro prosseguiu:

— Tento. Esse boi que hei, é um Boi Bonito: muito branco é ele, fubá da alma do milho; do corvo o mais diferente, o mais perto do polvilho. Dos chifres, ele é pinheiro, quase nada torquesado. O berro é uma lindeza, o rasto bem encalcado. Nos verdes onde ele pasta, cantam muitos passarinhos. Das aguadas onde bebe, só se bebe com carinho. Muito bom vaqueiro é morto, por ter ele frenteado. Tantos que chegaram perto, tantos desaparecidos. Ele fica em pé e fala, melhor não se ter ouvido...

— Dubá, eh, duba! fazendeiro. Vamos sério esse boi!

— Eh, dunga!

— Esperem aí, meus vaqueiros, quando eu tenha terminado. Meu belo Boi não é reimão — é pasteiro no refrigério. Mas às vezes esse Boi some, sumindo por sol e lua. Às vezes esse Boi canta, cantado de sol e lua. Esse boi tem sis na baba, fecha os olhos de mentira. Ele ri com a boca esconsa e chora de um sõe risonho. Não chora. Vaqueiro que tem coragem, ele mata ou põe encantado. A vaqueiros bem-tementes, no carrascal tem deixado. O reservo onde ele sedêia é — do Campo do Amargoso, mais além, em terra sobeja, pastío: na Vargem da Água-Escondida... Me traz esse boi? É favor, é favor...

Como num corpo de igreja. Os vaqueiros, malsofridos:

— Vós mandando, fazendeiro. O Boi é meu — eh dunga!

— Deus vos salve, bons vaqueiros, porque tenho terminado.

Tomou a mão um do meio deles, para vênia de poucas palavras. Mancebo à-parte vivente, bem olhado, bem assente: nas estribeiras erguido. Ao parecer, muito moço. Valoroso. De bom talho. Assim, pois, ele era aquele: Vaqueiro-de-fora e Menino.

— Companheiros por inteiro! O cavalo branco que eu monto, não é meu nem me foi dado. Ele é urco, ufão, mas faceiro — alfaraz e voluntário. Soletra no fixe, constante, obedece por atalhos. A sobre de todo encanto, ele é primeiro encantado. Ele fala a lei do sempre, a quem está rei amontado. Meu escravo e o mestre meu — é. Mas quem souber amontar nele, melhor, eu cedo, por regra de lealdade...

— Não seja escrúpulo, companheiro, que eu já venho bem amontado...

— Isto é cavalo-de-fábrica?

— Estamos em bons estados...

— Eh, dubá, eh dunga!

Os vaqueiros tresvolteando, borneando suas varas.

— Eu vos falo, companheiros! — veio por diante o Menino. — Esse Boi já me sonhou, este Cavalo tudo sabe. Pra vida ou pra morte alegre eu vou, com tão lustrosa companhia de vós todos. Mas, vamos ter avença, vamos assentar: aqui, todo o mundo carece de ser valente! Pois só dá descanso de bem-morrer é no meio de valentia. Sus e guar, meus companheiros, vamos fazer ventanias!

— Chega de razão falada!

— Eh, dunga, eh dunga!

Até o fazendeiro montou, na sua besta de estima. Na bôa sela campeira, com toda niquelaria. Para assistir ao vaquejo, desigual de maravilha. Sem perigos, ficando vendo, do alto de uma serrinha.

O restante dessa estória é em moda redobrada. Com os sofrimentos e os anos, receio ter esquecido.

Quando os vaqueiros saíam, parecia pra uma guerra. Saíram com o sol saindo, no rastro da madrugada. Por longo o campo embebia as sopas brancas do aruvalho. Saíam pelas cancelas, como abelhas de um alvado.

Antão esses se partiram, cantando à solfa o abôio, trastrás de outro se sorrabando, pelo caminho campo encordoados. A grita que eles faziam, por hora e meia se ouviu. Da fazenda, que se ouvia: o baco-baco da cavalhada. — "Ô, dos campos!" Abalou a passarada.

Sinhô Lú risca na espora, suas bôas nazarenas. Pixo e Pingo nas ferramentas. Quileu nas esporas-ferreiras. Joantão nos esporins. André nas chilenas de fora. Dico nas pequenas, norteiras. Tinha as de alpaca e metal, as de outras qualidades. Se eu fosse, passava os dias, recontando variedades.

Os vaqueiros, esses, não. De lança na mão, estribo no pé — ou as caçambas de madeira. Rodando as varas, então, puxavam um esgalopeado, com a boca bem aberta, pra remorar o aboiado. Para os pastos fazendo via. As estradas assembléias: uma fita de mil-cor, no transpassar avistada. Os pássaros se dando sertão, cuspe no céu desasados.

Alta manhã, altas alas. A costa arriba, nos lançantes, chegaram em tope de monte — campo de donde muito se via. Urubús assaz andavam, que faz tempos não comiam. Gaviões de unha de ferro, albuquerques papagaios. Estirão, que estanceavam. Um touro aberrou suas vacas, no amor da pastaria. Antão o vaqueiro Sinhô Lú, que era o mais avô de todos, mandou atenção de respeito:

— Estou vendo: no meio de vocês e de vós, uns com medo. Beiços brancos, ossos tremendo. É melhor voltarem daqui, à fraca — o Boi deve de estar venteando esse apego de receio, já estará sentindo gente de almas por baixo!

— Tenho medo mas é de não ser o primeiro a derribar — dou...

— Já nasci com o beiço branco, cedo eu fui desmamado.

— Só tenho medo no começo, porque não estou acostumado.

— Pai, medo tenho, mas não volto, que eu ficava desonrado!

— Não tenho coragem nem medo, tenho o Cavalo baseado... — disse o Vaqueiro-Menino.

Sinhô Lú viu que não adiantava, mas mesmo fez o que devia:

— Antão, aqui a gente se aparta. Você vai p'r'aqui, eu p'r'ali, outro p'r'ali, este p'r'acolá, outro p'r'acolí... Primeiro, puxamos esse gado, todo...

De falar não terminou, os outros já arrancavam. Mais disparavam: Eh dunga!... Se esparramaram em despenque, morro a fundo, por todo lado: *qualequal, qual e qual, qual-e-qual, qual-e-qual, qual-e-qual, qual, qual, qual, qual, qual, qual...* Sobaixo de tantas patas, a terra sotrateava. Toda a serra retumbada. Sempre os cavalos pé de pedra, as campinas reavoavam. Por espigões e baixadas. Até varas se quebravam. As faz galho, calháu vôa, barulho de mato queimável. Como o gado se corria. Corria tudo porfia.

Gadaria. Uma quantia de bois, que mudavam de lugares. Se conhece o homem valente por economizar valentia: o ladino, se guardava; o tolo se estrepolia. Vaquejava antes da hora. Assim mesmo se prazia. Festejada: muito mocotó passou, mais boi se botou no mato... Vai ver entupir no fundo — encambitavam, enrolavam. — "Caxango!" — o que esperdiçavam. Ães estralaçada e bufúrdio, a supra boiama se alçava. Só os poucos revoltavam. Se viu a vaca azulega e a amarela manchada. A novilha coração e o garrote gademar. A chapadeira espanhola, mais o loango que barga. Sorubim de azul e rajas. Se viu o espácio lavrado. Sujo das folhas dos ramos, um touro preto gaiteava. Preto, mas da testa branca. Raspava o pé nos terrenos, os homens desafiava. Boi de éra, maioral! — formigão nos cornos sendo, mais podendo malignar-se. Por um laçaço que lhe deu, o João Gomes passou mal. Outras reses perpassavam. — "Eu quero o boi rouxinol e esse fronteiro aspantado! Um eu vou topar na vara, o outro tarrafeado..." Mais se via era pai-joão e bassoura: — "Eh, boi no mato..." Vaquejavam.

Tontos eram. Mas, vem, vem, o fazendeiro: — "O que é um mal-usar! Pois pra isso marquei brinde?! Ou pra o Boi Bonito pegarem?..." E ele estava quiçá. Suas ordens não prezavam. Aí, disse o Dominguinho Vento: — "É deveras, povo meu. Estamos bem aprontados! Mais viram aquele, ali?" O vaqueiro do Cavalo: que, nas sombras de uma árvore, desapeado e recostado. — "Mandria! Menos-vergonha!" — esses outros invejavam. Vaqueiro-Menino limpou os olhos, acordando, descansado: — "Não saí fora de jogo. Esperei só começarem..." Não houve contestação. Houve tererém-tem-tém, e houve que começaria.

— Antão vamos! — Erê, eh dunga!

Um pedação de sol, que foram. Pelas brechas e gurguéias. A na Campagem do Amargoso — onde não há casa nem telhas. Muito andado. Só não desesperavam do Boi, pelo medo dele que muito já havia. E pelo que os pássaros diziam. Mas que ninguém não entendia. Muito andado. Malhar, pastar e beber — soante a vida de todo gado.

De repente exatamente, um bramou, na dianteira. Seo Ruduino Marçal, capataz desta ribeira — viu seis bois numa malhada: um maringá, um rajadão, um tocoió, um jejê, um corujo, um cirigado. Seis eles eram! Todos seis virando feras — flôr-do-gado. Menos o sete que faltava. Esses, altos, dentro do ar — visão que andavam nas águas: a luz do sol, que enganava. Os cavalos dos vaqueiros fitaram o orelhame. Os vaqueiros se rezaram; vieram em cima! Mas falavam o outro boi, o boi-sete, que faltava. Assim mesmo em esmo vieram. Tencionaram nele.

Sentados nos serigotes, sentados em seus galopes. Ah, e aquele? Boi Bonito, bandoleiro. Ninguém viu — o senhor viu boi? Boi Bonito, que investia. A loriana, que deu neles, na hora da assoprada. Ar grosso. A espuma riosa, nos freios que se mascavam. Cercou-se esse Boi Bonito: era o sétimo faltado. Não fizessem!

— Apê! Erê! Eh, dunga!

Vaqueiros picam de esporas, largam rédeas, largam almas — vão com as varas abaixadas. Das ferraduras nas pedras, flores de um fôgo azulado. Mas ninguém aguentava o impeito — de um Boi que os sobressalteava! — Os cavalos se estreitavam. O afêrvo. Rebentava esse estrupiz — sangue animal e de gente — no mundo correndo, irosos, cavalos com feias faces. Cavalo como que corre: que correndo, esgadanhado: pra os lados dá com a cabeça, no freio está maltratado. Galeavam. Gritos de arrepiar as carnes. Sem guisa, malsorteante, no barranco despenhado. Quem se fere, quem se foge. Este cai longe, mole, rodopêia, este grita, jogado em árvore, este o cavalo morre por cima dele, este sangra do gibão sete-rasgado. Tanto com o dôido tropêio, tomar vinga não podiam.

A estrapada e remessão, num já, se retrocediam. Todos que viram, correram. A cada bufo do Boi, um fló de vento soprava. A cada vez de marrar, tempestades arrancava. Já mesmo muitos todos fugiam, com o grôsso da boiada. Cavalo correndo sem dom, e o dono desamontado. Teve mortos e enterrados. Tocha de lume nos olhos, o Boi Bonito crescia. Dos mil e tantos que vinham, quase todos machucados. Derrotaram esses mais de mil, somando avante pra trás. — "Por vaqueiros se conheçam!" Aquele Boi era touro. Esse boi, olhando os ares. Foi num verde caatingal.

Mas lá vai um vaqueiro seguindo, no manso de um esquipado. Atrás do Boi enganoso, esse o Vaqueiro-Menino falado. Deu o adeus pra si mesmo, não deu de esporas no Cavalo. Sobe valo, desce morro, sobe morro, desce valo. Só ficava assunto esse Vaqueiro, por não perder o logrado. Pois era. O Boi sumiu, fez partida — do Vaqueiro se escapava. O que de muitos não temeu, de um, de um só se receava?

Desapareceu, apareceu. Corria mais do que o vento. O Vaqueiro partiu a ele: fechou as barrigas-das-pernas, contra a sela, contra as abas. Formaram carreira. Corre de riba, corre de baixo, levando esse Boi de vista, se debruçou do Cavalo. E por terras tão compridas. Corre no duro, corre na lama, corre no limpo e no fechado. Assunga o casco do Boi, assenta o casco do Cavalo. Aí o raso do campo, aí o serro da serra: matagão — o Boi desentrou de rompe, de rempe veio o Cavalo. A uma profunda grota: o Boi resumiu e voou; o Cavalo juntou as quatro, voado; assim pularam o valo. Sempre iam em rumo direito, nunca se desatravessavam. O que, surdo, disse o Boi: — "Homem, longe de mim, homem!" — "Boi, que não!" — o Vaqueiro pensava. Traquejava, aperreava. Todo estava.

O Boi se em desapareceu. O Cavalo sabia. O Vaqueiro sabia. Rompeu pra lá. Rompeu, chegou lá. Onde o Boi de novo havia. Como de arranco corria, nessa carreira torcia.

Capão. Cerradão. Vai daqui, vai dali, vai daqui, vai dali, vai daqui, vai dali... Toda volta que o Boi dava, rés-vés o Cavalo também dava. Meio mais que o mocotó do Boi, o garreto do Cavalo. Quando avistava com o Boi, o Vaqueiro suspirava. Daí em vante, que iam, para a Lagôa Abaixada.

Tudo que podia o Boi: *dêi, dêi, dêi, dêi, dêi, dêi, dêi, dêi*... Tanto o Cavaleiro atrás: *popóre, popóre, popóre*... O Boi procurou uma capoeira de espinho-de-agulha, que estava trançado. Tacou o chifre ali, rasgou: chega saíu cinza. O cavalo galopa e agalopa, que seguia, que varava. O Boi fronteou um tabocal fechado. Vedo tapume. Tacou o chifre ali, arrombou. Por aqui saíu, por ali entrou. O Cavalo atrás estava. Trasvessaram um capãoete. Subiram lá, num cerradão alto. Desde desceram. Aí, o Boi jogou outra vez. E o Vaqueiro jogou o Cavalão. Jogou, jogou.

Num campo de muitas águas. Os buritis faziam alteza, com suas vassouras de flores. Só um capim de vereda, que doidava de ser verde — verde, verde, verdeal. Sob oculto, nesses verdes, um riachinho se explicava: com a água ciririca — "Sou riacho que nunca seca..." — de verdade, não secava. Aquele riachinho residia tudo. Lugar aquele não tinha pedacinhos. A lá era a casa do Boi. O Boi, que vinha choutando. Antão o Boi esbarrou. Se virou. Raspou, raspou, raspou. O Boi se fazia, muitas vezes; mandava nos olhos da gente suas seguidas figuras. O Vaqueiro mandou o medo embora. Num à-direita se desapeou, e pulou pra o lado dele. Lhe furtou a volta. Pôs a vara-de-ferrão na forma, pra esperar ou pra derrubar. Mas o Boi deitou no chão — tinha deitado na cama. Sarajava. O campo resplandecia. Para melhor não se ter medo, só essas belezas a gente olhava. Não se ouvia o bem-te-vi: se via o que ele não via. Se escutava o riachinho. Nem boi tem tanta lindeza, com cheiro de mulher solta, carneiro de lã branquinha. Mas o Boi se transformoseava: aos brancos de aço de lua. Foi nas fornalhas de um instante — o meio-tempo daquilo durado. O Vaqueiro falou o Boi.

"— *Levanta-te, Boi Bonito,*
ô meu mano,
deste pasto acostumado!

— *Um vaqueiro como você,*
ô meu mão,
no carrasco eu tenho deixado!"

O de ver que tinha o Boi: nem ferido no rabicho, nem pego na maçaroca, nem risco de aguilhada. O Vaqueiro mais citou. O Cavalo não falava.

"— *Levanta-te, Boi Bonito,*
ô meu mano,
com os chifres que Deus te deu!
Algum dia você já viu,
ô meu mano,
um vaqueiro como eu?"

Dele ganhou uma resposta, com um termo sério e sentido:

— *Te esperei um tempo inteiro,*
ô meu mão,
por guardado e destinado.
Os chifres que são os meus,

ô meu mão,
nunca foram batizados...
Digo adeus aos belos campos,
ô meu mão,
onde criei o meu passado?
Riachim, Buriti do Mel,
ô meu mão,
amor do pasto secado?...

Velho Camilo cantava o recitado do Vaqueiro Menino com o Boi Bonito. O vaqueiro, voz de ferro, peso de responsabilidade. O boi cantava claro e lindo, que, por voz nem alegre nem triste, mais podia ser de fada. No princípio do mundo, acendia um tempo em que o homem teve de brigar com todos os outros bichos, para merecer de receber, primeiro, o que era — o espírito primeiro. Cantiga que devia de ser simples, mas para os pássaros, as árvores, as terras, as águas. Se não fosse a vez do Velho Camilo, poucos podiam perceber o contado.

Até as mulheres choravam. Leonísia suavemente, Joana Xaviel suave. Joana Xaviel de certo chorava. Essa estória ela não sabia, e nunca tinha escutado. Essa estória ela não contava. O velho Camilo que amava. Estória!

Seo Vevelho foi por si mesmo buscar cachaça-queimada, pra trazer para o Velho Camilo. O senhor do Vilamão, tão branco, idosamente, batia palmas avivas, parecia debaixo de um luarado.

Manuelzão estendeu a mão. Para ninguém ele apontava. A boiada fosse sair — ele abraçava o Adelço e Leonísia.

Mas a estória se contava:

— "O Vaqueiro baixou o laço no Boi Bonito. Pôs surrupeia. Passou no pau, amarrou. O Boi tinha de dormir ali amarrado. Mas, da água do riachinho, eles dois tinham juntos bebido. Por horas que anoitecia, o Vaqueiro desconhecia o caminho da Fazenda.

— Este Cavalo é conhecedor deste mundo todo. Eu afrouxo a rédea dele...

Amontou e afrouxou a rédea. O Cavalo virou e viajou. Viajou direitamente. Chegou lá, no estado da noite, vespra do galo cantar. O Vaqueiro gritou na cancela. Todos dormindo. O cachorro grande laborando todo. Os cachorros barrondando. Pessoal se levantou, com luzinhas de lanterna, ver o que estava se passando. O fazendeiro, de camisolão, queria saber o que foi:

— Ei, é? Que maçada...

— Eu. É dúvida?

— Que é que está fazendo? Você morreu não?

— Eu estava trabalhando o Boi...

— Ara, ara...

Os outros vaqueiros deram um teima com ele. Formaram uma questão ali, chegaram em termos de brigar. Antão o fazendeiro ficou brabo:

— Não, gente. 'Comóda! O homem falou que marrou, é porque marrou. Não tem melhores alvissas?

Foi ordem de se acender festa, com tocada de viola e dansa: *té, té, té, té, té, té, té, té,* — até o dia clareou. Fizeram noite, dansando. As iaiás também. O quando o dia já estava pronto para amanhecer, céu já se desestrelando. No seguinte, na rompidinha do dia, a vaqueirama se formou. O Vaqueiro com o Fazendeiro — adepartes. Fazendeiro mais atrás, na sua besta queimada. O Vaqueiro vinha guiando. Jogou o Cavalão adiente, foi bater onde estava o Boi... O Cavalo governava."

— Seo Camilo, a estória é bôa!

— Manuelzão, sua festa é bôa!

— Simião, me preza um laço dos seus, um laço bom, que careço, a quando a boiada for sair...

— Laço laçāo! Eu gosto de ver a argola estalar no pé-do-chifre e o trem pular pra riba!

— Aprecio, por demais, de ajudar numa saída de gado. Vadiar mais os companheiros...

— Ei, eh, epa! A isso, lá?

— O João Urúgem, vigia: que veio em ouvir, na beira da escuridão... Oi, o João Urúgem de quatro patas, de sombrio, com todas as mãos no chão...

— Tenção de caluda, companheiros, deixa a estória terminar.

— "... O Boi estava amarrado, chifres altos e orvalhados. Nos campos o sol brilhava. Nos brancos que o Boi vestia, linda mais luz se fazia. Boi Bonito desse um berro, não aguentavam a maravilha. E esses pássaros cantavam.

— Vosmecê, meu Fazendeiro, há-de me atender primeiro, dino. Meu nome hei: Seunavino... Não quero dote em dinheiro. Peço que o Boi seja soltado. E se me dê este Cavalo.

— Atendido, meu Vaqueiro, refiro nesta palavra. O Boi, que terá por seus os pastos do fazendado. Ao Cavalo, é já vosso. Beija a mão, meu Vaqueiro.

— Deus vos salve, Fazendeiro. Vaqueiros, meus companheiros. Violeiros... Fim final. Cantem este Boi e o Vaqueiro, com belo palavreado..."

— Espera aí, seo Camilo...

— Manuelzão, que é que há?

— Está clareando agora, está resumindo...

— Uai, é dúvida?

— Nem não. Cantar e brincar, hoje é festa — dansação. Chega o dia declarar! A festa não é pra se consumir — mas para depois se lembrar... Com boiada jejuada, forte de hoje se contando três dias... A boiada vai sair. Somos que vamos.

— A boiada vai sair!

Sumário

Este livro foi impresso em Guarulhos, em abril de 2003,
pela Lis Gráfica e Editora Ltda., para a Editora Nova Fronteira.

Visite nosso *site*: www. novafronteira.com.br